Né à Paris en 1947, Ch ... à treize ans à travers ses lectures, et se rend pour la première fois au pays des pharaons quelques années plus tard. L'Égypte et l'écriture prennent désormais toute la place dans sa vie. Après des études de philosophie et de lettres classiques, il s'oriente vers l'archéologie et l'égyptologie, et obtient un doctorat d'études égyptologiques en Sorbonne avec pour sujet de thèse « Le voyage dans l'autre monde selon l'Égypte ancienne. »

Christian Jacq publie alors une vingtaine d'essais, dont *L'Égypte des grands pharaons* chez Perrin en 1981, couronné par l'Académie française. Il fut un temps collaborateur de France Culture, notamment pour l'émission « Les Chemins de la connaissance ». Parallèlement, il publie des romans historiques qui ont pour cadre l'Égypte antique ainsi que, sous pseudonyme, des romans policiers. Son premier succès, *Champollion l'Égyptien*, a suscité la passion des lecteurs en France comme à l'étranger, tout comme ses autres romans – *Le Juge d'Égypte*, *Ramsès*, *La Pierre de Lumière*, *Le Procès de la momie*, *Imhotep, l'inventeur d'éternité*. Après sa trilogie *Et l'Égypte s'éveilla* (XO Éditions, 2011) et *Le Dernier Rêve de Cléopâtre* (XO Éditions, 2012), il a publié *Néfertiti : l'ombre du Soleil* (XO Éditions, 2013).

Les ouvrages de Christian Jacq sont aujourd'hui traduits dans plus de trente langues.

NÉFERTITI
L'OMBRE DU SOLEIL

DU MÊME AUTEUR
CHEZ POCKET

CHRISTIAN JACQ

NÉFERTITI
L'OMBRE DU SOLEIL

XO ÉDITIONS

Pocket, une marque d'Univers Poche,
est un éditeur qui s'engage pour la
préservation de son environnement et
qui utilise du papier fabriqué à partir
de bois provenant de forêts gérées de
manière responsable.

© XO Éditions, 2013

ISBN : 978-2-266-25017-7

Que sa Grande Épouse que le roi aime,
La souveraine du Double Pays,
Néfertiti,
Vive et rajeunisse.
Pour toujours, éternellement.

Conclusion du *Grand Hymne à Aton*
inscrit dans la tombe d'Ay à Amarna
(Akhet-Aton, « la contrée de lumière d'Aton »)

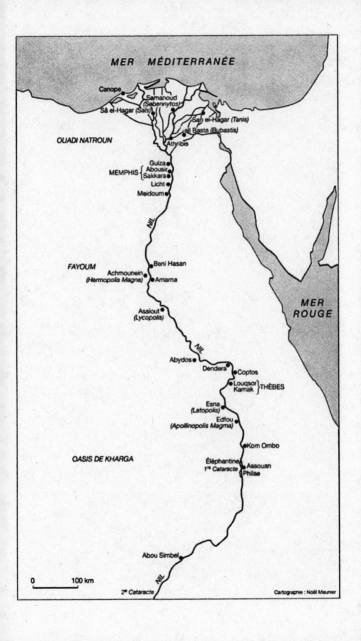

MER MÉDITERRANÉE

Canope
Samanoud
(Sebennytos)
Sâ el-Hagar (Saïs)
San el-Hagar (Tanis)
Tell Basta (Bubastis)
Athribis

OUADI NATROUN

Guiza
Abousir
MEMPHIS { Sakkara
Licht
Meidoum

NIL

FAYOUM

Beni Hasan
Achmounein
(Hermopolis Magna)
Amarna

MER
ROUGE

Assiout
(Lycopolis)

NIL

Abydos
Dendera Coptos
Louqsor } THÈBES
Karnak

Esna
(Latopolis)
Edfou
(Apollinopolis Magma)

Kom Ombo

OASIS DE KHARGA

Éléphantine
1re Cataracte
Assouan
Philae

Abou Simbel

NIL

0   100 km

2e Cataracte

Cartographie : Noël Meunier

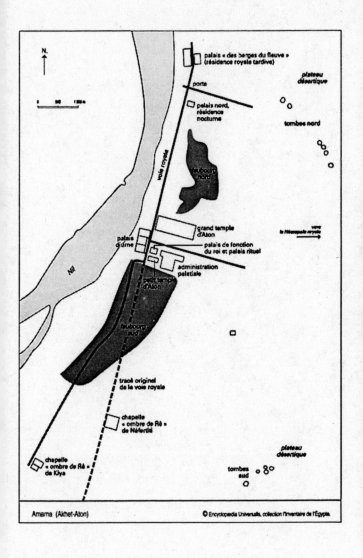

N.

0   500   1 000 m

palais « des berges du fleuve »
(résidence royale tardive)

plateau
désertique

porte

palais nord,
résidence
nocturne

tombes nord

voie royale

faubourg
nord

grand temple
d'Aton

vers
la Nécropole royale

palais
diurne

palais de fonction
du roi et palais rituel

administration
palatiale

petit temple
d'Aton

Nil

faubourg
sud

tracé original
de la voie royale

chapelle
« ombre de Rê »
de Néfertiti

plateau
désertique

chapelle
« ombre de Rê »
de Kiya

tombes
sud

Amarna (Akhet-Aton)

© Encyclopædia Universalis, collection l'inventaire de l'Égypte.

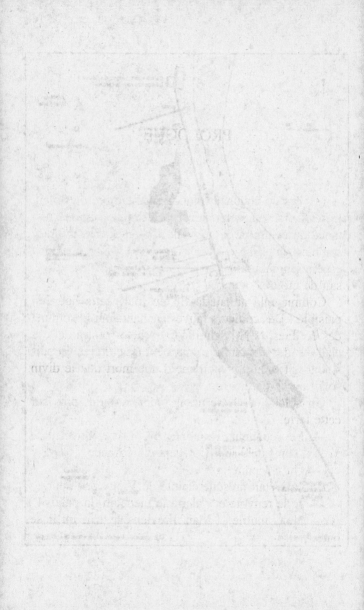

PROLOGUE

Les ors du couchant inondaient l'Ombre du Soleil, la résidence où s'était retirée Néfertiti, à bonne distance du centre de la nouvelle capitale qu'avait créée son mari, le pharaon Akhénaton. En s'isolant, elle avait espéré reprendre des forces, mais l'épuisement ne cessait de croître.

Comme elle aimait la fin du jour, cette heure si paisible ! Des couleurs fauves enchantaient le sommet des collines, le Nil scintillait, les bêtes rentraient des champs, des airs de flûte égayaient les cultures. Et puis s'abattrait la nuit, synonyme d'une mort que le divin soleil aurait à vaincre.

Un soleil que Néfertiti ne contemplerait plus sur cette terre.

— Le sculpteur Thoutmès est arrivé, l'avertit le Vieux, son fidèle serviteur depuis l'enfance.

— Qu'il vienne.

La voix était presque éteinte, le Vieux prit peur.

— Je le renvoie et j'alerte le médecin du palais !

— Non, inutile… Mais préviens le roi, qu'il se hâte…

13

Thoutmès était le sculpteur préféré de la reine qui avait réussi à occuper un trône en bois doré dont elle serrait les accoudoirs.

D'une main hésitante, en raison de l'émotion, il dévoila son œuvre.

— Voici votre portrait, Majesté.

Un buste en calcaire, recouvert d'une couche de gypse, haut d'une cinquantaine de centimètres, représentait une femme d'une beauté à couper le souffle. Coiffée de sa couronne bleue, le cou orné d'un collier de perles vertes, rouges et bleues, la reine arborait un léger sourire, et son regard, serein et profond, scrutait l'invisible.

— Ce n'est pas moi… Je suis vieille et malade.

— J'ai sculpté votre âme, Majesté ; et je l'ai sculptée pour l'éternité. La lumière qui l'anime traversera les siècles ! Si ce portrait vous agrée, je souhaite le parachever dans mon atelier.

Néfertiti acquiesça, Thoutmès s'éclipsa.

Ses ultimes forces quittaient la souveraine ; pourtant, elle parvint à gagner le bord du plan d'eau, entouré de colonnades, où elle goûta les derniers rayons du crépuscule. L'eau était tiède et claire ; naguère, la reine se baignait volontiers. Ce soir, elle n'était même plus capable de célébrer un rite en l'honneur du soleil, à l'orée du monde des ténèbres.

Une violente douleur lui perça la poitrine, l'air lui manqua ; elle s'affala dans un fauteuil au dossier bas, la tête en arrière. L'angoisse la tenaillait : le roi consentirait-il à se déplacer, aurait-elle le bonheur de le revoir avant de disparaître ?

Elle, la femme la plus puissante d'Égypte, dotée des pouvoirs d'un pharaon, était seule face à la mort.

Comme toujours, Néfertiti lutta ; elle trouverait l'énergie nécessaire pour attendre l'homme qu'elle avait vénéré et soutenu, tout au long d'une quête de vingt années, parsemée de combats farouches et d'innovations qui avaient choqué tant d'esprits hostiles.

Quelle aventure insensée, que de folies réalisées, que d'enthousiasme offert à une lumière nouvelle !

L'eau frissonna sous l'effet d'un doux vent du nord, ses reflets éblouirent la servante du dieu Aton. Alors, Néfertiti se souvint...

1

— Ne t'enfuis pas, la Belle ! ordonna le scribe.

— Moi ? M'enfuir ?

La jeune femme défia le prédateur. Âgée de dix-sept ans, les traits d'une délicatesse presque irréelle, elle était la cible d'une cohorte de soupirants que ne rebutait pas son tempérament farouche.

Et celui-là était particulièrement insistant. Jeune, célibataire, fils aîné d'un couple de notables possédant une belle villa, des terres et des troupeaux, il avait l'allure conquérante des prétentieux se croyant tout permis.

— Tu ne penses pas que ça suffit, la Belle ? À force de provoquer les mâles, tu finiras par avoir des ennuis.

— Je n'en discerne pas dans les parages.

Vexé, le scribe s'approcha.

— Je serai le meilleur des maris, tu me donneras de beaux enfants.

— Quel superbe destin…

— Il n'en existe pas de plus beau, en effet ! Et tu m'en remercieras chaque jour.

— Si on débutait maintenant ?

— Tu… Tu consens ?

— Ça suffit, ne l'as-tu pas dit toi-même ?

Le scribe en eut l'eau à la bouche. La Belle n'avait pas usurpé son nom ; elle éclipsait les autres filles, au point de les rendre folles de jalousie, à commencer par sa sœur.

L'endroit était idéal : le bord d'un étang qu'ombrageaient des saules. Ici, on nageait sans danger, à l'abri des regards indiscrets.

— Après nos ébats amoureux, décréta le scribe, tu viendras habiter chez moi, et nous serons frère et sœur[1].

— Quels magnifiques projets !

Le sourire conquérant, le vainqueur délia son pagne.

— Tu… Tu ne te déshabilles pas ?

— D'abord, un baiser.

La délicatesse et la grâce de la jeune fille étaient des apparences trompeuses ; dès l'enfance, elle avait manifesté un tempérament de guerrière, se plaisant à affronter les garçons au maniement des bâtons et profitant de leur vanité pour les terrasser.

Le scribe s'avança.

Lorsque la baguette de saule fouetta ses attributs virils, il poussa un hurlement.

— Décampe, exigea la Belle, et ne m'adresse plus jamais la parole.

Quelle que fût sa rancœur, le benêt se tiendrait désormais à l'écart ; sous le règne de Pharaon, l'égalité entre homme et femme n'était pas un vain mot, et l'on infligeait la peine de mort à un violeur.

Débarrassée de ce pitre, la jeune femme ôta ses sandales et sa tunique ; l'eau était délicieuse, mais ne dissipa pas son humeur chagrine. Elle n'épouserait pas

---

1. Selon la terminologie de l'Égypte ancienne, mari et femme.

18

un nanti de la cité d'Ipou[1] où, malgré la situation avantageuse de ses parents, elle s'ennuyait ferme. Un feu brûlait en elle, une ambition impossible à décrypter, qui l'entraînait à lire les auteurs anciens, à s'isoler et à se préparer à des épreuves dont elle n'appréhendait pas la nature. Les desseins de ses parents, désireux de la voir mariée, ne correspondaient pas aux siens, et l'affrontement semblait inévitable.

Comment leur faire comprendre qu'elle n'aspirait pas à devenir une provinciale aisée, entourée de marmots, et qu'elle espérait d'autres horizons ? Le soir, la jeune femme cédait au désespoir ; à l'aube, son désir renaissait, et la splendeur du soleil triomphant des ténèbres lui redonnait l'envie de se battre et de renverser les obstacles.

Une certitude : végéter ici reviendrait à gâcher son existence. Elle n'avait pas le droit de s'assoupir et de renoncer au jaillissement de la flamme qui la dévorait.

Quand les dieux la libéreraient-ils enfin ? À force d'implorer la puissance du soleil, n'obtiendrait-elle pas un pouce de sa puissance, capable d'anéantir sa propre obscurité ?

Alors que la nageuse sortait de l'étang, un faucon jaillit de la lumière de midi et s'empara d'une de ses sandales ; de son vol rapide, il s'éloigna vers le sud.

À la fois étonnée et contrariée, ne décelant pas la signification de cet étrange incident, la jeune femme reprit, pieds nus, le chemin conduisant à la spacieuse villa familiale, l'une des plus cossues de la ville.

---

1. La capitale de la neuvième province de Haute-Égypte (aujourd'hui Akhmim), à une centaine de kilomètres au nord de Louxor.

Son père, Ay, occupait un haut poste administratif dans l'armée, et sa mère[1], une femme douce et effacée, s'était consacrée à l'éducation de ses deux filles, si différentes. La Belle ne s'entendait guère avec sa sœur qui lui reprochait son caractère impossible.

En l'apercevant, son domestique favori, un vieil homme maigre toujours à l'ouvrage, parut soulagé.

— Votre père vous attend.

— Un ennui ?

— Je l'ignore, répondit le Vieux ; je vais vous laver les pieds, vous apporter des sandales et une robe convenable.

*
* *

Amateur de bonne chère, Ay était un homme replet et affable, non dépourvu d'autorité ; n'ayant pas coutume de hausser le ton, il savait néanmoins diriger et menait une carrière honorable au service de l'État. Bientôt, il serait nommé gouverneur d'Ipou, et ses filles deviendraient des personnages officiels, contraintes de tenir leur rang.

La pire des perspectives aux yeux de la Belle.

— Ma chère fille, j'ai une nouvelle extraordinaire à t'annoncer ; que le Vieux prépare tes bagages.

— Nous… Nous voyageons ?

— Nous déménageons.

— Pour aller où ?

— Sur ordre de Sa Majesté, je suis appelé à occuper un poste important au sein de l'administration centrale.

_____

1. La nourrice Tiy.

2

En dépit du décès de son frère aîné, promis au trône,
le jeune prince Amenhotep[1], futur pharaon, n'avait pas
modifié son comportement ; évitant le cercle des courtisans, il passait l'essentiel de son temps dans les
bibliothèques des temples de la capitale et assumait, à
la place de son père, vieillissant et malade, la célébration quotidienne des rites.

Détestant les exercices physiques, qu'il s'agisse de
tir à l'arc, de course, ou de lutte, le nouveau prince
héritier préférait s'entretenir de longues heures avec le
sage qui avait conçu le temple de Louxor et conseillé
le monarque pendant la majeure partie de son règne.
Il lui parlait de la lumière divine, de ses bienfaits et
de sa puissance infinie, sans omettre de l'initier aux
modalités du gouvernement de l'Égypte, si riche
qu'elle suscitait de redoutables convoitises. Ne pas
séparer le spirituel du matériel, maintenir l'harmonie
entre le ciel et la terre, offrir une demeure temporelle

---

1. *Amen-hotep*, « Amon est accompli, en plénitude. »

au divin intemporel : le jeune homme absorbait l'enseignement de l'ancien.

À côté de ces moments exceptionnels, l'agitation du palais et la cour étaient dérisoires, et le prince n'accordait aucun crédit au personnel politique dont les flatteries l'écœuraient. Un seul dignitaire trouvait grâce à ses yeux : l'artisan Parénéfer[1], d'extraction modeste, devenu son échanson et son confident ; méprisé par les hauts fonctionnaires, ce petit homme à l'allure fatiguée était un passe-muraille qui avait des yeux et des oreilles partout. Personne ne se méfiait de ce personnage falot ; à l'évidence, il demeurerait quantité négligeable.

Le prince, lui, se louait de ses services. Parénéfer l'informait de façon précise et lui décrivait les tribulations des hommes de pouvoir, encore soumis à l'autorité du pharaon Amenhotep III et, surtout, à celle de la Grande Épouse royale, Tiyi. Depuis la dégradation physique de son mari, elle ne dirigeait plus seulement le ministère des Affaires étrangères, mais avait empoigné les rênes de l'État.

Le jeune homme éprouvait affection et vénération envers ses parents ; son père n'avait-il pas porté l'Égypte à l'apogée de son rayonnement ? Et sa mère, développant d'excellentes relations avec les souverains étrangers, consolidait la paix. Quand les dieux rappelleraient l'âme du pharaon au cœur de la lumière d'où elle était issue, Tiyi monterait sur le trône et gouvernerait, comme d'autres femmes avant elle.

Le prince ne rêvait pas de ce pouvoir-là ; il avait

---

1. *Pa-ren-nefer*, « Celui au nom parfait. »

tant à percevoir, en parcourant les textes des théologiens et en étudiant la tradition primordiale, celle de la ville sainte d'Héliopolis, la cité du soleil[1] ! Là était née la spiritualité égyptienne, là avait rayonné la connaissance de la lumière, source de toute vie. Pendant que Tiyi s'occuperait des affaires du royaume, son fils poursuivrait ses recherches.

D'après Parénéfer, cette démarche déplaisait au clan des serviteurs du dieu Amon, les gestionnaires du gigantesque temple de Karnak, doté de richesses considérables. Formant un État dans l'État, ils s'attachaient à garder les faveurs du monarque. Amon, « le caché », n'était-il pas le dieu d'empire et le seigneur des victoires ? Guidant la pensée et le bras de Pharaon, il lui assurait bonheur et suprématie.

Le prince jugeait ce discours hypocrite. En réalité, la plupart de ces nantis se préoccupaient de leurs avantages matériels en oubliant de servir la divinité ; et le vieux pharaon n'avait pas la lucidité nécessaire pour écarter les flatteurs.

À maintes reprises, il avait tenté d'apaiser son fils dont les critiques lui semblaient excessives. Certes, il fallait contrôler les prêtres d'Amon, mais sans bousculer l'ordre établi ni troubler un système qui donnait chaque jour les preuves de son efficacité.

Quoiqu'il écoutât respectueusement la leçon, le prince ne changeait pas d'avis, et sa popularité, à la cour, était au plus bas ; nul ne discernait en lui les qualités d'un roi, à l'exception de Parénéfer.

---

1. En hiéroglyphique, elle s'appelait *Iounou*, « la cité du pilier ». Le site, dévasté, est proche du Caire.

En sortant de la bibliothèque où il avait consulté un papyrus traitant de la régénération de l'âme par la lumière solaire, le jeune Amenhotep vit accourir son serviteur, porteur d'une petite jarre d'eau fraîche.

— Vous devez mourir de soif ! Et vous n'avez même pas songé à déjeuner…

Le prince but plusieurs gorgées.

— Cet écrit était envoûtant… Mais tu as raison, j'ai faim !

Un bruit étrange figea les deux hommes.

Un claquement d'ailes.

Levant les yeux, ils admirèrent un faucon qui s'immobilisa un instant au-dessus d'eux. Relâchant ses serres, il libéra un objet, lequel tomba à trois pas du prince ; puis le rapace regagna les hauteurs du ciel.

— Un présage, murmura Parénéfer.

Le faucon n'était-il pas l'incarnation du dieu Râ, la lumière créatrice ? Ne venait-il pas de désigner Amenhotep comme son fils bien-aimé ? D'autres yeux avaient observé la scène, et la rumeur se propagerait à la vitesse du vent du sud.

Le prince ramassa une sandale en cuir blanc.

— Superbe qualité, nota Parénéfer ; une pièce de luxe appartenant à une personne d'excellente famille.

Le jeune homme ressentait d'étranges sensations.

— Pourrait-on la retrouver ?

— Ce ne sera pas facile… Je vais interroger les meilleurs artisans de la capitale. C'est forcément un maître qui a façonné cette sandale ; avec un peu de chance, j'obtiendrai peut-être une piste.

En caressant ce petit chef-d'œuvre, le prince imagina

la finesse d'un pied soigné et la beauté d'une femme inaccessible[1].

Inaccessible… Et si le destin lui souriait ?

---

1. Connue dès l'Ancien Empire, cette légende est à l'origine de celle de Cendrillon.

3

Thèbes[1], la cité du dieu Amon, la capitale des Deux Terres, la Haute et la Basse-Égypte, la ville aux mille richesses abritant les temples de Karnak et de Louxor… La Belle était fascinée.

Enfin, son rêve se réalisait !

Effacée, sa province natale ; ici, elle en était persuadée, son destin se dévoilerait. Loin de se sentir écrasée, la jeune femme désirait explorer le nouvel univers où elle ne manquerait pas de s'épanouir.

Le Vieux, lui, regrettait déjà la quiétude de sa province ; que d'agitation et de travail en perspective ! Heureusement, il avait un allié de poids, Vent du Nord, un âne monumental, toujours prêt à le seconder et capable de trouver le bon chemin en n'importe quelles circonstances.

Au débarcadère, il avait pris la tête de la famille, en direction du palais de Malgatta, sur la rive ouest ; stupéfait, le délégué chargé d'accueillir les arrivants trottina derrière le grison.

---

1. En égyptien ancien *Ouaset*, « la cité du sceptre Puissance (*ouas*) » que manient les divinités.

— Comment cette bête connaît-elle notre destination ?

— L'intuition, répondit le Vieux ; à côté de Vent du Nord, on n'est que des aveugles.

Le délégué haussa les épaules.

*
* *

En découvrant la résidence royale, Ay et les siens furent éblouis ; sise près d'un grand lac, la « demeure de la joie » se composait d'un ensemble de bâtiments comprenant un temple, un palais, des jardins et des dépendances. Les peintres avaient rivalisé de génie, ornant les murs de scènes colorées qui vantaient les charmes de la campagne et la splendeur du monde animal, depuis l'envol des oiseaux chamarrés jusqu'aux ébats d'un taurillon au cœur des papyrus.

La Belle se frotta les yeux ; non, ce n'était pas un mirage ! Impossible d'envisager davantage de beauté, de luxe et de charme. De sa sandale, elle effleura le sol, un carrelage évoquant un paysage du bord du Nil.

— Suivez-moi, ordonna le délégué ; Sa Majesté va vous recevoir.

La Grande Épouse royale se reposait dans un pavillon aux fines colonnettes, couvert de glycine. Elle observait le lac de plaisance sur lequel elle se plaisait à voguer en empruntant une barque dédiée à Aton, le disque solaire.

De taille moyenne, le visage allongé et fin, les yeux petits et vifs, le menton pointu, les lèvres sévères, la reine Tiyi avait de longs cheveux parfumés[1].

_____

1. Nous pensons que l'admirable momie retrouvée dans la tombe 35 de la Vallée des Rois est bien celle de la reine Tiyi.

Ay, son épouse et ses deux filles s'inclinèrent devant la femme la plus puissante du monde.

Comme si elle ne s'apercevait pas de leur présence, la reine tarda à s'exprimer.

— Ma bonne ville d'Ipou se porte-t-elle bien ? interrogea-t-elle. Voilà longtemps que je n'ai pas eu l'occasion de revoir ma maison natale !

— Le calme règne, Majesté.

— Toi et les tiens, approchez-vous et asseyez-vous.

Impressionnés, les invités occupèrent des sièges bas ; un serviteur s'empressa de leur apporter des coupes emplies d'une bière fraîche et légère.

Le visage à demi baissé, la Belle se pinça ; était-elle vraiment en présence de la maîtresse du pays, à l'autorité incontestée, et que chacun craignait ? La douceur de la voix ne masquait pas son caractère impérieux.

— Tu as servi au mieux notre chère cité, Ay, et même les esprits critiques ne tarissent pas d'éloges à ton propos ; aujourd'hui, la capitale a besoin de tes qualités. Ta demeure de fonction est prête, ta famille y coulera des jours heureux.

L'indication était claire : le dignitaire et les siens ne retourneraient pas à Ipou, et la Belle s'en réjouissait.

— Ta femme n'a-t-elle pas hâte d'apprécier son nouveau cadre de vie ?

L'épouse d'Ay se leva, ses deux filles l'imitèrent. Les brèves mondanités s'achevaient, les affaires sérieuses débutaient.

Désolée d'être exclue, la Belle eut l'impudence de croiser le regard de la souveraine.

Pendant quelques instants, le temps fut suspendu.

D'un mot, la reine allait-elle briser l'existence de l'insolente ?

La jeune fille ne ressentit pas d'hostilité, mais plutôt de la curiosité ; elle suivit sa mère et sa sœur, sans que Tiyi intervînt.

Pétrifié, Ay s'attendait à être congédié ; sa bonne fortune aurait été de courte durée.

La reine sourit.

— Les tempéraments forts ne me déplaisent pas ; ta fille s'imposera peut-être à Thèbes. Quoi qu'il en soit, tu auras un rôle déterminant à jouer, et je requiers ton dévouement absolu. J'ai bien dit : *absolu*.

Ay avala sa salive.

— Soyez-en assurée, Majesté.

— Et j'y ajoute une condition : ton silence.

— Je m'y engage.

Tiyi contempla longuement le lac, puis parla d'une voix sourde :

— L'Égypte est riche et puissante, mais des nuages s'accumulent. Nous contrôlons nos frontières et nos vassaux livrent les tributs habituels, contribuant ainsi à notre prospérité ; néanmoins, les Hittites[1] continuent à s'armer et, malgré leurs proclamations en faveur d'une paix durable, je redoute leur agressivité. Le pire, c'est la maladie du roi ; l'âge l'accable, sa santé ne cesse de se dégrader, et le gouvernement risque d'en souffrir. Déjà, des ambitions se font jour, et celles des prêtres d'Amon ne sont pas les moindres. Tu seras un homme de l'ombre, Ay, tu observeras le comportement des principaux dignitaires, le travail des ministères et me signaleras oralement les déviances. J'ai besoin d'un regard extérieur à cette cour trop imbue d'elle-même

---

1. Les ancêtres des Turcs.

et inconsciente des dangers qui la guettent. Ta fonction officielle d'administrateur de l'armée t'ouvrira toutes les portes.

La reine contempla de nouveau le lac de plaisance, l'entretien était terminé ; averti du poids de sa tâche, Ay se retira.

Tiyi avait omis d'aborder le sujet essentiel : après le décès du pharaon, qui lui succéderait ?

4

Ay se devait d'inaugurer sa nouvelle existence à Thèbes en offrant un banquet où se presseraient les personnalités. Parfaite maîtresse de maison, angoissée à l'idée de commettre un impair, son épouse avait tout organisé au mieux avec l'aide de ses deux filles. Et l'efficacité de la Belle avait émerveillé ses parents ; infatigable, elle distribuait des ordres précis aux serviteurs et veillait au moindre détail. Son charme était tel qu'il suscitait l'obéissance ; malgré ses exigences et sa fermeté, la jeune femme s'attirait l'affection du nombreux personnel de la vaste demeure, entourée d'un jardin planté de palmiers, de sycomores et d'acacias.

Au comble de l'excitation, elle affrontait mille et un tracas qu'elle s'acharnait à surmonter en vue d'une réussite qui éblouirait ses hôtes. En dépit des réticences de son père, elle avait, comme d'habitude, obtenu ses confidences et connaissait l'essentiel de sa délicate mission. La Belle lui avait remonté le moral, le persuadant qu'avoir l'oreille de la souveraine était un inestimable privilège. Nul ne doutait que Tiyi serait le futur pharaon ; si Ay lui donnait satisfaction, ne deviendrait-il pas son bras droit ?

33

— L'une des tables basses est fendue, se plaignit le Vieux ; et les invités arrivent dans deux heures !

La Belle sourit.

— Tu trouveras sûrement une solution.

— Une solution, une solution… Puisqu'il le faut ! Le Vieux regrettait la tranquillité de sa province ! Ici, on ne cessait de courir, et le domaine était vaste ; dormant peu, il passait une bonne partie de son temps à traquer les tire-au-flanc et à les remettre au travail.

La Belle mesurait l'importance de l'épreuve. Ce banquet était l'occasion de rencontrer les notabilités de la capitale dont le jugement serait tranchant ; si Ay et les siens décevaient, ils seraient déconsidérés, et la reine Tiyi les écarterait.

Thèbes était impitoyable, la cour ne supportait ni l'incompétence ni la faiblesse ; laisser échapper cette chance-là serait fatal.

Ay tentait de rester digne, son épouse était au bord de la dépression, la sœur de la Belle s'agitait en vain, le Vieux inspectait la salle du banquet, les cuisiniers surveillaient les plats, les jardiniers pratiquaient un ultime nettoyage. La fine fleur de l'aristocratie thébaine ne tolérerait pas de négligence.

Le regard froid, la jeune femme examina les vêtements de fête, les perruques et les sandales. Dès cette première soirée où ils s'exposeraient aux regards de l'élite du pays, Ay et sa famille voulaient la conquérir.

*
* *

La journée du prince Amenhotep avait été fructueuse ; pendant de longues heures, il avait lu un traité rédigé par les sages d'Héliopolis qui liaient la Création à l'apparition de la lumière, incarnée dans une pierre primordiale surgie, à l'aube des temps, de l'océan d'énergie. La terre était un îlot, et l'Égypte, son centre spirituel.

La lumière. C'était elle, la clé de toute vie, et non le secret du dieu Amon, dissimulé au sein des ténèbres d'une chapelle seulement accessible au pharaon ! Pourtant, de telles pensées seraient violemment rejetées.

Le soleil se couchait.

Parénéfer s'approcha de son maître, qu'il jugea préoccupé.

— Un souci, prince ?

— Le terme est faible.

— Comment puis-je vous aider ?

— Personne ne le peut. Ton enquête a-t-elle abouti ?

— Malheureusement non ! J'ai montré la sandale à une vingtaine de jeunes filles d'excellente famille, mais aucune d'elles ne l'a identifiée. Rassurez-vous, je ne renonce pas !

Le signe du faucon… Le prince en saisirait la signification, quelle qu'elle soit.

— Thèbes ne parle que du banquet de ce soir, révéla Parénéfer.

— Au palais ?

— Non, chez Ay, un haut fonctionnaire qui accomplit son entrée officielle à la cour, avec l'appui de votre mère.

— Encore un flatteur… On ne les compte plus.

— Prince, regardez !

Un faucon tournoyait au-dessus des deux hommes.

— C'est lui… C'est lui qui a déposé la sandale ! Et… il nous invite à le suivre !

Pas un dignitaire ne manquait, du grand prêtre de Karnak au maire de Thèbes ; chacun souhaitait connaître cet Ay qui avait l'oreille de la Grande Épouse royale. L'affabilité du maître des lieux, la modestie de son épouse et la beauté de leurs deux filles séduisirent les invités ; l'homme avait un passé d'administrateur compétent et sérieux, il ne manifestait pas d'ambition dévorante et saurait rester à sa place. Sa réception était de bon goût, sans tape-à-l'œil : jardin bien entretenu, salle de banquet joliment décorée, mets de qualité, vins honorables, service rapide et discret.

Réussissant son examen d'entrée à la cour, Ay faisait l'unanimité ; et l'on s'apprêtait à goûter un dernier cru au bord de la pièce d'eau lorsque Maya, à la fois militaire de haut rang et intendant des vignobles, aperçut un hôte inattendu. Ayant un peu trop bu, il crut d'abord se tromper ; en se concentrant, il vérifia sa première impression.

— Incroyable, murmura-t-il en prévenant le maire de Thèbes ; il ne participe à aucune festivité ! Pourquoi vient-il ici ?

La nouvelle se propagea ; le brouhaha des conversations s'éteignit, et les regards se tournèrent vers l'arrivant.

Et chacun s'inclina devant le prince héritier Amenhotep, tenant une sandale à la main.

5

Alerté, Ay s'empressa de saluer respectueusement cet hôte exceptionnel.

— Majesté… Je n'osais envisager un tel honneur.

Le prince tança le courtisan.

— As-tu une fille ?

— Deux, Majesté.

— Je veux les voir.

Elles accoururent.

— Cette sandale appartient-elle à l'une de vous ?

La Belle s'avança.

— C'est la mienne.

Ne baissant pas les yeux, elle découvrit un homme étrange, grand, au visage émacié, aux pommettes saillantes, au nez imposant, au grand front et aux lèvres épaisses. Longues jambes et longs bras lui donnaient une curieuse allure, et son attitude, à la fois raide et détachée, provoquait souvent une gêne.

L'intensité du regard et le feu animant sa parole effaçaient ce physique médiocre.

À l'indignation feutrée de l'assistance, la jeune femme ne se prosterna pas, demeurant bien droite face au prince héritier qui semblait fasciné. Comment, à cet instant, supposer qu'ils étaient tous deux la proie d'un coup de foudre d'une rare violence ?

— Le faucon, messager du dieu Soleil, m'a guidé jusqu'à toi.

En lui remettant la sandale, ses doigts effleurèrent ceux de la jeune femme, et ils partagèrent un même frisson.

— Désormais, déclara le prince d'une voix forte, tu t'appelleras Néfertiti[1]. Je t'attends demain au palais de Malgatta. Nous déjeunerons ensemble.

Escorté de son serviteur, le prince quitta la propriété d'Ay.

Néfertiti… « La belle est venue », autrement dit l'incarnation de Hathor, la déesse des étoiles, de la navigation heureuse et de l'amour.

Stupéfaite, l'assistance garda un interminable silence.

*
* *

La maisonnée était en ébullition. Personne n'avait dormi ; Ay déambulait, son épouse mourait d'angoisse.

Enfin, au milieu de la matinée, Néfertiti apparut, plus belle que jamais.

— Ma sœur m'a coiffée, révéla-t-elle ; comme elle trouve le prince affreux, elle n'est pas jalouse.

— Ta robe ! s'exclama sa mère, incapable de contenir son indignation. Elle est trop… trop…

— Trop quoi, maman ?

— Indécente ! On devine tes formes, on…

---

1. *Néféret*, « la belle, la parfaite » – *Ity*, « est venue ».

— C'est la mode thébaine. Aurais-tu honte de moi ?

— Non, mais...

— Je ferai honneur à notre famille.

— Déjeuner avec le prince héritier est un privilège, intervint Ay ; à ses yeux, tu n'es qu'une distraction passagère.

— Père chéri, je suis persuadée du contraire !

— Ne te berce pas d'illusions ! Tu amuses ce puissant personnage, pas davantage.

— Tel n'est pas mon avis.

— Qu'espères-tu, Néfertiti ? s'inquiéta Ay, prononçant le nom désormais consacré de sa fille.

— Il m'aime et je l'aime.

— Néfertiti !

— Toi et maman, n'avez-vous pas éprouvé de semblables sentiments ?

— Certes, mais...

— Je me moque de qui il est ! Ses yeux ne mentaient pas.

— Tu es très jeune, Néfertiti, et frôler le sommet du pouvoir est dangereux.

— À mon âge, on ignore la peur !

Sa mère s'interposa.

— N'y va pas, ma chérie ; nous nous confondrons en excuses, à cause d'une indisposition.

— Fuir n'est pas une solution, et je saurai affronter Amenhotep.

*
* *

Vent du Nord et le Vieux avaient accompagné Néfertiti jusqu'aux abords du palais de Malgatta.

— Tu parais contrarié.

— Laisse-moi te regarder… Bon, tu es ravissante. Un instant !

Dans l'une des sacoches que portait l'âne, le Vieux préleva une fiole de parfum.

— Un doigt sur le cou et les tempes… Voilà, tu es irrésistible.

— Désapprouverais-tu ma démarche ?

— L'amour, l'amour… Qui le maîtrise ? Je m'occupe de toi depuis ton enfance et j'ai toujours désiré ton bonheur.

— C'est à Thèbes que je l'obtiendrai !

— L'humeur des princes est versatile.

— Si tu avais vu comment il m'a contemplée…

— J'ai vu.

— Et tu ne le crois pas sincère ?

— Tu n'as pas l'intention de reculer ?

— Pas la moindre !

— Bonne chance, petite, marmonna le Vieux, prévoyant une kyrielle d'embêtements.

*
* *

Le gradé chargé de la sécurité examina la visiteuse d'un œil soupçonneux.

— Je suis la dame Néfertiti. Le prince Amenhotep m'attend.

— Votre visite était annoncée, en effet ; veuillez me suivre.

Sols, parois des couloirs, plafonds… le palais était un enchantement coloré, déployant un hymne aux beautés de la nature. Huppes, canards et passereaux s'ébattaient au sein d'une végétation luxuriante, des poissons virevoltaient entre les lotus.

Le gradé ouvrit la porte d'une salle d'audience aux colonnes peintes, évoquant des scènes d'offrandes aux divinités.

Au fond, assise sur un trône en bois doré, la reine Tiyi.

6

Néfertiti comprit que son chemin s'arrêtait là. La souveraine s'opposait à son union avec le prince héritier, auquel elle désignerait l'épouse de son choix. Et nul ne contesterait la décision de la maîtresse des Deux Terres.

À la jeune femme de regagner sa famille et de s'y faire oublier.

— Approche, exigea Tiyi.

À pas très lents, Néfertiti obéit et s'immobilisa, à distance respectueuse. Cette fois, le regard de la reine la pétrifia, l'empêchant de s'agenouiller, tête baissée. Il pénétra jusqu'au fond de son âme, tel un rayon de lumière perçant l'obscurité.

Jamais la jeune femme n'avait enduré une épreuve aussi intense ; sur le point de défaillir, elle respirait à peine. Semblable à une statue surplombant le monde des vivants, Tiyi était un rapace dont les serres crochetaient le cœur de sa proie et en déchiffraient tous les mystères.

En dépit de la souffrance et de la peur, Néfertiti perçut les véritables dimensions de la fonction royale. Une fonction impitoyable, liée à la puissance créatrice, nourrie de lucidité et de rigueur, ne réservant aucun espace aux faiblesses humaines. Régner n'était-il pas une tâche impossible ?

Le silence de Tiyi lui dévoilait un chemin insoupçonné ; à présent la souveraine savait tout de la jeune femme qu'elle avait scrutée au-delà du visible.

— Rejoins mon fils.

Néfertiti crut avoir mal entendu ; la reine l'autorisait-elle vraiment à s'entretenir avec le prince héritier ? Ne la condamnait-elle pas à un piège mortel ?

Deux serviteurs la conduisirent.

*
* *

Le prince Amenhotep n'avait jamais subi un tel trouble ; le cours de son existence ne se modifiait-il pas d'une manière brutale et inattendue ? Au lieu de s'enfermer dans une bibliothèque, il n'avait cessé de songer à Néfertiti qu'il était certain de ne pas revoir. Soit elle s'enfuirait, effrayée à l'idée d'un destin trop rude au milieu d'une cour qui la rejetterait, soit Tiyi imposerait une épouse jugée convenable.

À quoi servirait-il de lutter, si celle qu'il aimait ne se battait pas à ses côtés ?

Lui, unique prince héritier après la disparition de son frère aîné, ne disposait d'aucun pouvoir ! Se heurter à sa mère lui déplaisait, mais il en aurait le courage. En revanche, conquérir le cœur de Néfertiti et la convaincre de façonner un avenir commun ne relevait pas de sa seule volonté.

Désarmé, le jeune homme aurait dû chasser de sa mémoire ce moment ineffable où leurs mains s'étaient touchées, traduisant le début d'une union à laquelle il ne réussissait pas à renoncer.

Ce signe n'était-il pas l'essentiel, n'incarnait-il pas un espoir fou qu'il espérait transformer en réalité ? Non, il ne renoncerait pas !

Alors que le prince quittait les jardins pour regagner le palais, il l'aperçut, au sommet d'un escalier.

Les serviteurs disparurent, elle s'immobilisa.

Néfertiti… La Belle était venue !

N'était-ce pas un mirage, né des jeux de la lumière ? Incapable de bouger, il la regarda descendre lentement les marches étroites et s'avancer vers lui.

Il lui tendit les mains, elle les accepta.

— La reine m'a accordé une entrevue, révéla Néfertiti.

Le prince se contracta.

— Que t'a-t-elle ordonné ?

— Elle m'a permis de vous rejoindre.

— Ma mère approuve donc notre mariage !

— Notre…

La jeune femme serra les poignets d'Amenhotep.

— Je veux t'épouser.

— Nous nous connaissons à peine, nous…

— Je veux t'épouser, ici et maintenant, et nous aurons une vie entière pour nous connaître. Ta décision, Néfertiti ?

Cédant au bonheur qui l'envahissait, elle se jeta à son cou, et ils s'embrassèrent fougueusement, comme si leurs deux corps n'en formaient plus qu'un, réuni à jamais.

Quand leur étreinte sembla prendre fin, il la contempla avec une telle flamme au fond des yeux qu'elle en trembla.

— Nous avons une épreuve à franchir, annonça-t-il ; si nous triomphons, nous serons inséparables.

Main dans sa main, il l'entraîna au bord d'un bassin rectangulaire. À chaque angle, une torche.

— Voici le lac de feu, indiqua le prince ; il anéantit les êtres maléfiques et régénère les justes. Consens-tu à t'y baigner ?

Face au danger que seuls des magiciens étaient capables de conjurer, reculer eût été raisonnable ; Néfertiti repoussa la crainte. Là où irait le prince, elle irait.

Avec une infinie tendresse, il lui ôta ses sandales, sa robe, son sous-vêtement en lin, ses bracelets et boucles d'oreilles ; il la voulait nue, dépouillée de tout.

La beauté de Néfertiti l'éblouit autant que l'éclat de son soleil vénéré ; son corps parfait était une profusion d'enchantements. À son tour, il se dévêtit. Et s'il lui épargnait l'épreuve ? Non, il devait savoir !

Ensemble, ils abordèrent les marches de pierre ; l'eau recouvrit leurs pieds, leurs genoux, leur ventre, leur poitrine et, côte à côte, ils nagèrent en souplesse jusqu'au milieu du bassin. Fraîcheur et douceur caressèrent la peau de Néfertiti qui s'abandonna au nouveau baiser de son amant.

Le soleil de midi illumina le lac de feu ; les torches s'allumèrent d'elles-mêmes, saluant l'union amoureuse du prince et de Néfertiti, bénie par les rayons de l'astre.

7

Chaque matin, Ay et son épouse remerciaient les dieux de leur bonté ; depuis un an, ils vivaient un bonheur parfait. Conformément à la coutume, le mariage du prince Amenhotep et de Néfertiti avait été célébré de façon discrète, dans l'intimité du palais, sans que cet événement privé fasse l'objet d'un document officiel.

Mère d'une fille[1], la jeune femme résidait à Malgatta, bénéficiant d'un cadre enchanteur, propice à sa nouvelle grossesse. Les courtisans s'étonnaient de l'amour unissant le couple qui jouissait d'une existence paisible, ne sacrifiant que rarement aux mondanités. De longues promenades, des lectures à deux, des rencontres avec le Premier ministre, un vieux sage dont l'ampleur de vue émerveillait la jeune femme, la célébration des rites que dirigeaient Tiyi et, parfois, le pharaon, de plus en plus faible : les journées étaient

---

1. Nous n'avons aucune précision sur la date de naissance des enfants de Néfertiti et de son mari. L'interprétation des monuments et des figurations étant délicate, diverses hypothèses circulent. La première fille fut *Méritaton*, « l'Aimée d'Aton ».

bien remplies, et les saisons se succédaient en harmonie.

Cette belle façade cachait peut-être un avenir moins riant, et la tâche du confident de la reine se révélait souvent délicate, voire périlleuse. La fortune de sa fille augmentant la sienne, Ay avait vu les portes s'ouvrir devant lui ; les courtisans désiraient s'attirer ses bonnes grâces, il ne les décourageait pas et s'affirmait comme le meilleur ami de chacun. Écoutant beaucoup et parlant peu, Ay était devenu un personnage central de la cour, à l'insu des dignitaires influents.

Et ce qu'il constatait n'avait rien de réjouissant. En raison de la décrépitude du roi, des clans s'étaient formés, dominés par celui du grand prêtre d'Amon, attaché aux privilèges de son immense domaine ; redoutant le décès du monarque, le cercle du pouvoir s'interrogeait sur l'attitude à adopter. Les partisans de Tiyi se comptaient ; ses opposants estimaient que, si forte fût-elle, une femme ne parviendrait pas à maîtriser l'empire égyptien. Quant au prince Amenhotep, il passerait le reste de son existence à roucouler en compagnie de sa charmante épouse.

Il fallait donc envisager un successeur à poigne qui ne dilapiderait pas l'héritage du vieux pharaon, lequel avait porté son pays à l'apogée de la puissance et de la richesse.

Et cette conclusion impliquait une stratégie : l'élimination de la reine Tiyi.

Les yeux et les oreilles attentifs, Ay s'était promis de briser un éventuel complot ; aussi confortait-il son réseau de militaires de haut rang, à la fidélité inaltérable. En cas de nécessité, ils défendraient l'ordre établi.

Une arme supplémentaire s'ajoutait à la panoplie du tacticien : sa seconde fille allait épouser un scribe brillant, Horemheb, spécialiste de la charrerie. Loyal et compétent, il serait un allié de poids.

Ces précautions seraient-elles suffisantes, Ay empêcherait-il une tempête de dévaster l'Égypte ? En buvant la bière fraîche que lui offrait son épouse, il imagina un monde idéal où les humains ne s'entre-déchireraient pas.

*
* *

— Un miroir, vite !

La servante s'empressa de l'apporter ; sa patronne, la dame Kiya, était d'une humeur massacrante et renvoyait ses domestiques à la moindre incartade. Ce mauvais caractère avait une cause : la présence de Néfertiti à la cour et ce stupide mariage avec le prince héritier que Kiya ne désespérait pas de conquérir. Quand cette petite grue lui aurait fourni assez d'enfants, et notamment un mâle, il s'en lasserait.

Alors, Kiya devrait être apte à le séduire. Priorité absolue : s'occuper d'elle-même et préserver sa beauté.

Le magnifique miroir en bronze poli, dont le manche représentait une jeune fille nue, la rassura.

Âgée de vingt ans, Kiya, fille du roi du Mitanni[1], avait été envoyée en Égypte comme gage d'une paix durable unissant les deux pays. La reine Tiyi favorisait une politique de « mariages diplomatiques », scellant

---

1. La Syrie du Nord.

ainsi des liens entre la terre des pharaons et des vassaux toujours difficiles à contrôler.

Somptueusement installée dans un palais thébain depuis son arrivée, deux ans auparavant, la superbe brune, aussi racée qu'élégante, avait changé de nom[1] et s'était habituée au mode de vie égyptien. Amoureuse du luxe, des vêtements et des parfums, elle menait l'existence oisive d'une grande dame comblée de richesses ; une cohorte de serviteurs et de servantes satisfaisait ses désirs.

À l'instar de la plupart des épouses diplomatiques, Kiya n'avait jamais partagé la couche du roi ; personne ne lui interdisait de prendre des amants, et elle ne s'en privait pas, choisissant de préférence des personnages influents. Les petits jeunes qui avaient cru la posséder n'avaient effectué qu'un bref passage dans le lit de sa chambre enchanteresse, décorée de peintures aux couleurs vives et donnant sur le Nil.

Se sachant surveillée par les fidèles de Tiyi, Kiya restait discrète et ne causait pas de scandale. Lorsqu'elle rencontrait la reine, elle vantait l'excellence de son accueil et se déclarait ravie d'habiter Thèbes jusqu'au terme de ses jours.

En réalité, Kiya haïssait sa prison dorée et cette Égypte qui lui refusait une position dominante qu'elle aurait essayé d'obtenir dans son pays natal, sans guère d'espoir. Le royaume des pharaons était le seul à garantir l'égalité entre hommes et femmes : ces dernières pouvaient accéder à toutes les fonctions et disposaient d'une liberté incomparable. C'était donc ici,

---

1. Son nom mitannien était Tadoughepa.

et nulle part ailleurs, que Kiya assumerait son ambition et prouverait ses capacités.

— Votre visiteur, annonça sa femme de chambre.

— Qu'il patiente au petit salon. Appelle ma coiffeuse.

Sa longue chevelure noire comme jais, d'une brillance exceptionnelle, était l'un des atouts majeurs de la Mitannienne ; quand elle la dénouait, avant l'amour, son partenaire était ébloui. Et la séductrice en jouait afin de provoquer des pulsions irrésistibles.

Aussi la coiffeuse exerçait-elle son art avec un maximum de précautions ; toute erreur serait sévèrement sanctionnée. À l'issue de son travail, Kiya l'approuverait d'un battement de cils ou la chasserait du palais. Le labeur s'accomplissait en silence, et Kiya en vérifiait chaque étape.

Puisqu'elle paraissait satisfaite, la coiffeuse s'inclina, contenant un soupir de soulagement.

Kiya, elle, songeait aux révélations de son visiteur. Officiellement, il venait lui proposer un assortiment de grands crus qu'elle servirait à sa table ; la vérité était bien différente.

8

Trapu, les cheveux grisonnants, le front bas, le visage rustre dévoré par d'épais sourcils, Maya avait deux spécialités qu'il pratiquait à la perfection : le vol et la délation. D'extraction modeste, il avait fait carrière dans le transport de matériaux, n'hésitant pas à soustraire une partie des chargements à son profit, tout en dénonçant ses supérieurs avec l'aide de son âme damnée, le scribe Irji, corrompu jusqu'à la moelle. S'entendant comme larrons en foire, les complices préparaient minutieusement leurs coups et ne laissaient pas de traces.

Affligé de curieux pouces carrés et de gros mollets, Maya adorait étrangler des volailles et avait un appétit d'ogre ; dissimulant sa violence innée, il adoptait volontiers un ton mielleux et passait pour un homme à l'honnêteté remarquable, préoccupé du sort des démunis qu'il détroussait en toute impunité.

Maya n'avait qu'un but : accumuler un maximum de biens en dépensant un minimum d'énergie et s'assurer une belle place au soleil en manœuvrant dans l'ombre.

Aujourd'hui, Maya était propriétaire de vignobles et officier supérieur ; dès l'apparition d'Ay, il avait senti la nécessité de lui prêter allégeance et d'attirer sa sympathie en affirmant sa fidélité absolue à Tiyi, le véritable chef de l'État. Ay ayant besoin d'un corps de généraux décidés à intervenir en cas de désordre, l'habile Maya appartenait à cette élite et se chargeait du transport des armes et des pièces de char.

Adepte de l'air du temps et des vents qui tournent, l'opportuniste avait cependant une inquiétude : après la mort du roi, Tiyi et son clan conserveraient-ils le pouvoir ? Perdu au sein de sa mystique, le prince héritier ne pesait pas lourd, et sa ravissante épouse se contentait de sa bonne fortune. Deux partis à ne pas négliger : celui du grand prêtre d'Amon, auquel se rallierait la majorité des courtisans, et celui de Kiya l'étrangère, rêvant d'étendre son influence. Du côté des gestionnaires des temples de Karnak, le scribe Irji bénéficiait d'excellents contacts ; et Maya était devenu le fournisseur officiel de grands crus fort appréciés à la table de Kiya, dont le charme et l'intelligence commençaient à séduire des dignitaires de premier plan.

Se méfiant de cette Mitannienne, aussi hypocrite que lui, Maya tenterait néanmoins de l'utiliser ; et si le destin lui réservait une place exceptionnelle, il en profiterait.

Le petit salon était une pièce basse de plafond que ventilaient quatre fenêtres hautes ; guéridons, fauteuils bas et vases exotiques composaient le mobilier.

Maya était nerveux ; s'il franchissait le pas, il marcherait sur des braises. La princesse Kiya n'était pas moins dangereuse qu'un serpent, capable de mordre à l'improviste. La transformer en alliée ne serait pas facile.

— Heureuse de t'accueillir, dit une voix suave.

Maya sursauta ; la Mitannienne était entrée en silence.

— As-tu réfléchi ?

— Oui, oui…

— Ta réponse ?

Maya avala sa salive. La jeune femme était très séduisante, et n'importe quel mâle aurait eu envie de s'en emparer ; le notable réprima ses instincts, fuyant le regard inquisiteur de l'étrangère.

— J'accepte de vous aider.

— Ton prix ?

— À vous de le fixer.

— Sois tranquille, tu seras bien payé.

Maya eut un sourire satisfait.

— Je ne doutais pas de votre générosité, princesse.

— Elle sera à la mesure des renseignements que tu me fourniras ; tâche de ne pas me décevoir.

— Je ne vous décevrai pas.

Kiya s'assit, scrutant son hôte.

— Je te le souhaite.

Le ton était glacial et menaçant ; curieusement, il rassura Maya. Face à d'éventuelles difficultés, cette vipère-là ne serait pas effrayée.

— As-tu des nouvelles sérieuses – je souligne *sérieuses* – de la santé du pharaon ?

— Son médecin est l'un de mes amis, précisa Maya ; il connaît mon dévouement envers la famille royale.

Kiya en frémit d'aise ; si l'homme aux gros sourcils ne se vantait pas, il serait un informateur de première force.

— Son diagnostic ?

— Le roi est mourant, princesse, et nul traitement n'évitera l'issue fatale. C'est une question de semaines, peut-être de jours. Il ne souffre pas, mais son cœur est usé.

— Est-il encore capable d'arrêter des décisions ?

— Non, c'est la reine Tiyi qui gouverne.

— La cour a-t-elle conscience de la gravité de la situation ?

— Cela ne tardera pas.

— Tiyi tisse sa toile, je suppose ?

— Elle utilise les talents de Ay, celui qu'on nomme « le Père divin », un titre très ancien signifiant qu'il a donné naissance à un être exceptionnel, en l'occurrence Néfertiti, l'épouse du prince héritier.

— Cette médiocre intrigante !

— Sa beauté…

— Je me moque de sa beauté ! N'a-t-elle pas obtenu ce qu'elle convoitait ?

— Ni elle ni son mari ne sont dangereux. Ay, en revanche, ne s'arrêtera pas en si bon chemin et aspire aux plus hautes fonctions.

— A-t-il une chance d'y parvenir ?

— Tout dépendra de la position des prêtres d'Amon ; leur richesse leur permet de favoriser une carrière ou de la briser. Ils sont plutôt hostiles à la reine et ne lui faciliteront pas la tâche.

— Informe-moi, mon ami ; tu ne le regretteras pas.

Kiya espérait le chaos ; elle y trouverait son avantage.

9

La nouvelle frappa d'effroi le pays entier : le pharaon était mort. Certes, son âme rejoindrait la lumière d'où elle était issue et résiderait au sein des étoiles impérissables, brillant au sommet du ciel afin d'éclairer la nuit ; mais qu'adviendrait-il des Deux Terres ? Après ce règne éblouissant, l'Égypte n'était-elle pas condamnée à la décadence ?

Lorsqu'un pharaon s'éteignait, le monde était en ruine ; l'harmonie de la déesse Maât, incarnation de la justice et de la rectitude, disparaissait. Et les ténèbres menaçaient d'étouffer toute forme de vie.

Les hommes ne se rasaient plus, les femmes laissaient leurs cheveux dénoués, les enfants cessaient de jouer. Pendant le grand deuil de soixante-dix jours, les festivités étaient annulées.

Et chacun d'observer le comportement du prince héritier dont l'épouse, Néfertiti, venait d'accoucher d'une deuxième fille. Avec la dignité seyant à son rang, il avait dirigé la cérémonie des funérailles aux côtés de la reine Tiyi qui était effondrée.

Amenhotep III avait choisi comme site d'éternité un vallon à l'ouest de la Vallée des Rois où reposaient ses prédécesseurs depuis le début de sa dynastie[1] ; sa vaste tombe était ornée d'admirables peintures, et le mobilier funéraire assurerait au monarque un heureux au-delà.

Le sérieux du prince avait impressionné les ritualistes, notamment le grand prêtre d'Amon ; précis, rigoureux, il avait ouvert les yeux, la bouche et les oreilles de la momie royale avant qu'elle ne fût déposée dans le sarcophage, « le pourvoyeur de vie », symbole de la barque qui emmènerait l'esprit du pharaon à travers les espaces célestes.

*
* *

La princesse Kiya ne tenait pas en place. Demain, le grand deuil prendrait fin, et Tiyi annoncerait le nom du nouveau maître de l'Égypte, à savoir la reine en personne ! Qui serait promu, qui rejeté ?

Maya affichait une triste mine.

— Qu'as-tu appris ?

— Rien, princesse ; la reine se terre dans ses appartements et ne voit personne.

— Même pas Ay, le Père divin ?

— Même pas. Impossible de savoir ce qu'elle prépare et de connaître la composition de son nouveau gouvernement.

*
* *

---

1. La XVIIIe dynastie. Amenhotep III fut inhumé dans la tombe WV 22, malheureusement pillée et dévastée.

Le prince Amenhotep berça sa deuxième fille[1], ravie de goûter la chaleur des bras de son père.

— Elle sera aussi belle que l'aînée et que sa mère, prédit-il.

Admirablement soignée, Néfertiti recouvrait déjà son énergie ; les nourrices de la cour allaiteraient les deux enfants pendant au moins trois ans, mais leur avenir, qui s'annonçait si riant, ne s'assombrirait-il pas rapidement ?

— Ayons confiance en ma mère ; elle a une grande expérience de l'État et saura affronter l'adversité.

— Ne l'as-tu pas jugée affaiblie et déprimée ?

— Tiyi et mon père formaient un couple très uni, et sa disparition l'affecte profondément ; cependant, elle a voué son existence au bonheur du pays et ne renoncera pas à le conforter, bien qu'elle soit entourée de prédateurs, à commencer par la clique des prêtres d'Amon.

— Pourquoi les détestes-tu ? s'inquiéta Néfertiti.

— Ils ne songent qu'à préserver leurs privilèges matériels et à défendre les intérêts de leur clan. Mon père envisageait de limiter leurs pouvoirs.

— Amon n'est-il pas le protecteur de l'empire ?

— À force de l'honorer, Néfertiti, ne perdons-nous pas de vue d'autres réalités spirituelles ? Contemple notre enfant : ce n'est pas Amon qui l'a créé, mais la lumière ; et cette lumière sera sa nourriture.

Le prince s'exprimait avec une fougue qui étonna son épouse ; continuant à cajoler le bébé, il énonça, à voix douce, un hymne aux bienfaits du soleil levant.

---

1. *Makétaton*, « la Protégée d'Aton ».

* *

Le grand jour était arrivé. Le deuil s'achevait, Tiyi
ne pouvait plus se dérober et proclamerait le nom du
nouveau maître de l'Égypte. Dès l'aube, elle avait reçu
et écouté les ministres, puis les principaux membres
de la cour. Au sortir des audiences, la reine avait
savouré une collation avant d'effectuer une promenade
solitaire dans le jardin du palais, sous les regards
anxieux de ses serviteurs.

Au milieu de l'après-midi, la souveraine leur
ordonna de préparer la salle du conseil ; aussitôt, la
nouvelle se répandit. Enfin, l'insupportable attente se
terminait !

*
* *

Les bras posés sur les accoudoirs de son trône, Tiyi
regarda entrer son fils, sa belle-fille et les hauts personnages de l'État. Le prince Amenhotep et son épouse
Néfertiti occupèrent la tête de la colonnade de droite,
le Premier ministre et le grand prêtre d'Amon celle de
gauche. Siégeant à côté du « Père divin » Ay, imperturbable, Maya gratta ses gros sourcils.

Combien de temps persisterait la veuve, que le poids
de l'âge commençait à accabler ? Lorsqu'elle se lasserait d'expédier les affaires courantes, elle nommerait
régent un homme de confiance. Ay aurait sa préférence, mais Maya ne réussirait-il pas à l'évincer ?

— Loué soit le pharaon Amenhotep, troisième du
nom, déclara Tiyi ; lui, le juste de voix, nous a guidés

sur le chemin de la lumière. C'est à lui que nous devons la paix et la prospérité, la splendeur de nos temples, la luxuriance de nos campagnes. Ce bonheur est fragile, toujours en péril, et seul un roi capable de le reconstruire chaque jour est digne de manier le gouvernail.

L'assistance retint son souffle ; Tiyi avait-elle bien dit : « un roi » ?

— Un règne disparaît, un autre débute ; mon rôle consiste à les réunir, de manière à préserver la puissance créatrice de l'institution pharaonique, le socle de notre civilisation. C'est pourquoi mon fils sera Amenhotep le Quatrième et son épouse, Néfertiti, la Grande Épouse royale.

10

En cette fin du mois de novembre[1], le soleil était doux et l'Égypte en fête ; le malheur et le chaos s'éloignaient, un nouveau pharaon allait être intronisé pour mettre la vérité, la rectitude et l'harmonie à la place du désordre. La cour et les prêtres attendaient impatiemment la proclamation des cinq noms qu'adopterait le nouveau monarque, caractérisant ainsi la nature de son règne ; et l'on fut soulagé de constater qu'il suivait la droite ligne tracée par son père en vénérant Amon-Râ, le dieu d'empire et le maître de Thèbes[2]. Sous Amenhotep IV, rien ne changerait.

L'échanson Parénéfer était au comble de la joie ; l'homme qu'il avait servi avec enthousiasme et fidélité accédait au pouvoir suprême et maintiendrait le

---

1. Amenhotep IV fut couronné le deuxième jour du premier mois de la saison *peret* (ce qui sort, la germination).
2. Le nouveau roi s'affirme comme le taureau victorieux, celui qui élève les couronnes à Karnak et gouverne Thèbes, manifestant sa fidélité à Amon ; il est aussi « l'unique de Râ », le fils de la lumière divine, et porte le nom « Les mutations de la lumière divine sont parfaitement accomplies ».

rayonnement des Deux Terres. Mais, comme il l'avait constaté, cet avis était loin d'être partagé. Beaucoup s'étonnaient du renoncement de la reine Tiyi qu'ils qualifiaient d'habile stratégie ; face à l'incapacité de son fils, elle ne tarderait pas à reprendre les rênes du char de l'État. Et les factions murmuraient.

Avant l'aube, le futur roi avait été purifié et vêtu dans le palais jouxtant l'immense domaine sacré de Karnak ; puis, accompagné de la reine et précédé de plusieurs ritualistes, il s'était dirigé vers le sanctuaire où, depuis le règne de Thoutmosis III[1], les pharaons étaient initiés à leur fonction. Comme ses prédécesseurs, le quatrième des Amenhotep serait construit par les dieux, et recevrait l'enseignement du ciel et de la terre, après avoir exploré les espaces souterrains.

Les rituels durèrent plusieurs jours, et Néfertiti vécut, elle aussi, la cérémonie lui dévoilant les devoirs inhérents à sa charge. À l'issue de ce long parcours au sein des sanctuaires, le couple royal, couronné et muni de ses sceptres, apparut au grand jour afin de se faire reconnaître comme tel par les acclamations des dignitaires.

Alors se produisit un événement extraordinaire : des rayons solaires enveloppèrent le roi et la reine, et beaucoup crurent voir, à leur extrémité, des mains donnant la vie et la puissance aux nouveaux souverains, nimbés d'une lumière si intense qu'ils s'estompèrent quelques instants aux yeux des humains. Au-dessus d'eux, un couple de faucons tournoyait.

---

1. Illustre pharaon de la XVIIIe dynastie et l'un des plus grands bâtisseurs de Karnak au cours de son long règne (vers 1504-1450).

Nous nous sommes tous trompés, pensa le Père divin Ay, éberlué, *et Tiyi avait raison ; ce règne ne sera pas de pacotille.*

* ** *

Néfertiti emprunta une allée bordée de sycomores dispensant une ombre agréable ; assise à l'abri d'une pergola, proche du lac de plaisance du palais de Malgatta qu'elle aimait tant, la reine Tiyi goûtait la douceur d'un coucher de soleil aux couleurs enchanteresses.

Sur une table basse, des grappes de raisin.

Néfertiti s'inclina, Tiyi se leva et lui saisit les mains.

— C'est à moi de saluer la Grande Épouse royale.

— Majesté…

— Le soleil a parlé et vous a désignés, toi et mon fils. À présent, c'est vous qui régnez.

— Votre expérience…

— Elle est à votre service. Et je t'offre une promenade en barque.

L'équipage se composait de quatre marins ; munie de coussins, l'embarcation était confortable, et les deux femmes apprécièrent un vin rosé, frais et pétillant. L'eau scintillante du lac se teintait d'or, des colsverts le parcouraient en famille.

— Les courtisans avaient tort de me supposer plus attachée au pouvoir qu'à mon mari, confia Tiyi ; lui disparu, je préfère me retirer. Jamais je n'ai songé à gouverner seule ; jusqu'à son dernier souffle, le pharaon s'est préoccupé des affaires de l'État, et je n'ai adopté aucune décision sans son accord. Seule, je m'égarerais.

— Majesté…

— Ne prononce pas de paroles lénifiantes, Néfertiti ; elles seraient inutiles et ne correspondraient pas à ton caractère. Tu es une femme d'action et tu assumeras l'écrasante fonction de Grande Épouse royale. Sinon, elle te brisera.

Au rythme solennel de leurs longues ailes, des ibis noirs traversèrent le couchant ; les rameurs progressaient lentement, ridant à peine la surface du lac.

— La diplomatie n'est pas le fort de mon fils, estima Tiyi ; c'est un être entier qui ne tolérera pas les compromissions. De rudes combats s'annoncent, il ne reculera pas. Quoique l'Égypte soit puissante et dispose des moyens de se défendre, l'avenir s'assombrit, et je redoute les ennemis masqués.

— J'ignore tout de la politique internationale !

— Et moi, j'en connais le moindre détail ; aussi vais-je te former. Tu étudieras les dossiers confidentiels, et je te dépeindrai les qualités et les défauts des chefs d'État étrangers. Le principal danger se situe au nord-est, chez les Hittites, un peuple belliqueux qui cherche à déstabiliser nos alliés.

— Craindriez-vous… un conflit ?

— Le goût de la guerre ronge les humains, et la prospérité de l'Égypte suscite des convoitises. Délivre-toi de la naïveté, Néfertiti ; c'est une faiblesse mortelle.

Aux dernières lueurs, la barque accosta le débarcadère.

— Nous dînons ensemble, annonça Tiyi, et nous commençons à travailler ; il n'y a pas une seconde à gaspiller. Le bonheur du pays doit être ta préoccupation majeure. Quand ton instruction sera achevée, je me consacrerai au culte du pharaon défunt.

11

Colosse adipeux au crâne rasé, le scribe Irji était content de lui. Déplaçant ses cent kilos avec célérité, il se rendait au temple de Karnak afin d'y vendre à bon prix sa dernière production de papyrus. Spécialiste de la délation et de la propagation de fausses rumeurs, il bénéficiait de l'aide de son complice Maya, un dignitaire cupide, et venait de briser la carrière d'un concurrent jouissant jusqu'alors d'une excellente réputation. Grâce au faux témoignage d'un prêtre d'Amon, dûment payé, Irji avait fait accuser le commerçant de malversations imaginaires et pris aussitôt sa place.

Cette juteuse opération lui permettrait d'acquérir une coquette demeure à proximité du centre de la ville ; il y entreposerait des marchandises détournées sur le port et les écoulerait en toute discrétion, évitant d'acquitter l'impôt.

Le colosse avait une ambition : être le fournisseur exclusif de Karnak qui utilisait une belle quantité de papyrus. Restait à éliminer deux ou trois adversaires coriaces, et la fortune serait à portée de main.

Au moment du couronnement du quatrième Amenhotep, Irji et Maya avaient tremblé ; le jeune roi nommerait-il de nouveaux hauts fonctionnaires et bouleverserait-il le réseau des deux voleurs ?

Par bonheur, le *statu quo* était préservé, et les deux amis respiraient mieux. Assurés du concours du chef de la police, intéressé à leurs trafics, ils poursuivaient leurs activités en parfaite impunité.

Irji se présenta à l'une des portes de Karnak. Le gardien lui purifia les mains et les pieds, inscrivit son nom sur un registre et lui libéra le passage ; les porteurs de papyrus subirent un rituel identique et déposèrent leur précieux chargement devant la porte du Trésor.

Un prêtre s'avança.

Petite tête, petite moustache, petites épaules… Il ressemblait à un rongeur, et sa voix sucrée était à peine audible.

— Tu as rempli ta part du contrat, Irji, et je t'en félicite. De mon côté, j'ai… réfléchi.

— Réfléchi ?

— Ma rémunération est insuffisante.

— Tu te moques de moi ?

— Je cours de grands risques, Irji ; ils méritent un meilleur salaire.

— C'est du chantage !

— Les mots importent peu ; incline-toi, mon ami, ou je te dénonce.

Le colosse contint sa colère.

— Que désires-tu ?

— Nous en parlerons dans un endroit discret ; je propose un petit entrepôt que je possède, à la sortie du faubourg sud, près d'une palmeraie. Je t'y attendrai ce soir, à la nuit tombante, et te dicterai mes conditions. Tranquillise-toi, tu ne perdras pas au change, car nous allons développer nos affaires.

Irji surveilla l'entreposage des rouleaux de papyrus ;
consulter Maya s'imposait.

*

D'abord interloqué et inquiet, Maya s'était vite rassuré : contrairement aux prévisions des pessimistes, le
nouveau couple royal se comportait de façon tout à
fait traditionnelle, et rien ne perturbait la vie de Thèbes
la richissime. Et l'habile Maya grattait chaque matin
ses gros sourcils avec davantage de satisfaction, puisqu'il était devenu l'un des proches du Père divin Ay,
lequel lui accordait une totale confiance.

Membre du cercle étroit des généraux, Maya avait la
haute main sur les transports de troupes et de matériaux ;
confiée à Irji, la comptabilité omettait de fructueux
détournements qui enrichissaient les deux complices. Ne
vantait-on pas leur honnêteté et leur professionnalisme ?

Prudent, Maya ne négligeait pas les opposants au
pouvoir en place ; en échange d'une solide rémunération, il continuait à informer la princesse Kiya. Sa
haine envers Néfertiti ne fléchissait pas. Tôt ou tard,
espérait l'étrangère, la reine commettrait une faute
grave dont ses adversaires devraient profiter ; ne mur-
murait-on pas qu'elle prenait son rôle trop au sérieux
et finirait par irriter le pharaon ?

Grand amateur de prostituées syriennes, Maya se
montrait d'une extrême discrétion et ne fréquentait
qu'une seule « maison de bière » qu'il avait rachetée
en sous-main. La tenancière ne le trahirait pas ; sous
peine de regagner la prison d'où son patron occulte

l'avait sortie, elle tenait son établissement avec poigne et ne bavardait pas.

C'est là que le rejoignit un Irji visiblement contrarié. D'ordinaire, il s'offrait un moment de détente en compagnie d'une pensionnaire, mais, cette fois, il n'avait pas le cœur à la gaudriole.

— Un gros ennui.

— De quel ordre ? interrogea Maya.

— Le trésorier de Karnak chargé de la gestion des papyrus.

— Serait-il mécontent de tes services ?

— Chantage. Il rompt les termes du contrat, exige davantage et menace de me dénoncer.

Maya hocha la tête.

— C'est grave ! affirma Irji.

— Calme-toi, cette ruade frappera le vide.

— Pourquoi cette certitude ?

— Parce que le Père divin Ay m'a attribué un poste de gestionnaire des sanctuaires de Karnak ; je livrerai les objets nécessaires au culte, et je m'introduirai ainsi parmi les administrateurs de cet immense domaine. Désormais, j'apprendrai tout ce qui s'y trame. Nous grimpons, Irji, nous grimpons !

— Cela n'empêchera pas ce trésorier de sévir.

De son pouce carré, Maya effleura ses sourcils.

— Notre bonne fortune ne saurait s'embarrasser d'un médiocre.

Irji grommela.

— Ça signifie quoi ?

— Lorsqu'un problème est bien posé, la solution se dégage. Et nous avons les moyens de l'appliquer.

12

Accompagnés d'un maître d'œuvre et de plusieurs artisans, le pharaon et son épouse arpentèrent le vallon de l'ouest de la Vallée des Rois où reposait Amenhotep III. Conformément à la coutume, son fils se préoccupait, dès le début de son règne, de sa propre tombe ; là seraient préservés son nom et le génie de son règne. Comme l'indiquait un très ancien texte, « la maison de la mort est destinée à la vie » ; l'éternité ne se laissait pas au hasard, elle se bâtissait.

Sauvage, semblant si loin de la brillance et de l'effervescence de Thèbes, l'endroit était voué à la solitude et au silence. Ce n'était pas le néant qui régnait ici, mais l'au-delà de l'existence terrestre.

— Tu creuseras ici, ordonna le pharaon au maître d'œuvre.

— Quel plan tracerez-vous, Majesté ?

— Le même que celui de mon père[1].

Ainsi, Amenhotep IV ne se séparait pas de son

_____

1. Il s'agit probablement de la tombe WV 25, dont seul le premier couloir fut creusé.

71

prédécesseur ; seule Néfertiti connaissait ses véritables préoccupations, qu'il ne tarderait pas à exprimer.

Le couple royal inspecta ensuite le site qu'occuperait le « temple des millions d'années[1] », indissociable de la tombe ; on y rendrait un culte quotidien à l'âme royale qui volerait jusqu'à la demeure d'éternité afin d'y réanimer la momie, « le corps noble ».

Le monarque écouta d'une oreille distraite les explications de l'architecte ; Néfertiti le savait perdu dans ses pensées, prévoyant une épreuve qu'il jugeait décisive.

*
* *

En excellente santé, les deux fillettes du couple royal s'épanouissaient au sein du palais de Malgatta ; l'amour du roi était toujours aussi ardent, et Néfertiti donnerait bientôt naissance à un troisième enfant. Bénéficiant des soins attentifs de son médecin personnel et de sa masseuse, elle demeurait d'une beauté inégalable.

Enlacés, le roi et son épouse voguaient sur le lac de plaisance.

Soudain, il se détacha et se mit debout à l'avant du bateau à la proue en forme de lotus.

— La royauté n'était pas mon avenir ; c'est à mon frère qu'était dévolue cette tâche que je ne souhaitais pas, et sa mort m'a condamné à la remplir. Sa mort,

---

1. Le site prévu était peut-être celui où Ramsès II édifia son propre « temple des millions d'années », le Ramesseum.

et ma mère, Tiyi, qui a préféré se retirer et passer le reste de sa vie à vénérer la mémoire de mon père !

— Tu n'es pas seul, je suis à tes côtés. Et puisqu'il faut gouverner, nous gouvernerons.

Néfertiti rejoignit son mari.

— Je ne peux plus continuer ainsi ! protesta-t-il ; imiter mon père, me contenter de suivre ses traces, répéter ses gestes... C'est insupportable !

— Qui t'oblige à subir ce poids-là ?

— La coutume ! Une tombe dans la Vallée des Rois, un temple des millions d'années sur la rive d'Occident, célébrer le culte d'Amon à Karnak, se plier aux exigences du clan des prêtres...

— Oublies-tu que tu es le pharaon et non un homme ordinaire ? Les puissances divines t'ont initié et couronné, c'est à toi de tracer ton propre chemin.

— En piétinant la règle de Maât ?

— En aurais-tu l'intention ?

— Les prêtres d'Amon le prétendront !

— Leur avis prédominerait-il ?

— Ils convoitent le pouvoir, Néfertiti ! Mes parents les jugulaient ; aujourd'hui, leur arrogance n'a plus de limites. Et nous devons nous incliner devant Amon, le dieu des victoires et le protecteur de l'empire !

— Une fois encore, qui t'y oblige ?

Étonné, Amenhotep contempla sa femme, nimbée de soleil.

— Tu es l'unique propriétaire de toute la terre d'Égypte, que les divinités t'ont transmise en héritage ; Karnak n'appartient pas à une clique de prêtres et d'administrateurs, si riches soient-ils. Ils te croient faible et indécis, prouve-leur le contraire.

— Ne provoquerons-nous pas un affrontement majeur ?

— Certainement pas. Tu es le fils de Râ, la lumière divine, et l'expression terrestre d'Amon, le dieu caché ; ses serviteurs t'obéiront.

Le roi leva les yeux au ciel.

— Voilà la cause de mes tourments ! Pourquoi ce dieu se cache-t-il au cœur des ténèbres, pourquoi m'a-t-on fait traverser l'obscur royaume d'Osiris, pourquoi ne pas offrir aux humains les bienfaits de cette lumière qui crée toutes les formes de vie ? Nous vénérons le soleil, mon amour, il ne nous aveugle pas et illumine notre regard !

Néfertiti revécut le moment miraculeux où des rayons animés, dans la grande cour à ciel ouvert de Karnak, avaient enveloppé le couple et signifié son avènement.

Le grand temple d'Amon, le plus vaste et le plus magnifique du pays… C'était là que serait réellement inauguré le nouveau règne.

— Rassemble bâtisseurs et ritualistes à Karnak, préconisa-t-elle.

— Que projettes-tu ?

— Ton père repose en paix, ta mère te laisse le champ libre ; et toi, tu es l'incarnation du faucon solaire, capable de parcourir le monde en un instant. Ta cour le découvrira ; préparons une stèle qui formulera tes premières intentions de constructeur, au nom de la vision habitant ton cœur.

— Ma vision… Tu la libères, Néfertiti ! Sera-t-elle acceptée ?

— Tu es le pharaon, à toi de l'imposer ; si nécessaire, nous combattrons sans relâche.

Amenhotep rêva d'un règne différent, tellement différent qu'il paraissait impossible… Mais son dieu lui avait envoyé une alliée inébranlable ! Puisque son épouse l'approuvait, le roi n'étoufferait pas son idéal.

13

La nuit tombait lorsque le préposé à l'achat des papyrus entendit frapper à la porte de son entrepôt.

— Qui est-ce ?

— Irji.

Le préposé ouvrit.

— Entre, mon ami.

Le local était petit, mais bien aménagé ; sol de terre battue, coffres de rangement, sacs en toile alignés.

— Tu as réfléchi ?

Le colosse au crâne rasé avait un visage fermé.

— Je n'ai pas compris ta proposition.

— Comment, pas compris ? C'est tout simple ! Si tu désires utiliser mes compétences, tu augmentes ma commission. Je prends des risques, moi.

— Ça, c'est vrai !

— Ah ! tu l'admets… Donc, tu es d'accord.

— D'une certaine manière.

Le front du préposé se plissa.

— Cette fois, c'est moi qui comprends mal…

— Pourtant, c'est tout simple : ma réponse est « non ».

— Non ? Alors, sors d'ici !

— Tu es un voleur et un bavard. Moi, je ne prends pas de risques.

Le regard du colosse glaça le préposé. Il recula.

— Tu n'oserais pas...

D'énormes mains serrèrent le cou du corrompu, lequel se débattit en vain. Irji avait de la chance : se débarrasser du cadavre serait plus facile que prévu. À l'aide d'un pieu trouvé dans le local, il creusa un trou profond, y jeta le corps, le recouvrit de terre, et entassa coffres et sacs au-dessus de cette misérable tombe. Puis il referma soigneusement l'entrepôt clandestin.

*

* *

Avant de franchir le seuil des appartements de la princesse Kiya, Maya se félicitait de ses récentes victoires. Il appartenait désormais au premier cercle du pouvoir et habitait une superbe demeure de fonction ; cinq serviteurs se chargeraient de son bien-être, et une chaise à porteurs faciliterait ses déplacements. Un bateau serait en permanence à sa disposition pour ses traversées entre les rives est et ouest.

Satisfait de son travail acharné, le Père divin Ay lui avait confié la haute main sur les transports en lui accordant un bureau au centre de Thèbes et une équipe de scribes chevronnés ; de plus, il était officiellement nommé administrateur d'une partie des trésors de Karnak et, à ce titre, bénéficiait de la confiance du sommet de la hiérarchie des prêtres.

Ce poste intéressait Ay au premier chef, car il permettrait à Maya de lui fournir des renseignements sûrs ; le Père divin ne cessait d'étendre son réseau d'informateurs afin d'obtenir une vision d'ensemble et de se tenir à l'écoute des multiples opinions.

Le calme perdurait, le jeune couple royal apprenait à remplir sa fonction et se conformait aux traditions. Un hiatus, cependant, suscitait quelques récriminations : quoiqu'il fût présent à Thèbes, le roi ne célébrait pas les rituels quotidiens en l'honneur d'Amon ; son grand prêtre accomplissait ce devoir vital. En raison de sa mauvaise santé, son défunt père agissait de même à la fin de son existence ; sans doute son fils marquait-il sa déférence envers le grand prêtre, habilité à le remplacer.

Autre excellente nouvelle : l'efficace Irji avait éliminé un gêneur dont le bavardage aurait été désastreux. Solution extrême, certes, mais inévitable ; ce nuisible aurait freiné l'ascension des deux amis, liés à jamais par leur complicité.

Irji voyait sa propre carrière évoluer, grâce à l'intervention de Maya ; il régenterait bientôt l'essentiel du commerce de papyrus et serait l'un des trésoriers de Karnak, en charge d'une partie de la comptabilité. Précaution élémentaire : il avait acheté l'entrepôt où était enterrée sa victime.

Ainsi, aucun curieux n'irait y fureter et le crime serait oublié.

Furieuse, Kiya surgit.

— Ne devions-nous pas nous entretenir d'une manière discrète ? Tout Thèbes sera informé de ta visite !

Maya sourit.

— Elle est officielle, princesse ; le clergé d'Amon m'a chargé de vous inviter à la cérémonie qu'organise, à Karnak, le couple royal. Je suis mandaté pour contacter les hautes personnalités de la cour, et nous n'aurons donc plus à dissimuler nos relations.

— Tant mieux… Quelle est la nature de ces festivités ?

— Je l'ignore ; les intentions du pharaon n'ont pas été ébruitées. À l'évidence, il souhaite honorer le clergé d'Amon et, comme ses prédécesseurs, embellir Karnak. Votre présence est requise, au premier rang.

Ainsi, Kiya n'était pas évincée !

— La santé de la reine ?

— Elle est enceinte.

— Superbe fécondité ! Pas de complications ?

— Pas d'après son médecin personnel.

Dommage, pensa l'étrangère ; *mais la passion du roi s'érodera.*

— Comment se comporte le pharaon ?

— Il a choisi l'emplacement de son tombeau et celui de son temple des millions d'années. L'administration fonctionne, il n'intervient pas ; de l'avis général, c'est un faible, écrasé par sa fonction, et son règne sera bref.

Ravie, Kiya envisageait enfin une sortie de sa prison dorée. Elle, la fille du roi du Mitanni, n'aurait-elle pas un rôle décisif à jouer pour engendrer un nouveau type de pouvoir ?

14

Le fidèle échanson du jeune roi jubilait ; Parénéfer avait l'autorisation d'aménager sa demeure d'éternité sur la rive occidentale de Thèbes, et vivrait à jamais parmi le petit nombre de nobles dignes d'un tel honneur.

En cette belle matinée, il était fier d'accompagner le couple royal qui avait convoqué les notables et les principaux prêtres d'Amon dans la grande cour à ciel ouvert de Karnak.

Procédure inhabituelle, qui intriguait l'assistance ; Ay lui-même ignorait tout des intentions du monarque. Sûr de sa force, le grand prêtre d'Amon siégeait à côté du maire de Thèbes.

L'arrivée d'Amenhotep et Néfertiti impressionna l'assistance. Couronnés, sceptres en main et somptueusement vêtus, ils avaient un visage grave et déterminé. Beaucoup sentirent qu'au-delà de sa beauté, la reine était une femme de caractère qui ne serait pas moins présente que Tiyi à la tête de l'État.

Une dizaine de sculpteurs apportèrent une stèle[1] et la dressèrent derrière le couple.

---

1. La stèle de Silsila.

— Voici le premier acte de mon règne, déclara le pharaon avec autorité. C'est à la fois un hommage et un décret.

La fermeté du ton étonna la plupart des dignitaires, découvrant un monarque très différent de l'homme renfermé et falot qu'ils avaient côtoyé jusqu'à présent.

— Je rends hommage à Amon et lui fais offrande.

Le grand prêtre et ses acolytes étaient rassurés ; c'étaient les mots qu'ils souhaitaient entendre. Le reste ne serait qu'un décret banal proclamant la légitimité du règne.

— Roi de Haute et de Basse-Égypte, continua Amenhotep, je suis le premier serviteur d'Horus, maître de la contrée de lumière et du ciel lointain[1], qui s'incarne dans le disque solaire, Aton. Sur le conseil de la Grande Épouse royale, messagère de Hathor, nous édifierons ici, à Karnak, un temple à sa gloire où sera érigée la pierre primordiale[2].

Les adeptes d'Amon retinrent difficilement un cri de stupéfaction ; sans avoir consulté quiconque, le pharaon ne remettait-il pas en question la suprématie du dieu d'empire, le protecteur des Deux Terres ?

Et le monarque n'en avait pas terminé !

— Je confie à l'armée le soin de réquisitionner la main-d'œuvre nécessaire pour mener à bien, et très vite, ce premier projet. Du nord au sud du pays, il sera annoncé à mon peuple qui doit savoir que, désormais, le culte de la lumière prédominera. Mes paroles sont gravées sur cette stèle, et mon décret a force de loi.

---

1. Horakhty.
2. Le *benben*, dont l'obélisque est l'une des formes.

Indifférent au lourd silence accablant l'assemblée, le couple royal quitta le temple.

*
* *

Voici ton ordre de mission, Maya ; tu t'occuperas de la partie septentrionale de l'Égypte. Tâche d'attirer un maximum de volontaires et ne manie le bâton qu'à bon escient.

— N'existe-t-il pas un nombre suffisant de bâtisseurs à Thèbes ? demanda le général au Père divin Ay.

— Certainement, mais Sa Majesté désire rassembler de jeunes travailleurs provenant de toutes les provinces. Je mets à ta disposition une flottille et un corps de fantassins ; surtout, ne perds pas une seconde. Le roi est pressé.

— Sois tranquille, je me montrerai efficace.

Ay tint un discours identique à l'officier supérieur chargé de la partie méridionale du pays ; puis il reçut l'assistant du grand prêtre d'Amon qui avait sollicité une entrevue.

Le Père divin s'attendait à cette démarche ; pour lui, l'heure du choix était arrivée. Sa fille, Néfertiti, s'était transformée ; à son charme irrésistible s'ajoutait la conscience de sa fonction, et le costume de reine était à sa taille. Ay n'exerçait plus aucune influence ; émancipée, Néfertiti commençait à régner ; lui n'était qu'un courtisan et serait contraint d'exécuter ses ordres ou de goûter une retraite paisible.

Sa fille… Une femme d'exception dont il n'avait pas perçu la vraie personnalité.

D'un côté, une cohorte de soucis ; de l'autre, la

tranquillité d'une vieillesse à l'abri du besoin. Assis sous sa pergola, Ay savourerait l'épanouissement de la Grande Épouse royale en dégustant d'excellents crus et en se tenant à l'écart des intrigues de la cour.

Son visiteur était un bon vivant, rondouillard et gai ; détestant les affrontements, il avait le don de résoudre les mille et un petits conflits quotidiens survenant dans le vaste domaine de Karnak. En le désignant comme émissaire, sa hiérarchie affirmait sa bonne volonté.

— Ton épouse et tes enfants se portent-ils bien ?

— À merveille, mon cher Ay ! L'aîné me succédera, l'avenir de ma famille est assuré.

— Une coupe de blanc aux aromates ?

— Volontiers.

— Installons-nous sur ma terrasse ; nous y serons à l'aise pour converser.

Le prêtre ne dédaigna pas de délicates pâtisseries au miel s'accordant avec un vin charpenté d'une exquise fraîcheur. Et le siège, pourvu de coussins, offrait un confort appréciable.

— La journée a été rude, avoua l'hôte du Père divin ; ah ! les humains ! Ils ne cesseront jamais de se quereller, et c'est à nous, les gens d'expérience, d'empêcher la situation de dégénérer. Par bonheur, le culte d'Amon nous rassemble, et ta sagesse, si précieuse, nous préserve des excès. Et c'est ta ligne de conduite, n'est-ce pas ?

Ay acquiesça.

— Le discours de notre roi, avança le prêtre, nous a… étonnés.

— Son allégeance à Amon n'est-elle pas évidente ?

84

— Certes, certes… Mais cette évocation appuyée de la lumière ne serait-elle pas une tentative de résurrection des très anciennes traditions d'Héliopolis ?

— Notre grandiose cité de Thèbes n'est-elle pas l'Héliopolis du Sud ? En elle se réunissent et s'harmonisent toutes les croyances.

— Certes, certes, mais ce dieu Aton…

— Le défunt pharaon et la reine Tiyi aimaient le mentionner, sans provoquer de remous. Fidèle à leur mémoire, leur fils suit leurs traces.

Le prêtre but une deuxième coupe de vin blanc.

— Son intervention a semblé… brutale.

— Notre souverain est jeune, il marque son territoire ; quoi de plus normal ? Conscient de la lourdeur de sa tâche, il a envie de prouver sa valeur et sa capacité à gouverner. Aussi ce premier décret était-il nécessaire ; n'a-t-il pas impressionné la cour et la hiérarchie ?

— En effet, en effet… Mais ce futur temple ?

— Le premier devoir d'un pharaon ne consiste-t-il pas à embellir Karnak ? Si le quatrième des Amenhotep n'avait pas respecté cette règle, ton clan aurait protesté.

— Il y a du vrai… Au fond, un roi faible est dangereux. Après ce coup d'éclat, notre monarque ne doutera pas de lui-même. Et le grand prêtre compte sur ton influence pour qu'il perçoive les critères garantissant l'équilibre de notre société.

— Il les percevra.

— En ce cas, inutile de s'inquiéter !

— Inutile, tu as raison.

— Tu me soulages d'un grand poids, mon cher Ay ! Et le grand prêtre t'en sera reconnaissant.

Une troisième coupe conclut l'entretien.

Resté seul, le père de Néfertiti trouva une solution à son débat intérieur. Ce prêtre et ses semblables ne songeaient qu'à leurs acquis ; sa fille était l'avenir.

15

La corvée réclamée par le roi avait été un franc succès, et Maya pouvait se vanter de son efficacité. Avec une promptitude digne d'éloges, il avait ramené à Thèbes un fort contingent d'ouvriers, officiellement heureux de travailler à l'édification d'un nouveau temple, sous la conduite d'un architecte et de contremaîtres expérimentés.

Une décision avait rassuré la hiérarchie des prêtres d'Amon ; le monarque acceptait que des équipes de restaurateurs continuassent à entretenir les édifices vieillissants. La gloire du dieu d'empire demeurait intacte et, conformément à la tradition, son domaine s'agrandissait et s'embellissait.

Le Vieux s'habituait à l'existence trépidante de la capitale et du palais où il gérait, non sans mal, un personnel parfois rétif. Lui, le provincial, était souvent regardé d'un œil méprisant, mais il n'en avait cure et menait une chasse impitoyable aux tire-au-flanc.

À présent mère de trois filles[1], Néfertiti était toujours

_____

1. La troisième fille se nommait *Ankhes-en-paaton*, « Elle vit pour Aton ».

aussi ravissante, et le charme de sa voix calmait bien des conflits naissants. Nul ne discutait son autorité, et l'on comprenait la raison pour laquelle Tiyi s'était retirée ; impossible de faire de l'ombre à cette Grande Épouse royale qui s'était imposée à la cour et aux autorités du pays.

Élevé au rang de chef des ânes du palais de Malgatta, Vent du Nord ne laissait à personne le soin de porter les vêtements et les petites jarres de boisson du couple royal lorsqu'il s'autorisait un moment de détente en se baignant ou en voguant sur le lac de plaisance. Vu sa taille et son poids, le grison était un parfait garde du corps, capable de défendre ses protégés et de donner l'alerte. En échange de ses bons et loyaux services, il dégustait une nourriture de choix, dont son mets préféré, des chardons en fleur mêlés à une salade fraîche.

Passionnément amoureux de sa femme, le roi s'émerveillait de la redécouvrir chaque matin ; l'ardeur de leur désir ne faiblissait pas, nourrie par celle d'un soleil qu'ils vénéraient. Quand il contemplait Néfertiti, à l'aurore, le monarque remerciait le dieu animant son cœur.

Néfertiti incarnait le bonheur, un horizon sans limites, la noblesse d'une reine, la fougue d'une amante, la tendresse d'une épouse. Combien d'hommes connaissaient pareille félicité ?

Peu enclin à l'exercice physique, le Père divin Ay accourut vers le couple qui s'apprêtait à se dévêtir afin de nager.

— Une lettre, annonça-t-il, essoufflé ; la lettre que nous attendions.

Le sceau était aisément identifiable : celui du roi des Hittites[1], qui tentait de déstabiliser les principautés situées au nord de l'empire égyptien ; formant un glacis, ces alliés en garantissaient la sécurité. En cas de danger, ils recevraient l'assistance de l'armée égyptienne.

Grâce à l'enseignement de Tiyi, Néfertiti n'ignorait rien des arcanes de la diplomatie égyptienne. La présence à Thèbes de Kiya, la fille du roi du Mitanni, assurait la collaboration de cette région cruciale.

Mais les Hittites, aux tendances belliqueuses, n'étaient-ils pas décidés à détruire ce fragile équilibre ?

Ay présenta la missive au roi.

— Que la reine la lise.

Néfertiti brisa le sceau.

« Les messages envoyés au pharaon défunt, déclarait le monarque hittite, affirmaient ma volonté de conforter la paix. Il convient de la réitérer au nouveau couple royal. Maintenant, mon frère Amenhotep, tu occupes le trône ; de même que nous échangions des cadeaux avec ton père et ta mère, de même poursuivons-nous cette amitié. Ne dédaigne pas cette supplique, et réalisons nos souhaits de parfaite entente[2]. »

Principale exigence du Hittite : l'envoi d'or, d'objets de valeur et de statues destinées à orner ses sanctuaires.

Ay ne cacha pas son soulagement.

— La paix est consolidée !

_____

1. Souppilouliouma.
2. Les indications concernant la politique internationale sont fournies par la correspondance diplomatique exhumée lors des fouilles d'Amarna.

Les Hittites, ne doutant pas des qualités et de la puissance du quatrième des Amenhotep, choisissaient d'éviter tout conflit. Et l'instauration d'une paix durable était synonyme de prospérité. Ay avait rapidement diffusé l'excellente nouvelle, et l'échanson Parénéfer, assisté du Vieux, s'était chargé d'organiser un banquet au cours duquel on célébrait les mérites du pharaon et de son épouse, digne continuatrice de la politique de Tiyi.

Kiya fut la première à saluer la reine, resplendissante.

— Je suis votre servante, Majesté.

— Votre rôle est essentiel, princesse ; en tant qu'ambassadrice permanente du Mitanni, vous scellez une alliance indispensable à nos deux peuples.

Un peu trop maquillée, vêtue à la dernière mode, Kiya se haussa du col.

— L'accueil du pharaon défunt fut remarquable ; aujourd'hui je m'estime égyptienne.

— Vous m'en voyez ravie, Kiya.

La princesse se réjouit d'occuper une place d'honneur, à proximité du couple royal.

Pas un dignitaire ne manquait, et les festivités étaient à la hauteur de celles du règne précédent. Cette fois, aucun doute, le nouveau maître des Deux Terres et son épouse avaient pris la mesure de leur fonction et préserveraient la grandeur du pays.

Au rythme d'un orchestre de musiciennes et de la succession de plats savoureux, la soirée ne fut que gaieté et réjouissances ; les cuisiniers du palais étaient inégalables, l'avenir s'annonçait riant. Et l'on ne se lassait pas d'admirer la beauté de Néfertiti, point de mire de l'assemblée. Ne commettant pas la moindre faute de goût, elle illuminait la soirée.

Mastiquant une cuisse de canard, le Vieux ne sombrait pas dans l'euphorie générale ; en observant les convives depuis l'entrée de la salle, il se demandait combien d'hypocrites et de profiteurs s'empiffraient. Ce triomphe momentané n'était peut-être qu'une illusion.

16

Le soleil nimba l'obélisque géant, haut de quarante-quatre mètres, qu'avait érigé le roi Thoutmosis III à l'orient de Karnak ; il était à présent le point culminant du nouveau temple, dû au couple royal. Les travaux avaient été menés tambour battant, et les bâtisseurs pouvaient être fiers de ce sanctuaire glorifiant la lumière.

Coiffée d'une couronne surmontée de deux plumes, symbole de l'air lumineux donnant la vie, Néfertiti s'avança dans l'allée centrale, en compagnie de sa fille aînée. Impressionnée, elle serrait la main de sa mère.

L'enfant s'immobilisa devant un bas-relief.

— C'est toi, maman… Et là, c'est moi ?

— Regarde bien, ma chérie : j'offre Maât, l'harmonie céleste, afin que le désordre ne dévaste pas notre pays ; un jour, tu accompliras ce rite.

— Oh ! non, puisque tu vivras toujours !

La reine sourit et confia à la fillette un sistre, instrument de musique composé de tiges métalliques ; leurs vibrations dissipaient les ondes négatives.

— Fais-le résonner.

Avec un grand sérieux, l'aînée émit une musique aigrelette qui attira des hirondelles.

Parénéfer n'en croyait pas ses yeux. Sur l'une des parois de sa demeure d'éternité[1], était représentée une scène extraordinaire : sous un dais, le pharaon Amenhotep IV s'adressait à son vigilant échanson aux mains pures et lui recommandait de veiller à rassembler un foisonnement de céréales, expression du jaillissement lumineux aux premières lueurs de l'aube. À la tête de plusieurs domaines agricoles, Parénéfer devenait l'un des hommes les plus riches du pays.

Soudain, le poids des ans disparut ; alors qu'il se laissait aller à une vieillesse ennuyeuse, le dignitaire fut brusquement animé d'une énergie insolite.

Ce jeune roi et sa reine, fascinante, bousculeraient les clans dont l'immobilisme risquait de se transformer en sclérose. Doté de pouvoirs inattendus, Parénéfer s'en servirait contre les ennemis de son souverain. Et, malgré le calme apparent, ils abondaient !

Les diplomates jugeaient le roi naïf et inconscient des dangers croissant aux frontières nord-est de l'empire ; l'administration thébaine ne se sentait pas assez considérée ; et les prêtres d'Amon n'appréciaient guère la présence d'un nouveau temple où prédominait une forme divine secondaire, au détriment du seigneur de Karnak.

Parénéfer guettait ces propos, n'émettait pas d'objection et les rapportait au roi qui ne semblait pas s'en soucier. Certes, l'autorité d'un pharaon ne saurait être

---

1. Tombe thébaine 188.

remise en cause ; mais, dans un lointain passé, n'y avait-il pas eu des tentatives d'assassinat ?

Le courtisan prônait une réforme de la police et la nomination d'hommes sûrs, attachés à la sécurité du monarque ; là encore, ce dernier paraissait indifférent. Alerté, le Père divin Ay persuaderait-il le roi d'agir ?

*
* *

Ay s'inclina devant le pharaon qui consultait un papyrus théologique.

— Majesté, j'ai une requête à vous présenter... Et je crains qu'elle ne vous mécontente.

— Parle.

— L'assistant du grand prêtre souhaiterait un entretien privé.

— N'est-ce pas à toi de le recevoir ?

— J'ai tenté de l'éconduire, mais sa hiérarchie insiste, et votre acceptation serait un grand honneur.

Amenhotep roula le papyrus.

— Qu'il vienne.

Ay amena le rondouillard, mal à l'aise face à ce souverain étrange, au physique inquiétant, si différent de son prédécesseur ; le Père divin s'éclipsa.

— Je t'écoute.

Le ton glacial du monarque ne détendit pas le visiteur.

— C'est à propos du nouveau temple, à l'orient de Karnak... J'ai ici la liste des desservants qui y seront affectés, et le grand prêtre attend votre accord.

— Déchire-la.

L'assistant perdit définitivement toute jovialité.

— Je vous demande pardon, Majesté ?

— Lèves-tu parfois les yeux ?

— Oui, je…

— Contemple le ciel ; que vois-tu ?

— Un soleil éclatant.

— Il est la vie, affirma le roi, et se nomme Aton. Les voyants qui édifièrent les grandes pyramides ont désigné ainsi le visage de la lumière divine que nous devons vénérer chaque jour. Lorsque l'âme immortelle d'un pharaon monte au ciel, c'est au disque solaire qu'il s'unit. Le moment est venu de magnifier sa toute-puissance car, sans lui, les ténèbres recouvriraient les Deux Terres.

L'exaltation du monarque étonna l'assistant du grand prêtre d'Amon.

— Le dieu Aton n'aura-t-il pas besoin de ritualistes ?

— Une seule officiante suffira : Néfertiti, la reine d'Égypte.

— Impossible, Majesté !

Le regard du souverain s'enflamma.

— Qu'oses-tu dire ?

— La coutume… La coutume impose que seuls des membres du clergé d'Amon soient employés à Karnak et rémunérés par la Couronne !

— Ce privilège-là serait-il supérieur à la volonté du pharaon ?

— Certainement pas !

Le roi tourna le dos à son interlocuteur.

— Un monde nouveau naît, annonce-le à ton grand prêtre. La nuit s'estompe, le jour brille. Et c'est la reine d'Égypte qui répandra ses bienfaits à travers le pays entier.

17

En secret, le grand prêtre d'Amon avait convoqué ses principaux collaborateurs auxquels s'ajoutait son meilleur informateur, le général Maya. L'ambiance était lourde, et le chef de la hiérarchie thébaine s'assura de l'absence d'oreilles indiscrètes.

Deux lampes à huile, posées sur de hauts pieds en bois, éclairaient la petite chapelle où, d'ordinaire, un ritualiste rendait hommage à la puissance créatrice d'Amon.

— La reine a-t-elle encore célébré le culte d'Aton ? questionna le grand prêtre.

— Elle était accompagnée de sa fille, précisa l'assistant ; les prêtresses ont émis de vives protestations, j'ai réussi à les calmer. Tout compte fait, la situation n'est pas si grave ! Le sanctuaire est de taille modeste, et la reine se contente de révérer l'obélisque de Thoutmosis III, cette gigantesque aiguille de pierre, incarnation de la lumière du premier matin. Le pharaon, dont le nom traduit la fidélité à Amon, a offert à Néfertiti un territoire sacré ; chacun constate qu'il est très amoureux de son épouse. N'est-ce pas une simple passade, sans conséquences dramatiques ?

— Nous l'espérons tous, déclara son supérieur, mais le roi vient d'interrompre les travaux prévus dans divers temples, et nous ignorons ce qu'il prépare. Toi, général Maya, as-tu des informations fiables ?

— Le monarque occupe l'essentiel de son temps à lire de vieux textes religieux qui proviennent d'Héliopolis et laisse le soin au Père divin Ay de gérer les affaires courantes, en compagnie de Néfertiti. La reine déploie une activité surprenante et commence à bousculer les habitudes de la cour… Méfions-nous de ses initiatives.

— Suggères-tu un mode d'action ?

Maya gratta ses gros sourcils.

— J'éprouve un profond respect envers notre si belle souveraine, et je lui souhaite un règne long et heureux.

— Ce n'est pas la réponse à ma question.

— Néfertiti est jeune et ardente ; son manque de mesure est compréhensible. Un léger rappel à l'ordre lui éviterait de regrettables erreurs.

— Et… tu t'en chargerais ?

— À condition que vous m'y autorisiez.

— La responsabilité du clergé d'Amon ne sera pas engagée.

— Soyez tranquille, grand prêtre.

*
* *

Pendant une bonne partie de la journée, la princesse Kiya prenait soin d'elle-même ; maquillage, coiffure, choix de produits de beauté et de vêtements n'étaient pas des activités anodines quand il fallait tenir son rang à la cour, participer à de nombreuses réceptions sous le regard critique des dignitaires et préserver les meilleures relations. Aucun laisser-aller n'était toléré, si l'on désirait briller.

De plus, Kiya était à la tête d'un domaine agricole et d'une cohorte de domestiques, et gérait ce personnel de façon minutieuse, assistée d'intendants qui lui fournissaient des rapports quotidiens. En Égypte, l'existence d'une princesse n'était pas une sinécure et ressemblait fortement à celle des femmes d'affaires prospérant dans les principales agglomérations du pays.

Si l'étrangère avait échoué, elle serait devenue la risée des notables et aurait dû solliciter l'aide de l'État, donc de Néfertiti ! Sa réussite lui évitait cette humiliation, mais elle exigeait vigilance et labeur.

Kiya s'était intégrée à la haute société thébaine ; considérée comme une femme intelligente et compétente, elle jouissait d'une excellente réputation auprès des notables hostiles à Néfertiti. De manière discrète, elle les comblait de cadeaux et confortait leur soutien.

Maya l'informait des activités du premier cercle du pouvoir et lui décrivait le comportement du couple royal, dont le bonheur perdurait et ne semblait pas feint ; pourtant, des tensions apparaissaient, car l'autoritarisme de la reine heurtait certaines susceptibilités.

Cette fois, le front étroit de Maya était plissé, et ses gros sourcils avaient épaissi.

— Des ennuis, Maya ?

— On m'a attribué une mission difficile.

— Et ce « on » n'est pas le couple royal ?

— Pas précisément.

— Et tu ne me donneras pas l'identité de ce mystérieux commanditaire ?

— Ma langue est scellée, princesse.

— Néanmoins, tu as besoin de moi.

— Vous seule pouvez m'aider.

— Qu'obtiendrai-je en échange ?

— La reconnaissance durable d'un haut personnage.

Kiya passa l'index sur ses lèvres ornées d'un rouge profond.

— Quel service me demande-t-on ?

— C'est délicat, très délicat... Et vous n'êtes pas obligée d'accepter. Cette mission est vraiment...

— Délicate, j'ai compris ; qui vise-t-elle ?

Maya baissa les yeux.

— J'ose à peine...

— Si tu veux mon accord, explique-toi !

— Il s'agit... de la reine.

— Néfertiti ?

Maya hocha la tête, ses sourcils broussailleux frémirent.

— Son exaltation choque les gens pondérés ; ils aimeraient qu'elle se limite à parader dans son petit sanctuaire et qu'elle ne pousse pas le roi à concrétiser des projets regrettables.

— Ne conviendrait-il pas de lui adresser un avertissement salutaire ?

— Ce serait une initiative bienvenue, en effet.

Kiya réfléchit.

— Tu as frappé à la bonne porte, mon ami ; je crois détenir la solution.

18

La deuxième année de règne d'Amenhotep IV et de Néfertiti était déjà bien entamée, et la princesse Kiya avait pris les précautions nécessaires pour réussir la si délicate mission proposée par Maya. Le commanditaire était soit un ministre, soit un membre éminent du clergé thébain, peut-être le grand prêtre en personne ; sans doute se dévoilerait-il quand le succès serait avéré.

Le but de Kiya, qu'elle n'avait confié à personne, était simple : défigurer Néfertiti.

Afin d'y parvenir, elle emploierait une Mitannienne, recrutée dans un coin perdu de son pays d'origine, inconnue à Thèbes, et désireuse de faire fortune.

L'action devrait être inattendue et rapide, car, depuis quelques semaines, le Père divin Ay avait renforcé le dispositif de sécurité autour de sa fille, comme s'il pressentait un danger.

Privée de sa beauté, Néfertiti se terrerait au fond de son palais ; le roi se détournerait d'elle, l'abandonnerait à sa solitude et rechercherait une autre épouse. Alors Kiya s'imposerait.

L'essentiel était de disposer d'un bras armé parfaitement sûr ; en cas d'erreur, la princesse la paierait de sa tête. Aussi le recruteur de la Mitannienne, son garde du corps le plus expérimenté, avait-il besoin de temps de manière à ramener en Égypte une compatriote digne de confiance et dotée d'un courage à toute épreuve.

*
* *

Bien qu'il eût libre accès au palais et aux services de l'État, Maya était dubitatif ; pourquoi Ay lui avait-il ordonné de rassembler une flotte de bateaux de transport, les uns envoyés aux carrières du Nord, les autres du Sud ? Consulté, Ay était resté évasif ; le monarque, lui, dictait ses volontés à des architectes en exigeant le secret.

À l'évidence, une œuvre d'envergure se préparait, mais où et de quelle nature ? Néfertiti ne demeurait pas inactive, puisqu'elle s'entretenait avec les meilleurs peintres et sculpteurs, également soumis au silence.

Essoufflé, le scribe Irji força la porte du bureau de son acolyte.

— Viens vite ! Un événement anormal au débarcadère de Karnak !

Le colosse au crâne rasé ne se trompait pas. Des dizaines de dockers, aidés par des artisans, déchargeaient des statues taillées au sein des carrières, sous l'œil attentif du Père divin Ay.

— Une… Une commande royale ? s'étonna Maya.

— Convoque l'ensemble des dignitaires du palais de Karnak ; le pharaon leur parlera lorsque le soleil sera à son apogée. Que personne ne manque à l'appel.

D'ordinaire mesuré, le ton du Père divin était cassant.

— Je m'en occupe.

*
* *

Thèbes entra en ébullition. L'invitation du roi se répandit à la vitesse du vent d'est, et chacun des notables s'empressa de l'honorer. Des bruits contradictoires couraient : la nomination d'un nouveau gouvernement, la maladie du monarque ou de son épouse, une réforme administrative, l'embellissement du temple d'Amon… Tant de brutalité intriguait une cour habituée à davantage de convenances.

En quelques instants, la salle du trône fut remplie ; et les murmures s'éteignirent dès l'apparition du couple royal, sobrement vêtu. Le pharaon, cependant, portait la double couronne, la blanche symbolisant sa souveraineté sur la Haute-Égypte, la rouge sur la Basse-Égypte ; quant à Néfertiti, elle arborait un étrange couvre-chef, la perruque dite « nubienne », d'habitude réservée à des soldats d'élite !

Au milieu des courtisans, Ay ignorait tout du discours qu'allait prononcer le monarque ; depuis plusieurs mois, il s'était contenté de suivre à la lettre ses directives.

Le quatrième des Amenhotep cachait mal sa nervosité ; pressé d'intervenir, il omit les formules protocolaires et s'exprima d'une voix forte et autoritaire :

— L'Égypte sommeillait et s'éloignait de la lumière ; je l'ai interrogée, elle m'a répondu ; c'est pourquoi, en ce beau jour, je peux vous annoncer un événement majeur : Aton a été trouvé. Vous entendez :

Aton a été trouvé ! Ce sera le nom[1] du grand temple bâti en son honneur, à Karnak ; ainsi, la clarté du disque solaire illuminera à nouveau le pays entier.

L'enthousiasme du pharaon s'accompagnait du sourire de Néfertiti. Longuement, ils contemplèrent une assistance médusée, puis se retirèrent.

*
* *

Les sujets d'Amenhotep IV et de Néfertiti n'étaient pas au bout de leurs surprises. S'appuyant sur une logistique rigoureuse que surveillaient le divin Père Ay et le général Maya, n'hésitant pas à utiliser les bras des militaires, les artisans de Pharaon édifièrent en un temps record le temple exaltant la découverte d'Aton.

Les dignitaires invités à son inauguration furent ébahis : une vaste cour carrée de quatre cents coudées[2] de côté, ornée d'au moins deux cents statues, dont des colosses représentent le roi et la reine ! L'une des fenêtres du palais s'ouvrait sur cet ensemble dont la taille rivalisait avec celle du sanctuaire d'Amon. Des dizaines de milliers de personnes seraient accueillies dans cet espace sacralisé afin d'y vénérer son maître céleste, Aton.

Et les innovations du couple royal ne s'arrêtaient pas là.

Le soleil créateur ne prenait plus l'aspect d'un homme à tête de faucon, mais d'un globe d'où jaillissaient de longs rayons pourvus de mains qui tenaient

---

1. *Gem-pa-Aton*, « Aton a été trouvé ».
2. Environ 210 m.

les signes hiéroglyphiques de la vie et de la puissance animant le roi et la reine. Fils et fille de la lumière, ils avaient pour tâche de la transmettre à leur peuple.

Les sculpteurs avaient reçu l'ordre de modifier profondément la physionomie des souverains et de créer un style comme il n'en avait jamais existé. En dépit de son allégeance, Ay éprouva un malaise.

Hauts de cinq mètres, les colosses montraient un pharaon au visage étrange, presque effrayant : des yeux étirés, un nez d'une longueur démesurée, des oreilles d'une taille anormale, des lèvres trop épaisses, un menton tombant et trop lourd ; et la reine, si belle, était, elle aussi, déformée, car le sculpteur insistait sur les formes épanouies d'une mère apte à donner la vie.

Vingt-cinq colosses magnifiaient le rôle procréateur du monarque et de la Grande Épouse royale ; incarnation terrestre du dieu solaire, ils étaient le couple primordial, formé de l'air lumineux et du feu originel, source de toute vie.

Le Père divin Ay constata que sa fille avait été élevée à un statut qu'il n'aurait jamais imaginé ! « Maîtresse du Double Pays, aimée du disque solaire en fête », comme le proclamait une inscription, elle jouissait d'un privilège extraordinaire, puisque des piliers entiers lui étaient dédiés.

À elle, et à elle seule, les mains d'Aton insufflaient la puissance vitale de ses rayons lumineux. Assistée de son aînée, la reine présentait des offrandes au dieu, en pleine clarté ; et s'ajoutait un nouveau nom de règne qui associait la beauté de Néfertiti à celle du soleil[1].

---

1. *Néfer-néférou-Iten*, « La perfection d'Aton est parfaite ».

Ay aurait dû se réjouir, mais ces novations inatten-
dues, voire choquantes, l'inquiétèrent. Étaient-elles un
point d'aboutissement ou de départ ? La souveraine
ne s'enivrait-elle pas de ses récents pouvoirs,
n'outrepassait-elle pas les bornes au point de mettre
son règne en péril ?

Ce coup de force, qui reléguait le dieu Amon au
second plan, provoquerait des réactions négatives ;
demeureraient-elles des vétilles ou prendraient-elles
une relative ampleur ? Si rien ne surgissait à la surface,
les soubresauts souterrains paraissaient inévitables.
Nul ne contesterait la légitime autorité du pharaon ;
néanmoins, ne souhaiterait-on pas sa chute et n'essaie-
rait-on pas d'entraver son action ?

Le Père divin ayant choisi son camp, identifier ses
adversaires et prévoir leurs éventuelles manœuvres
devenait prioritaire.

19

À l'image de l'ensemble des dignitaires, la princesse Kiya était encore sous le choc. Qui comprenait la raison des bouleversements survenant en Égypte ? Bien qu'il se proclamât « serviteur de Maât », la règle d'harmonie instaurée à l'aube des dynasties, le pharaon ne violentait-il pas des valeurs dûment établies ?

Kiya pestait contre l'ascension de Néfertiti. Au lieu de calmer son époux et de lui conseiller la modération qu'impliquait la sagesse prônée par ses ancêtres, cette ambitieuse l'entraînait à durcir ses positions afin de s'affirmer comme un maître absolu.

La surprenante initiative du couple royal avait dérouté le clergé d'Amon et la noblesse thébaine, et chacun semblait s'incliner. S'opposer au pharaon, n'était-ce pas détruire la vie ?

La femme de chambre de Kiya interrompit sa méditation.

— Votre délégué est de retour, princesse.

— Amène-le-moi !

Elle accueillit son garde du corps à l'ombre d'une pergola ; personne ne surprendrait leur entretien.

L'homme était maigre et barbu.

107

— As-tu obtenu satisfaction ?

— Ce ne fut pas facile… Mais je pense que oui ! Elle a vingt ans, a terrassé des mâles à mains nues, est une excellente nageuse et manie le couteau à la perfection. J'ai moi-même vérifié ses capacités et je crois qu'elle correspond à vos exigences.

— J'en jugerai ; va à la cuisine, on te servira de la viande et du vin. Où as-tu installé ta protégée ?

— À l'entrée de votre atelier de tissage.

La princesse y courut.

Les cheveux courts et blonds, la peau blanche, le front têtu, les yeux froids, élancée, la Mitannienne était assise, le dos droit.

— M'obéiras-tu sans discuter ?

— Ça dépendra du prix.

— La fortune. Ton travail terminé, tu retourneras au Mitanni avec suffisamment d'or pour t'offrir tout ce que tu désires.

— Et ce travail consiste en quoi ?

— À défigurer une femme à l'aide d'un couteau.

— C'est facile !

— Détrompe-toi.

— Qu'a-t-elle de particulier ?

— Elle est reine d'Égypte.

La blonde garda un long silence.

— Ce sera donc difficile et dangereux…

— Pas si l'attentat est bien organisé, objecta Kiya ; et il le sera. Tu acceptes ou tu refuses ?

— L'Égypte a humilié notre pays, il est réduit à l'état de vassal ; belle occasion de revanche !

Cette motivation supplémentaire enchanta la princesse.

— Tu résideras en lieu sûr jusqu'à la journée décisive. On te teindra les cheveux, on te nourrira au mieux, tu ne parleras qu'à ton recruteur qui te fournira les indications nécessaires ; et tu ne me connais pas. Surtout, ne songe pas à me trahir.

— Je ne suis pas folle ! L'attente sera-t-elle longue ?

— Nous rechercherons le moment idéal ; arme-toi de patience.

*
* *

Le roi enlaça son épouse et la dévêtit lentement, tentant de contenir sa fougue ; mais la douceur de sa peau, la chaleur de ses lèvres et la beauté de ses seins enflammèrent son désir. C'est Aton qui lui avait envoyé Néfertiti afin de créer un royaume de lumière et de chasser les ténèbres.

La reine l'orientait et l'encourageait, résolue à faire tomber les murailles s'opposant à leurs projets et n'hésitant pas à monter en première ligne ; et le silence de Tiyi avait valeur d'approbation.

Être aimé de Néfertiti… Ce bonheur-là rendait le monarque capable de toutes les audaces et lui conférait une énergie inépuisable !

Jamais découragée, la Grande Épouse royale s'était imposée à la cour qui ne la considérait plus comme une simple mère de famille se contentant de l'existence fastueuse du palais.

Le roi lui caressa le visage.

— Maintenant, nous régnons vraiment ; nos ennemis courbent le dos.

— Ne t'illusionne pas, recommanda-t-elle ; l'étonnement passé, ils envisageront la meilleure manière de réagir.

— Oseraient-ils s'attaquer à l'autorité royale ?

— Malgré les efforts constants de mon père, les prêtres d'Amon continuent à contrôler une partie non négligeable de l'administration ; et leur immense richesse permet d'acheter bien des consciences.

— Ils répandent de mauvaises paroles, tu as raison ; mais nous ne reculerons pas ! À présent, Aton domine Karnak, et nous ne cesserons de le glorifier. Ce qu'avaient esquissé mes parents, nous l'accomplissons.

À son tour, elle lui caressa le front.

— La bataille sera féroce, l'adversaire ne désarmera pas et agira de façon souterraine ; c'est pourquoi l'obéissance de l'armée est essentielle.

— Redouterais-tu des trahisons ?

— Ay et les officiers supérieurs sont vigilants ; néanmoins, c'est à nous de prouver que nous exerçons le commandement suprême.

— Ta proposition ?

— Une marque d'attention à l'égard des soldats confortera leur fidélité. Visite la caserne, ordonne une démonstration de la charrerie, montre-toi à la tête de tes troupes. Pharaon assure la sécurité de l'empire et piétine quiconque sème le désordre. Quant à moi, je serai à la proue de notre nouveau bateau de guerre qui sortira demain du chantier naval.

Le roi étreignit la plus sublime des femmes.

20

La patience était l'une des vertus de la Mitannienne. N'avait-elle pas attendu trois ans avant de trancher la gorge de son violeur ? Malheureusement, c'était un policier et, au lieu de réclamer justice, elle avait dû s'enfuir et s'agréger à une bande de brigands qui dévalisait les caravanes et se réfugiait dans les montagnes de l'Anatolie.

C'était là que l'avait contactée l'émissaire de la princesse Kiya, ex-malfrat reconverti en garde du corps. Lassée d'une existence usante, la tueuse avait consenti à le suivre. L'Égypte ne serait pas pire.

Recluse, à bonne distance de Thèbes, la Mitannienne ne se plaignait pas de son sort. Elle habitait une petite maison appartenant à un cultivateur muet au service de Kiya ; âgé et boiteux, le bonhomme était un bon cuisinier et se plaisait à servir à la jeune femme d'excellents plats, combinant volailles et légumes.

Presque un régime de princesse ! La Mitannienne rêvait, dormait, mangeait et rêvait encore ; les journées s'écoulaient, elle s'habituait à cet exil, oubliant parfois qu'il n'était que temporaire.

Et si sa mission s'évanouissait, si l'attentat contre la reine d'Égypte se révélait impossible, si sa commanditaire délaissait sa compatriote ? Au lieu de rentrer au Mitanni, elle deviendrait ouvrière agricole, trouverait un mari, aurait des enfants.

— Bonjour, petite ; pas d'incident à signaler ?

La voix du garde du corps de Kiya la fit sursauter. Le rêve se brisait.

— Aucun.

— Le grand jour approche ; je me charge de toi.

La tueuse se releva.

— Tu es mignonne... Avant de partir, on pourrait peut-être s'amuser, tous les deux.

Le regard de la jeune femme fut celui d'une bête furieuse.

— Tu me touches, je t'égorge.

— Ça va, ça va, calme-toi ! Je plaisantais. En route.

*
* *

L'attentat avait les meilleures chances d'aboutir. D'abord mêlée aux badauds qui assisteraient à l'arrivée de la reine, la Mitannienne s'en détacherait, descendrait la berge à un endroit désert et nagerait jusqu'à la proue, du côté où personne ne la remarquerait. Au terme d'une brève escalade, elle surprendrait Néfertiti et lui lacérerait le visage.

Fuir ne serait pas une partie de plaisir ; il faudrait échapper aux archers, atteindre la rive ouest, traverser les cultures et se cacher au sein du désert, en un endroit sûr. Le garde du corps l'y rejoindrait pour lui donner sa récompense et lui indiquer un bateau à destination du nord. Et c'est une femme riche qui regagnerait le Mitanni.

Si elle échouait ou si elle était blessée, la situation serait différente ; le garde du corps avait ordre de l'abattre et d'enterrer son cadavre. Connaissant la dangerosité de sa protégée, il ne viendrait pas seul.

Son merveilleux visage dégradé à jamais, Néfertiti disparaîtrait et le roi serait brisé. À Kiya et ses alliés d'intervenir de manière efficace ; elle, la nouvelle reine d'Égypte, ramènerait le monarque sur le droit chemin.

*
* *

Le Vieux émergea d'un cauchemar ; il travaillait dans un bureau comme fonctionnaire. D'après « les clés des songes », cela signifiait une mort proche !

Migraineux, les articulations raides, il s'octroya une bonne gorgée de blanc sec afin de se réveiller. En mastiquant une galette chaude fourrée aux fèves, il apporta sa pitance matinale à Vent du Nord.

— Rude journée en perspective, mon gars ! On transporte de l'eau et des nattes au débarcadère. Notre patronne célèbre la naissance d'un navire de guerre.

L'oreille gauche de l'âne se leva.

— Comment, non ? C'est une cérémonie officielle et nous accompagnons la reine.

Le puissant grison maintint son refus.

Perplexe, le Vieux chercha ce que cette bête avait dans le crâne.

— Y aurait-il… un danger ?

Cette fois, l'oreille droite se dressa.

— Tu es sérieux ?

L'oreille droite demeura ferme.

Et l'ennui, avec Vent du Nord, c'était qu'il avait toujours raison ! Aussi le Vieux se précipita-t-il vers les appartements privés de la reine. Lui et le roi étaient les seuls devant qui les gardes s'écartaient.

Néfertiti était entre les mains de sa coiffeuse et de sa maquilleuse. Chaque fois qu'il la voyait, le Vieux constatait qu'il n'existait pas de plus belle femme au monde.

En l'apercevant, elle sourit.

— Un souci ?

— Je dois te parler en particulier.

Coiffeuse et maquilleuse achevèrent leur travail, saluèrent la souveraine et se retirèrent.

— Tu sais que je te considère comme ma fille ; je t'ai élevée et…

— C'est donc un grave souci.

— Toi seule peux comprendre ! Vent du Nord prévoit un risque majeur ; évite le débarcadère.

Néfertiti ne dédaigna pas l'avertissement ; cet âne-là était doté d'une intuition absente chez bien des humains. Et c'était un secret partagé avec le Vieux.

— Impossible, le roi et moi sommes contraints d'asseoir notre autorité ; et ce navire de guerre prouvera que nous nous soucions de la sécurité du pays. La confiance de l'armée est indispensable.

— Vent du Nord ne se trompe pas !

— Je ne mets pas sa prédiction en doute et prendrai les précautions nécessaires.

21

Les charpentiers du chantier naval de Thèbes avaient façonné un imposant navire de combat, long d'une trentaine de mètres et pourvu de deux grandes voiles ; un régiment d'archers y tiendrait aisément. Le capitaine était flatté et heureux d'accueillir la reine et de lui faire visiter ce bâtiment, qui devenait l'un des fleurons de la marine de guerre égyptienne.

Sur le quai, Vent du Nord, d'ordinaire si calme, manifestait sa nervosité en grattant le sol de ses sabots ; le Vieux ne cessait de scruter les environs. Une haie de soldats empêchait les badauds d'approcher.

La cabine centrale était spacieuse et confortable, les bancs de rameurs judicieusement disposés, les mâts d'une taille remarquable et les cordages de première qualité ; l'armement allait des grands arcs aux boucliers en passant par des épées à lame courbe.

Délaissant les habits d'apparat, Néfertiti était vêtue d'un chemisier de lin fin transparent et d'une jupe nouée au-dessus du nombril ; cette simplicité étonna le commandant et les officiers que fascinait la beauté de leur souveraine.

Elle ne se contenta pas d'observer, mais mania des dagues et des frondes, vérifia l'épaisseur des cottes de mailles et se rendit à la proue du bâtiment d'où elle contempla la splendeur de Thèbes.

À cet instant, elle eut la certitude que cette cité richissime, vouée à la gloire d'Amon, n'était pas la sienne. Cet horizon-là ne la satisfaisait pas, il portait la marque d'un temps révolu ; l'avenir n'aurait-il pas un autre visage ?

Aton, le disque solaire à l'inépuisable générosité, parlerait-il à son cœur ?

*
* *

Enfin, l'occasion idéale ! La Mitannienne se glissa dans le fleuve, à bonne distance du navire, sans être repérée, et nagea sous l'eau jusqu'à la proue.

Grimper le long d'un cordage, gravir le mur de bois, enjamber le parapet, défigurer la reine qui commettait l'imprudence de rester figée, le regard perdu, puis plonger et s'éloigner au plus vite… L'étrangère s'était cent fois répété ce programme précis, misant sur sa rapidité et la stupéfaction de ses adversaires, lents à réagir.

Un instant, elle tergiversa ; cette agression n'était-elle pas abominable ? Elle, une simple paysanne, briser le destin d'une reine… Mais elle ne retrouverait pas une pareille chance, et l'appât du gain l'emporta.

La Mitannienne jaillit hors de l'eau et empoigna l'épais cordage au bout duquel reposait l'ancre, un lourd bloc de calcaire. Vive et habile, elle se hissa à

116

bord, certaine de surprendre sa victime en l'attaquant de côté.

Alors que la criminelle posait le pied sur le pont, un rayon de soleil d'une intensité particulière l'éblouit ; et lorsqu'elle recouvra la vue, la reine d'Égypte était face à elle, brandissant une épée à lame courbe[1].

Pétrifiée, la Mitannienne s'agenouilla et leva les mains à la hauteur de son visage, en signe de soumission ; Néfertiti étendit la main gauche au-dessus de la tête de sa prisonnière, qui jeta son couteau au loin.

Croyant la reine en danger, le capitaine se précipita, armé d'une dague ; rageur, il trancha la gorge de l'ennemie.

*
* *

L'intervention d'un médecin avait été inutile, la femme était morte sans avoir prononcé le moindre mot. Expliquant qu'il estimait la reine en danger, le capitaine avait été lavé de toute accusation. En revanche, le service de sécurité avait essuyé la colère du roi, et ses membres furent soulagés de ne pas être condamnés aux travaux forcés dans une oasis de l'Ouest ; leur renvoi de l'armée et leur condamnation à des corvées agricoles étaient une peine légère.

Ne cachant pas son mécontentement, le Père divin Ay convoqua le chef de la police, un quinquagénaire replet, amateur de repas bien arrosés et passant

---

1. L'image de la scène a été préservée sur un bloc retrouvé à Karnak.

davantage de temps au bord de la pièce d'eau de sa villa que sur le terrain.

— Votre santé est-elle bonne, Père divin ?

— Les résultats de ton enquête ?

— Les investigations ne sont pas faciles et....

— Qui était cette femme ?

— Personne ne la connaissait ; c'est probablement une étrangère.

— Elle n'est pas venue de nulle part !

— Je n'ai recueilli aucun témoignage.

— Si le chef de la police ne sait rien, Thèbes ne devient-elle pas un territoire barbare ?

— N'exagérez pas, Ay ! Je ne contrôle pas tout.

— C'est regrettable. Une inconnue a tenté d'assassiner la reine, et toi, tu piétines.

Le regard du Père divin était dépourvu de la bienveillance qu'appréciaient tous les courtisans.

— Maintenir l'ordre est un art difficile… Trop de rigueur provoquerait le mécontentement de la population. Puisque cet incident exceptionnel n'a pas eu de regrettables conséquences, ne tirons pas de conclusions hâtives. À l'évidence, cette pauvre femme a succombé à un accès de folie qu'elle a payé de sa vie ; oublions ce drame, et la tranquillité sera restaurée.

— Comment oses-tu l'affirmer ?

Le chef de la police sursauta et se retourna, découvrant la reine.

— Majesté…

— Et tu restes assis en ma présence ?

Le haut fonctionnaire se dressa et s'inclina.

— La protection des dieux vous est acquise et…

— C'est la tienne dont j'avais besoin, et tu as failli.

Le chef de la police se décomposa.

— Il était impossible d'identifier cette criminelle !

— À ton incapacité s'ajoutent la bêtise et peut-être la corruption. Tu es révoqué, et le tribunal décidera de ton sort.

22

Ay avait sélectionné quinze hauts dignitaires, âgés de quarante à soixante ans. Chacun avait dirigé un service administratif, et leur moralité paraissait irréprochable. Un à un, ils comparurent devant la reine afin de proposer leur conception de la police et les réformes à réaliser.

Néfertiti les écouta attentivement.

Au terme des entretiens, le Père divin interrogea sa fille.

— Lequel préfères-tu ?

— Ce sont tous des incapables, engoncés dans la routine de leurs privilèges !

Ay fut dépité.

— J'avais choisi les plus compétents…

— À la caserne surviennent forcément des conflits ; qui maintient l'ordre et arrête les fauteurs de troubles ?

— Une dizaine de surveillants.

— Amène-les-moi.

*
* *

Les surveillants étaient de solides gaillards, issus de l'infanterie ; ils avaient séjourné à l'étranger, dans les principautés que contrôlait l'Égypte, avant de revenir au pays. Peu causants, ils s'exprimaient avec difficulté et n'aimaient guère relater leurs exploits. Leurs états de service prouvaient qu'ils n'hésitaient pas à manier le bâton ; la plupart du temps, leur apparition suffisait à rétablir le calme.

Être présentés à la reine les mettait mal à l'aise, et répondre à ses questions davantage encore ; néanmoins, ils se plièrent à ce difficile exercice. Et la reine rappela l'un d'eux.

— Ton nom ?

— Mahou, Majesté.

— Ton grade ?

— Surveillant-chef de la caserne de Thèbes.

— Ton âge ?

— Trente-cinq ans.

— Tes parents ?

— Ils sont décédés. Mon père était soldat.

— D'après ton dossier, tu as procédé, pendant les six derniers mois, à quarante arrestations, et certaines ont été violentes.

— Un soldat ivre perd le contrôle de sa force ; alors, il faut que j'utilise la mienne. Si l'ordre ne régnait pas à la caserne, ce serait le début du chaos.

— Et si tu devais interpeller un notable ?

— S'il a troublé l'ordre, je l'interpellerai.

— Sais-tu lire et écrire ?

— Je rédige un rapport mensuel.

— Entretiens-tu de bonnes relations avec tes subordonnés ?

— Je n'ai qu'un principe : la hiérarchie. S'ils obéissent, tout va bien ; sinon, je renvoie le fautif.

— Je te nomme chef de la police, Mahou ; tu exerceras ta fonction sous l'autorité du Père divin Ay, et je compte sur ta fermeté. Ta première tâche consistera à éradiquer la corruption ; écarte les inutiles, engage des hommes droits et efficaces. Et c'est à toi que je confie la sécurité de la famille royale.

— À vos ordres, Majesté.

*
* *

Néfertiti espérait une intervention rapide de Mahou et ne fut pas déçue. Le jour même de sa nomination, il chassa l'ex-chef de la police et ses subordonnés de leurs bureaux ; muni d'un décret royal, il ne rencontra pas de résistance et installa aussitôt sa propre équipe de fantassins et d'archers, des hommes de terrain qui ne passeraient pas leur temps à classer des rapports inutiles.

Mahou enquêta sur l'agression dont la reine avait été victime, mais se heurta à une difficulté insurmontable : le cadavre de la criminelle avait été brûlé, et il était donc inutile de rechercher des témoins capables de l'identifier.

Irrité, Mahou forma un corps d'élite voué à la protection du couple royal et de ses enfants, au palais comme à l'extérieur ; et il soumit à un interrogatoire musclé les policiers suspectés de corruption, qu'ils fussent scribes ou plantons. Ses méthodes aboutirent à d'excellents résultats, et en moins de deux mois, l'épuration fut effectuée.

La noblesse thébaine déplora la nomination de ce policier brutal et redouta ses interventions intempestives ; mais il disposait du soutien inconditionnel de la Couronne, et mieux valait ne pas le provoquer.

*
* *

Émerveillé, le roi contempla son épouse ; nimbée de la lumière de l'aube, elle incarnait la beauté de la Création née du disque solaire. Chaque jour, elle le séduisait et l'envoûtait. De la finesse des traits de son visage à l'élégance de ses pieds, tout, en elle, atteignait la perfection.

Il la serra tendrement entre ses bras.

— Tu as failli disparaître... Je ne m'en serais pas remis.

— J'ai bénéficié de la protection de mon vieux serviteur et de son âne ; grâce à eux, j'étais préparée à l'épreuve.

— Aton les comblera de ses richesses !

— Notre nouveau chef de la police, Mahou, accomplit un excellent travail, et sa fermeté découragera bon nombre de comploteurs ; de plus, il nous affecte un auxiliaire qui assurera en permanence notre garde rapprochée, de jour comme de nuit.

Le monarque fut contrarié.

— N'est-ce pas excessif ?

— Viens, Vaillant Guerrier ! ordonna la reine.

Un superbe chien noir aux longues oreilles et aux grandes pattes accourut ; il s'assit sur son derrière et, de ses grands yeux marron, fixa le monarque, conquis. Son collier de cuir comportait son nom et son grade.

— Ce serviteur-là ne nous trahira jamais, affirma Néfertiti.

23

Chez les prêtres d'Amon, le mécontentement ne cessait de s'amplifier ; le roi laissait au grand prêtre et à ses assistants principaux le soin de célébrer le culte habituel, tandis qu'il réservait ses soins au récent sanctuaire d'Aton où Néfertiti officiait quotidiennement.

Les grands chantiers étaient suspendus, et nul ne prévoyait le prochain coup d'éclat du couple royal dont l'autoritarisme, en dépit de sa jeunesse, avait surpris les notables.

Un homme rétablirait peut-être de bonnes relations entre le pharaon et la hiérarchie des serviteurs d'Amon : le vizir[1] Ramosé[2], un dignitaire expérimenté et respecté. Administrateur de la Haute-Égypte, il avait été assez habile pour ne pas froisser Ay, l'éminence grise du couple royal, et conserver ses lourdes fonctions.

Également maire de Thèbes, Ramosé remplissait pleinement une tâche écrasante que le texte d'investiture

---

1. Terme impropre, malheureusement utilisé en égyptologie.
2. Son nom signifie « Celui qui est né de Râ (la lumière divine) ».

qualifiait d'« amère comme le fiel ». Attaché à la prospérité du pays, il résolvait mille et un problèmes, et
garantissait le bon fonctionnement des ministères.

Ayant prêté serment de n'appliquer qu'une seule
règle, celle de Maât, justice, vérité et harmonie, il se
montrait fidèle à son roi qu'il connaissait si peu et dont
les intentions restaient obscures. Ramosé avait besoin
de directives concernant l'avenir ; gérer les affaires
courantes ne suffisait pas. Sans vision à long terme, il
risquait de commettre des erreurs préjudiciables à la
population.

Aussi, quand le grand prêtre d'Amon avait préconisé
son intervention auprès du souverain afin d'éclaircir la
situation, Ramosé ne s'était-il pas dérobé ; cette fois, il
ne se contenterait pas d'un entretien avec le Père divin
Ay.

*
* *

Le jardin du palais de Malgatta était un enchantement ; des centaines d'oiseaux mélangeaient leurs
chants, un vent doux agitait le feuillage des sycomores
et des acacias. Ay reçut le vizir à l'ombre d'une ton-
nelle.

— J'ai transmis ta requête à Sa Majesté qui accepte
de t'entendre.

— Le délai ?

— Elle t'attend.

Cet empressement satisfit le vizir ; le roi prenait au
sérieux sa démarche.

À la vue de Mahou, le nouveau chef de la police,
et d'une escouade de dix archers au faciès hostile,

Ramosé fut moins optimiste. Ses exigences avaient-elles vexé le monarque au point de déclencher son arrestation ?

— Auriez-vous l'obligeance de nous suivre ? questionna Mahou.

— Où m'emmenez-vous ?

— À votre demeure d'éternité.

Le vizir blêmit.

— De quoi m'accuse-t-on ?

— Rassure-toi, intervint Ay, et rejoins Sa Majesté.

Désemparé, le vizir n'avait d'autre choix que d'obéir. Il s'installa dans une chaise à porteurs que soulevèrent huit hommes ; à bonne allure, ils se dirigèrent vers la nécropole des nobles.

Était-ce l'ultime voyage d'un vizir pourtant apprécié de tous ? Pour quelle raison ténébreuse le pharaon aurait-il décidé de se débarrasser de lui ? La tête en feu, Ramosé ne goûta pas la paix profonde de la colline d'Occident, lieu de repos des « justes de voix » qui avaient obtenu l'immortalité.

Les porteurs déposèrent le vizir à l'entrée de son tombeau[1]. Là, grâce à la bienveillance du roi défunt, il vivrait une éternité heureuse ; les parois étaient ornées de scènes rituelles dues aux meilleurs artisans de la confrérie de la « place de la Vérité[2] ».

Sous le regard de Mahou, Ramosé franchit le seuil. Des lampes ne produisant pas de noir de fumée illuminaient cette antichambre du paradis. Et ce ne fut pas le quatrième des Amenhotep qui accueillit le vizir, mais la Grande Épouse royale, Néfertiti.

---

1. Tombe thébaine 55.
2. Deir el-Medineh.

— Majesté ! Je...

— Tu as demandé audience, je te l'accorde.

— Ici, mais...

— N'est-ce pas un endroit merveilleux ? Ta mémoire y sera préservée à jamais, ton âme y survivra dans la félicité. Pourquoi désirais-tu voir le roi de toute urgence, vizir du Sud ?

Ramosé chercha ses mots.

— Une partie de nos dignitaires est inquiète, et...

— Les prêtres d'Amon ne cessent de prononcer de mauvaises paroles à l'encontre de Pharaon, et ils t'ont chargé d'une mission.

— Eh bien...

— Ne t'engage pas sur un chemin dangereux, Ramosé ; je vais te montrer l'essentiel.

Les bas-reliefs de la tombe étaient d'une exceptionnelle qualité et témoignaient du génie des sculpteurs et des peintres qui avaient œuvré au long du règne de son maître, le défunt Amenhotep III.

Et Ramosé découvrit une scène extraordinaire.

Il y était représenté embrassant le sol devant le couple royal, présent à la fenêtre d'apparition du palais, surmontée du disque solaire d'Aton d'où jaillissaient de longs rayons terminés par des mains qui offraient au roi et à la reine la vie et la puissance.

Puis le vizir recevait la récompense suprême, des colliers d'or, tout en écoutant les directives du monarque, gravées en hiéroglyphes ; Ramosé lui promettait d'agir en faveur d'Aton, et souhaitait que les monuments du dieu soient stables comme le ciel ; n'était-ce pas pour lui que les montagnes dévoilaient leurs trésors, sa voix puissante n'animait-elle pas le cœur des hommes ?

Ensuite, le vizir répétait les ordres royaux aux dignitaires égyptiens, aux Nubiens, aux Syriens et aux Libyens ; enfin, il marchait en direction du temple d'Aton afin d'assister à une cérémonie.

Le style de ce long épisode était sensiblement différent de celui des autres scènes de la tombe, et Ramosé, abasourdi, étudia chaque détail.

— L'audience que tu sollicitais, déclara Néfertiti, la voici incarnée pour l'éternité. La mérites-tu vraiment, vizir du Sud, es-tu le fidèle serviteur de ton roi ?

Ramosé s'agenouilla.

Le ton impérieux de la reine signifiait qu'il jouait sa tête. La beauté et la douceur apparente de Néfertiti n'effaçaient pas une poigne inflexible.

— Mon obéissance absolue vous est acquise, Majesté ; mon existence fut consacrée à servir la Couronne, à garantir la prospérité de la Haute-Égypte, à tenter de résoudre les difficultés, et je continuerai ainsi tant que Pharaon et la Grande Épouse royale m'honoreront de leur confiance. J'ai prêté ce serment lorsque le père du roi m'a nommé vizir, et je le renouvelle aujourd'hui.

Un silence interminable s'ensuivit.

— Relève-toi, ordonna la reine, et contemple le soleil d'Aton ; c'est lui notre guide, désormais. N'écoute plus les calomniateurs et les aigris, toi qui rends la justice, l'expression terrestre de la justesse divine, Maât. Pharaon est l'aimé de Maât, il en vit, et l'offre à la lumière. En douterais-tu, Ramosé ?

Subjugué, le vizir n'avait jamais ressenti pareille détermination ; ce que concevait cette reine, elle le réaliserait. Et qui s'opposerait à elle serait broyé.

— Demain, le vizir du Nord est convoqué au

palais ; tu te joindras à lui, et vous nous exposerez, au roi et à moi-même, l'état de votre gestion. Nous voulons une Égypte forte et riche où règnent l'harmonie et l'équité. Sois rigoureux, Ramosé, et repousse les exigences des prêtres d'Amon. Tu n'as qu'un seul maître : Pharaon. Eux aussi devront s'en souvenir.

Le monde qu'avait connu le vieux vizir disparaissait ; un autre naissait. Et il n'y aurait pas sa place.

24

La réunion au sommet avait été un franc succès. Satisfait des résultats présentés par les vizirs du Sud et du Nord, le couple royal les avait analysés en profondeur et fixé des objectifs précis, à la surprise des deux hauts fonctionnaires qui ne s'attendaient pas à de telles directives.

Depuis l'échec de l'attentat contre Néfertiti, la princesse Kiya ne décolérait pas. Ivre de rage, elle avait fracassé des meubles précieux et ne cessait d'admonester son personnel.

— Que sais-tu d'autre ? demanda-t-elle à son informateur, le courtisan Maya.

— Le grand prêtre d'Amon avait confié au vizir Ramosé une médiation, afin de ramener le roi à la raison. Échec total ! Comme son collègue du Nord, il s'est soumis à la volonté du roi.

La princesse serra les poings.

— La volonté du roi… Mais qu'exige-t-il, au juste, à part célébrer les brûlures du soleil ?

— Ce n'est pas un rêveur, et la détermination de Néfertiti est égale à la sienne, voire supérieure ! Ensemble, ils comptent imprimer une marque unique à leur règne en déployant la puissance dont ils disposent.

— Et si ce n'était qu'une illusion ?

— Détrompez-vous, princesse ! La vénération de la lumière ne détourne pas le couple royal des affaires de l'État ; au contraire, il a convaincu de son sérieux les membres du gouvernement, et le nombre d'éventuels contestataires s'est réduit. Dans l'immédiat, il convient d'éviter toute critique et de manifester une pleine et entière allégeance.

— Craindrais-tu pour ton poste ?

— J'ai l'oreille du pouvoir et celle de ses opposants, à commencer par la vôtre. Et je me tairai… si vous vous taisez.

En regardant Maya gratter ses gros sourcils, la princesse prit conscience qu'il était un serpent particulièrement venimeux. L'écraser du talon ? Vu les circonstances, impossible.

L'avenir serait-il moins sombre ? À Kiya de manipuler cet allié visqueux et de s'en débarrasser quand il deviendrait inefficace.

*
* *

D'un côté, Maya informait en secret les prêtres d'Amon qui, les premiers chocs passés, préparaient leur riposte ; de l'autre, il se préoccupait de l'avancement des travaux destinés à modifier le visage de Karnak en faveur du culte d'Aton.

Le Père divin visita le chantier en sa compagnie.

— Le roi s'impatiente, Maya ; as-tu recruté les meilleurs artisans ?

— Je les ai retirés de plusieurs temples afin de les installer à Thèbes et je harcèle les chefs d'équipe. Hélas, le travail de la pierre réclame de longs efforts.

— Sa Majesté est pressée ; il nous faut trouver une solution pour hâter le processus.

Le chef sculpteur Bek vint à la rencontre des deux dignitaires. Âgé d'une trentaine d'années, robuste, il avait façonné les visages insolites des colosses royaux, à la grande satisfaction du pharaon qui ne serait pas confondu avec ses prédécesseurs.

— Puis-je vous parler ?

— N'importune pas le Père divin, recommanda Maya, cassant ; les problèmes quotidiens, je m'en occupe.

— J'ai peut-être découvert le moyen de nous faire gagner du temps. Beaucoup de temps.

Expérimenté et talentueux, ce gaillard n'avait pas l'air d'un vantard.

— Explique-toi, exigea Ay.

Fils d'un sculpteur de génie qui avait œuvré à la gloire d'Amenhotep III, Bek avait été heureux de créer un style nouveau, sous les directives du monarque dont il admirait la fermeté et le courage ; il n'hésitait pas à imposer ses vues en défiant une hiérarchie sclérosée, jalouse de ses privilèges.

Bek conduisit les notables à son atelier, abrité du soleil et du vent, et leur montra une brique.

— Voici le matériau le plus léger et le plus facile à manier ; il ne sert à construire que des palais et des maisons, non des temples, lesquels réclament la pierre. Je me suis souvenu d'un enseignement de mon père ; il avait travaillé à la cité sainte d'Héliopolis où est vénéré le divin soleil. Là-bas fut édifiée une pyramide à degrés, composée de blocs de taille modeste, le premier monument gigantesque en hommage à la lumière. Et si nous transposions dans la pierre la technique utilisée pour la brique ?

— Impossible, jugea Maya.

— Permettez-moi de vous prouver le contraire.

Bek ôta un tissu qui protégeait un bloc de grès.

— Il pèse une cinquantaine de kilos et peut donc être la charge d'un seul tâcheron ! Ses dimensions : une coudée de long, une demi-coudée de large, douze doigts de haut[1]. Autrement dit, une sorte de brique... mais en pierre ! En respectant ces proportions et ce poids, nous produirons en série des blocs faciles à transporter et nous dresserons rapidement des murs de temples à décorer.

— Ne risquent-ils pas de s'effondrer ? s'inquiéta Ay.

Bek sourit.

— Aucun danger, puisqu'ils ne seront plus porteurs ! Les sanctuaires d'Aton sont à ciel ouvert, excluant les parois qui supportent de lourds plafonds. Désormais, les murs des sanctuaires seront strictement verticaux. Et le rythme de construction sera très rapide,

---

1. Environ 52 cm x 26 cm x 24 cm. L'égyptologie qualifie ces blocs de « talatates » (ou talatats), d'après un mot arabe *talata*, « trois », qui ferait référence à la longueur de ces pierres selon une ancienne mesure, à savoir trois empans ou paumes. Des milliers de talatates comportant des scènes variées ont été retrouvées, notamment à l'intérieur des deuxième et neuvième pylônes de Karnak. L'une d'elles montre d'ailleurs un ouvrier portant l'un de ces blocs sur les épaules.

si l'extraction de blocs de grès est correctement organisée.

Stupéfaits, Ay et Maya cherchèrent en vain des
objections.

— Je consulte Sa Majesté, annonça le Père divin.

25

Surveillant du bétail et des vignobles, Maya distribuait un maximum de tâches à ses subordonnés et ne tolérait aucune faute de leur part ; la table royale bénéficiait en permanence des meilleures nourritures et de grands crus qu'appréciait le couple royal. Avec son habileté coutumière, Maya tirait la couverture à lui et s'affirmait comme un parfait courtisan, totalement dévoué au pharaon et à la Grande Épouse royale.

Aidé d'Irji, fabricant de fausses rumeurs et de documents truqués, il avait éliminé un comptable qui s'intéressait de trop près à sa fortune ; et le prochain curieux subirait le même sort. Inattaquable, Maya était devenu l'un des piliers de la haute société.

Il ne croyait guère à la théorie révolutionnaire du sculpteur Bek, mais le roi l'avait approuvée, et il fallait appliquer ses directives. Suer sang et eau au cœur des carrières de grès ? Très peu pour Maya ! Aussi avait-il confié cette tâche ingrate au vieux Parénéfer, confident et adulateur du monarque ; en dépit de ses articulations douloureuses, cet artisan de formation avait été enthousiaste.

Maya se méfiait de ce petit bonhomme effacé qui se glissait partout et recueillait quantité de propos qu'il rapportait au souverain ; entretenir de bonnes relations avec lui était un gage de longévité. Et Maya veillait à le flatter dans le sens du poil.

En cas d'échec, il serait attribué à Parénéfer dont le crédit s'effondrerait au point d'être ruiné ; convaincre les carriers de changer leurs méthodes ? Pas facile. Ils avaient leurs habitudes et ne se laisseraient pas intimider. En se surestimant, Parénéfer courait à sa perte et offrirait davantage de champ libre à Maya.

*
* *

Les carrières de grès du Gebel Silsileh, à cent cinquante kilomètres au sud de Thèbes, étaient écrasées de soleil. Depuis de nombreuses générations, on y extrayait une pierre magnifique, à la couleur chaude, bien présente à Karnak.

Accompagné du chef sculpteur Bek, Parénéfer retrouva l'ardeur de ses vingt ans ; heureux de parcourir à nouveau ces lieux où il avait séjourné jadis, il connaissait la bonne manière d'aborder les carriers, des artisans rugueux qui négociaient leur salaire et bénéficiaient des attentions de l'État. Le métier était rude et fatigant, mais correctement rémunéré ; et la corporation exigeait des techniciens qualifiés, aimant la pierre et capables d'en percer les secrets.

Le patron était le meilleur spécialiste égyptien du grès ; taciturne, il écouta sans broncher la proposition de Bek.

Et son verdict serait sans appel.

— Drôle d'idée, commenta-t-il, intrigué ; c'est vraiment la volonté du roi ?

Parénéfer confirma.

— Alors, pas de problème pour mes gars ; ils extrairont des milliers de petits blocs de même taille, conformes aux mesures prescrites. En revanche...

La gorge de Parénéfer se serra ; existait-il une difficulté insurmontable ?

— En revanche, poursuivit le patron, on ne s'occupe ni de la livraison, ni du transport, ni du stockage ; si vous voulez des résultats rapides, mes équipes devront se consacrer à l'extraction et au façonnage des blocs.

Parénéfer fut rassuré.

— Le roi m'a accordé les grands moyens ! Des tâcherons porteront les pierres au bateau, et je disposerai de toute une flottille de transport. Une cohorte de scribes comptabilisera les blocs, une autre surveillera le stockage, à Karnak. Et la construction des sanctuaires à la gloire d'Aton sera immédiate.

*
* *

Sous l'impulsion d'un Parénéfer vigilant, un labeur d'envergure débuta aussitôt. Comme d'ordinaire, l'armée fut la principale pourvoyeuse de bras à l'occasion de ces grands travaux ; la discipline imposée par ses officiers, la plupart formés à l'école des scribes, était un gage de succès. Des inscriptions précisaient la responsabilité de chacun : nom du carrier, du policier superviseur, du transporteur, du livreur. En cas de fausse manœuvre à un endroit de la chaîne, le coupable serait identifié et sanctionné.

Maya, les dignitaires thébains et les prêtres d'Amon assistèrent au triomphe de cette entreprise menée tambour battant. En prouvant qu'il contrôlait une telle force de travail, le jeune roi asseyait son autorité, étouffant les critiques qui n'auraient pas manqué de circuler s'il avait échoué. Ce dieu Aton, issu d'une tradition de lettrés et de théologiens, lui semblait favorable.

Méticuleux, Parénéfer se multipliait afin d'éviter une erreur grave ; ses méthodes fonctionnaient à merveille, et les bâtisseurs se déclaraient satisfaits des petits blocs de grès qui leur permettaient d'ériger rapidement des murs et de développer le domaine d'Aton de Karnak, le fief du tout-puissant Amon.

À la première heure de la matinée, il inspectait le chantier où étaient entreposées les pierres provenant de la carrière du Gebel Silsileh et vérifiait les bordereaux de livraison. Ensuite, il réunissait architectes, maçons, sculpteurs et peintres ; ensemble, ils fixaient les tâches quotidiennes. Au couchant, Parénéfer s'assurait de leur parfaite exécution.

Quel bonheur de donner satisfaction au pharaon ! Voir s'élever les sanctuaires selon ses plans, participer à l'épanouissement de son règne, contribuer à ses créations... L'âge ne comptait plus, Parénéfer jouissait d'une seconde jeunesse.

Alors qu'il examinait le dernier rapport d'un scribe vérificateur, le silence s'établit autour de lui et ses subordonnés se figèrent.

Lentement, il se retourna.

— Majesté...

— Tu accomplis un travail remarquable, indiqua

Néfertiti, dont l'élégance et la beauté captaient tous les regards.

— Je… Je tente d'agir au mieux !

— Le roi et moi n'espérions pas un résultat aussi rapide.

— Le mérite en revient au sculpteur Bek ; c'est lui qui a eu l'idée d'utiliser de petits blocs faciles à manipuler.

— Et toi, tu as concrétisé cette vision ; la récompense sera à la mesure de ton dévouement. Suis-moi, Parénéfer.

Interloqué, le vieux scribe monta à bord de la barque royale. Elle traversa le Nil et accosta un débarcadère où des chaises à porteurs attendaient la reine et son serviteur.

Néfertiti avait perçu l'importance de la trouvaille effectuée par Bek, nommé à la tête des sculpteurs des ateliers royaux ; grâce à cette technique révolutionnaire, les rêves du pharaon deviendraient réalité. Il avait d'ailleurs reçu Bek en audience privée, honneur insigne élevant l'artisan au rang de haut personnage de l'État. Son innovation ouvrait une ère nouvelle, vouée à la célébration de la lumière.

Ce coup de génie, cependant, serait demeuré illusoire sans l'efficacité de Parénéfer ; le jugeant intègre et compétent, carriers et constructeurs lui faisaient confiance.

Le cortège, dûment escorté, se dirigea vers la nécropole des nobles ; il s'immobilisa à proximité d'une tombe, précédée d'un jardinet et d'un autel. Des sculpteurs achevaient de graver, à l'entrée, un hymne au soleil.

Parénéfer n'osait comprendre.

— Voici la demeure d'éternité que t'attribue la Couronne[1].

— Majesté, je ne mérite pas...

Hébété, il emboîta le pas à la souveraine et découvrit des scènes qui lui arrachèrent des larmes. Baignés de rayons solaires, le roi et la reine seraient toujours présents auprès de lui, adorant Aton ; au-delà de sa disparition physique, Parénéfer ne serait pas séparé du couple royal.

Le dignitaire aurait volontiers passé ici le reste de son existence ; mais sa tâche n'était pas terminée et, les yeux éperdus, il se résolut à regagner l'autre rive et le chantier de Karnak.

_____

1. La tombe thébaine 188.

26

Les caresses du roi étaient à la fois douces et fiévreuses ; éperdu d'amour, il s'enivrait du charme de la belle parmi les belles, son épouse au visage enchanteur et aux formes magiques. Lorsqu'ils s'unissaient, l'éblouissement envahissait son âme et son corps ; jamais il ne se lasserait de l'admirer et de partager ce plaisir déferlant comme une vague.

Nus, allongés côte à côte près de la pièce d'eau du palais, goûtant le jeune soleil d'une matinée radieuse, ils songeaient à leurs premières années de règne.

Triomphant des oppositions latentes, le monarque avait atteint son objectif : installer au cœur de Karnak, territoire d'Amon, un vaste domaine d'Aton, ne comportant pas moins de quatre temples[1] ! Et les desservants des sanctuaires s'étaient mis au pas, puisque des milliers de prêtres et d'artisans, naguère occupés

---

1. Le *hout-benben*, « Temple de la pierre primordiale » ; le *gem-pa-Itn*, « Aton a été trouvé » ; le *roud-menou-n-Itn-r-neheh*, « Solides sont les monuments d'Aton pour toujours » ; le *tjenimenou-n-Itn-r-neheh*, « Sublimes sont les monuments d'Aton pour toujours ».

à servir Amon, étaient à présent affectés au culte d'Aton et à l'entretien de ses sanctuaires. Karnak changeait de nature, une nouvelle monarchie s'imposait.

— Ce n'est pas suffisant, estima le souverain.

Néfertiti le contempla.

— Quels sont tes projets ?

— Consolider la royauté d'Aton !

Elle saisit sa main droite et la serra amoureusement entre les siennes.

— Il existe un moyen, mais il te paraîtra sans doute étrange et choquera tout le monde…

Néfertiti murmura, comme si elle redoutait ses propres paroles. Et le pharaon fut enthousiaste.

*
* *

Tout au long de son existence, Ay, fier de son titre de Père divin, avait été un calculateur de première force. Voir sa fille occuper le rang suprême de Grande Épouse royale était une sorte d'aboutissement qui aurait dû lui procurer une retraite heureuse et paisible, aux côtés de sa femme et de ses petits-enfants.

C'était oublier la personnalité exceptionnelle de Néfertiti et le caractère surprenant de son époux. Et, cette fois, même Ay perdait pied, à l'instar de l'ensemble de la cour et des plus fervents partisans du couple !

Permettre à Aton, divinité solaire mineure, d'envahir Karnak, provoquait de nombreux grincements de dents que les dons de diplomate d'Ay apaisaient ; en revanche, décréter une fête de régénération[1] au terme de trois années de règne, au lieu de trente, laissait pantois le pays entier !

Selon la tradition, un pharaon épuisé par l'exercice du pouvoir réunissait les dieux et les déesses afin de recouvrer l'énergie nécessaire à l'accomplissement de ses devoirs ; au premier rang figurait l'instauration de la justice et de l'harmonie à la place de l'injustice, du désordre et de la violence.

Pourquoi le roi adoptait-il cette incroyable initiative qui brisait les coutumes ? En annonçant la décision, Néfertiti n'avait fourni aucune explication ; et Ay n'avait eu d'autre choix que d'organiser une gigantesque cérémonie dans la cour du temple « Aton a été trouvé » où se rassembleraient plus de cent mille invités.

*
* *

Peu avant l'aube, vêtu de la longue tunique blanche de la fête de régénération, linceul favorisant l'émergence d'une vie ressuscitée, le pharaon Amenhotep IV sortit de son palais, entouré de ritualistes qui l'avaient purifié, habillé et couronné.

Pas un dignitaire ne manquait à l'appel ; les regards interrogatifs aperçurent le monarque célébrer l'apparition du soleil levant en lui offrant une statuette de Maât.

À la surprise générale, aucune statue de divinité ! Pourtant, dieux et déesses étaient les intervenants

---

1. La fête *sed*.

147

majeurs de ce rituel ; en les vénérant, le roi assimilait leur puissance créatrice.

Dissipant les interrogations, elle apparut.

Elle, Néfertiti.

Elle, la grande d'amour dont la présence ravissait le maître des Deux Terres, celle au visage parfait et à la voix mélodieuse, la première des nobles et la souveraine du palais, coiffée d'une couronne ornée de deux hautes plumes, symbolisant le souffle de vie qui dispensait la lumière divine.

Néfertiti n'était plus une femme ordinaire. Elle incarnait la déesse lointaine, Hathor, maîtresse de l'amour et des étoiles, revenant en Égypte afin de rendre la terre féconde. Qualifiée de « dorée », elle s'unissait au pharaon ; et ce mariage sacré était le garant de l'harmonie entre l'invisible et les humains.

Lors de cette fête de régénération, tellement inhabituelle, Néfertiti serait la seule déesse. Les danses des prêtresses d'Hathor la saluèrent, exaltant l'ouverture des portes du ciel ; elles se disposèrent autour du lac pur où vogua la barque solaire.

Le chant qu'entonna Néfertiti, bientôt accompagnée d'un chœur de musiciennes, signifia le véritable but de cette cérémonie grandiose : non point la régénération du jeune pharaon, à la vigueur évidente, mais la proclamation du règne d'Aton ! Son nom serait désormais inscrit, comme celui des monarques, à l'intérieur d'un ovale évoquant le circuit de l'univers[1].

Bien des physionomies, en particulier celle du grand prêtre d'Amon, n'exprimèrent pas la moindre joie ; de

---

1. Le cartouche.

son point de vue, le nouveau coup de force de ce couple incontrôlable ne présageait rien de bon.

Malgré un sourire de circonstance, le Père divin Ay était, lui aussi, la proie de multiples interrogations ; il n'était ni un conseiller ni une éminence grise, mais un simple exécutant. Les initiatives étaient l'apanage du couple royal qui, en cette journée particulière, prenait une autre dimension ; vers quel horizon comptait-il emmener l'Égypte ?

27

La princesse Kiya était d'une humeur exécrable, et son personnel filait doux ; mieux valait éviter les colères de la grande dame qui arpentait en fulminant la grande salle où elle recevait ses hôtes.

— Maya, enfin ! Je t'attends depuis des heures. Comment réagissent les prêtres d'Amon ?

— Ils sont abasourdis, mais le roi est le roi...

— N'a-t-il pas outrepassé les limites ? Et cette scène incroyable gravée sur un bloc : le lit conjugal inondé de rayons solaires ! Quelle effroyable vulgarité... Moi qui me suis habituée au raffinement de la civilisation égyptienne, je ne saurais admettre une telle faute. Et je ne suis pas la seule !

— Sa Majesté représente ainsi le lieu où la vie est engendrée à chaque instant, précisa Maya, et...

— Absurde et inconvenant ! S'il poursuit sur la même trajectoire, ce règne tournera au désastre. C'est elle, c'est cette Néfertiti qui envoûte le pharaon ! Et je parie qu'elle est en bonne santé...

— Excellente, comme ses trois filles et son mari, toujours aussi amoureux. Ils dévorent la vie et le pouvoir à pleines dents.

— Si elle n'avait pas échappé à cet… cet accident !

Les épais sourcils de Maya se hérissèrent.

— Faute de piste sérieuse, l'enquête est close, princesse ; ne courez pas de risques inconsidérés, car la situation a changé. Le nouveau chef de la police, Mahou, est un rustre qui a renvoyé quantité de fonctionnaires malléables et engagé d'autres rustres que je n'ai pas encore eu le temps d'approcher ; ils garantissent une protection très efficace du couple royal.

— Alors, nous sommes pieds et poings liés !

— Momentanément, mais le roi est déjà allé trop loin, et les prêtres d'Amon ne resteront pas inertes. Ils espéraient un règne calme et respectueux des traditions ; cette fête de régénération, destinée à vanter la puissance d'Aton, au mépris de notre dieu d'empire, les a profondément choqués.

Dès son arrivée en Égypte, Kiya avait constaté que le pharaon n'était pas un tyran agissant selon son bon plaisir ; premier serviteur de Maât et soumis à sa loi, il composait avec les principaux corps de l'État, soucieux de l'équilibre et de la prospérité du pays. Les défier conduisait un monarque à sa perte.

*
* *

Néfertiti et le roi parcoururent l'allée de sphinx unissant Karnak au temple de Louxor, œuvre d'Amenhotep III, où était célébré l'éternel mariage de Pharaon et de sa Grande Épouse, incarnation terrestre de la déesse Hathor, qui enseignait au monarque la puissance de l'amour.

Ensemble, ils découvrirent les nouveaux sphinx que les sculpteurs, aux ordres de Bek, venaient de créer. Et la surprise de la reine ne fut pas mince ! Mi-lions, mi-humains, plusieurs étaient à son effigie ; alternativement, les sphinx avaient le visage d'Amenhotep IV et de Néfertiti, égale de son époux et gardienne de la voie sacrée reliant les sanctuaires majeurs de Thèbes.

Les policiers se tenaient à distance respectueuse, mais Vaillant Guerrier, lui, gambadait autour du couple, tous les sens en éveil ; au moindre danger, il donnerait l'alerte.

— Contemple Karnak, Néfertiti ! Aujourd'hui, cette immense aire divine devient le domaine d'Aton ! Des milliers de personnes y travaillent, cette Héliopolis du Sud dépassera, en splendeur et en richesses, l'Héliopolis du Nord où la lumière créatrice s'est révélée à nos ancêtres.

La reine semblait dubitative.

— Ne croirais-tu pas à notre succès ? s'inquiéta le roi.

— Sa fragilité me préoccupe. Pendant la fête de régénération, combien de regards hostiles et désapprobateurs pesaient sur nous ?

— Je m'en moque !

— Tu aurais tort ; des forces de destruction cheminent dans les ténèbres. Identifions-les et affrontons-les. Avant tout, il faut assurer la subsistance des temples d'Aton.

— Ne le serait-elle pas ?

— Suivons l'exemple de ton père : l'économie doit être au service de la spiritualité, et non l'inverse.

Le roi s'arrêta à la hauteur d'un sphinx dont le visage était celui de son épouse.

— Que proposes-tu ?

— Du nord au sud, de la pointe du Delta à l'extrémité méridionale de l'Égypte, la totalité des provinces pourvoira au rayonnement d'Aton.

— À savoir… une augmentation des impôts ?

— Modifions la répartition des revenus. Jusqu'à présent, Amon et son clergé en étaient les principaux bénéficiaires ; sous ton règne, ce sera Aton ! Tous les dieux et tous les temples se plieront à cette nouvelle règle. Affrétons une flotte commerciale qui transportera les denrées et les produits destinés au domaine d'Aton, nommons un corps d'intendants spécialisés et de contrôleurs inflexibles. La lumière est généreuse, inépuisable ! Le culte d'Aton sera synonyme d'abondance et de luxuriance, à condition que les Deux Terres se mettent à son service. Aux vizirs du Nord et du Sud d'appliquer tes décrets : ordonne à chaque sanctuaire et à chaque divinité de s'incliner devant Aton, de lui faire parvenir les biens nécessaires et de contribuer à sa gloire. Et n'omets pas de taxer les anciens domaines royaux ; les dynasties passées reconnaîtront la grandeur de notre dieu.

La lucidité et la fermeté de Néfertiti étonnèrent le roi et le rassurèrent ; une reine de cette envergure l'encourageait à réformer le Double Pays et à concrétiser l'idéal animant son cœur. Grâce à elle, il renverserait les obstacles.

Les obstacles… Ils ne manqueraient pas ! De tels décrets provoqueraient de vives irritations, voire des protestations officielles ; au pharaon d'asseoir son autorité et, le cas échéant, de briser l'échine des contestataires.

Néfertiti traçait une voie difficile, la seule possible ; côte à côte, le monarque et son épouse regagnèrent leur palais de Karnak où, le soir même, ils dicteraient leurs volontés.

28

En ajoutant un quai supplémentaire au débarcadère de Karnak, les bâtisseurs de la Couronne avaient favorisé les accostages fréquents de lourds bateaux chargés de marchandises en provenance de la totalité des provinces. De récents entrepôts accueillaient de l'or, de l'argent, du bronze, des pierres semi-précieuses, des jarres d'huile et de vin, des conserves de viande et de poisson, des poteries, du mobilier, des vases précieux et une quantité impressionnante de vêtements réservés aux desservants du culte d'Aton. Depuis Éléphantine, au sud, à Séma-Béhédet, au nord, provinces, villes, villages et temples avaient obéi aux ordres des émissaires royaux et honoré leurs obligations.

Conformément aux désirs du couple royal, le domaine d'Aton était celui d'une abondance sans limites ; chaque jour étaient livrés des milliers de pains aux formes diverses, des morceaux de fruits et de légumes frais, des paniers de nourritures diverses ; et des troupeaux de bœufs gras étaient acheminés vers les boucheries où l'on troussait des oies, des canards et d'autres volailles.

Le peuple d'Égypte se réjouissait d'être bien gouverné, et la popularité du couple royal ne faiblissait pas ; aussi, à la fin de cette belle journée de septembre, en l'an quatre de leur règne, Amenhotep et Néfertiti goûtèrent-ils la paix d'une promenade en barque sur le lac du palais de Malgatta.

— Ton initiative fut excellente, dit le roi à son épouse, et sa réussite est totale ; néanmoins, je n'ai pas oublié ta mise en garde à propos des ennemis souterrains. Là encore, tu avais vu juste.

— Comploterait-on contre nous ?

— Les prêtres d'Amon n'ont jamais approuvé mon couronnement ; et l'avènement d'Aton a décuplé leur rancœur. Notre fidèle Parénéfer a collecté des critiques acerbes provenant du sommet de leur hiérarchie.

— Ont-ils un réel pouvoir de nuisance ?

— Sans aucun doute ! Et ils ont le sentiment que Karnak et Thèbes leur appartiennent.

— Redouterais-tu un coup d'État ?

— C'est l'avis de Parénéfer, et ton père, Ay, n'est pas loin de le partager.

— Ces prêtres ne dirigent ni l'armée ni la police !

— Mahou vient de reprendre en main les forces de sécurité ; Ay et Maya ont remanié l'état-major de l'infanterie et de la charrerie, mais plusieurs généraux sont des amis du grand prêtre. Et, ces dernières semaines, il a réuni en secret ses partisans !

Les yeux de Néfertiti brillèrent de colère.

— Une sédition… Ne tergiversons plus ! Convoque-le immédiatement.

— Prônes-tu un affrontement ?

— Tu es le pharaon, et lui, ton serviteur.

Quinquagénaire, le grand prêtre d'Amon avait les jambes lourdes. Il se faisait masser lorsqu'on lui communiqua l'ordre du palais.

Cette brutalité le surprit ; d'ordinaire, on témoignait certains égards envers sa haute fonction, et même le pharaon se montrait moins rugueux. Avait-il eu vent du mécontentement de sa corporation ? Certainement. Mais que craignait-il ? Sans doute souhaitait-il manifester son autorité en adressant une remontrance à un personnage intouchable qui l'écouterait avec déférence.

Excédés par le comportement du couple royal, le grand prêtre et ses acolytes avaient décidé d'intervenir en contactant les chefs de province, trop lourdement taxés. Les excès du culte d'Aton menaçaient de ruiner les finances locales, et seule une mobilisation des bons gestionnaires freinerait le monarque. L'avertissement suffirait-il ou conviendrait-il d'envisager une action plus radicale ?

Vêtu d'une luxueuse tunique, dûment parfumé, le cou orné d'un pectoral composé d'améthystes et de lapis-lazulis, son anneau d'or à l'auriculaire, le grand prêtre gravit les marches du palais au coucher du soleil.

Le supérieur des intendants le conduisit à une loggia donnant sur le lac. À l'une des extrémités, la reine occupait un siège à dossier bas en bois d'ébène ; à l'autre, le roi, debout, les bras croisés et le regard sévère.

— Qu'Amon protège Vos Majestés.

En déclamant cette formule, le haut dignitaire marquait son territoire.

— J'ai une mission à te confier, annonça le roi.

— Je serai heureux de la remplir.

— Tu connais l'importance des carrières de belles pierres ; mes ancêtres ont exploité celles du Ouadi Hammamat[1], et j'ai l'intention d'en extraire des blocs où seront taillées des statues qui me représenteront en serviteur d'Aton.

Le grand prêtre masqua son irritation.

— Organisons au mieux l'expédition ; des scribes, des soldats et des sculpteurs traverseront le désert et ne manqueront de rien. Et tu seras à leur tête.

Le quinquagénaire en resta bouche bée.

— Majesté… Je suis âgé, fatigué et malade ! Mes jambes me soutiennent à peine, un voyage aussi épuisant me tuerait !

— Refuserais-tu d'obéir à ton souverain ? demanda Néfertiti.

— Je suis incapable de…

— Tu es capable de comploter et de rassembler des opposants à mes décisions ! s'emporta le roi ; ensemble, vous prononcez de mauvaises paroles. Et maintenant, c'est pire que tout ce que j'ai entendu pendant mes premières années de règne, pire que ce qu'ont entendu les pharaons qui portèrent la couronne blanche[2] ! C'en est assez, tu es indigne de ta fonction. Et cette fonction elle-même est inutile et nuisible. Aujourd'hui, Aton est notre dieu et le maître de Karnak ; je suis son grand prêtre et la reine, sa grande prêtresse.

La violence de ces propos stupéfia le haut dignitaire.

---

1. À l'est de Thèbes (Louxor).
2. Ces paroles du roi ont été conservées.

— Majesté, cela ne signifie pas que…

— Tu as parfaitement compris : je supprime la grande prêtrise d'Amon et j'anéantis ta hiérarchie pernicieuse. Tes privilèges et ceux de tes subordonnés sont abolis.

Le déchu chercha une aide du côté de la reine et ne recueillit qu'un regard impitoyable.

... ajouté ... et ... plusieurs
... à ... parler ... quelque chose ... vouloir
... sans préjuger ... non seulement ... subséquentes
... locales. Les privilèges ... demandés des municipalités
... ...
... de minorité ... ne seraient plus ... de ... la temporelle
... ... la ... qu'il a ... la ... imprévue de.

29

À l'écoute des révélations de Maya, dont les gros sourcils s'étaient épaissis, la princesse Kiya était abasourdie.

— Ils ont osé… Ce couple infernal a osé démettre le grand prêtre d'Amon et renverser sa hiérarchie !

— Le malheureux en est tombé gravement malade, ajouta Maya, et les médecins sont pessimistes ; il ne survivra pas longtemps à ce choc.

— Comment réagissent ses subordonnés ?

— Abattement général et désorganisation ; le roi les a pris au dépourvu. Il leur faudra du temps avant de se réorganiser et de trouver un nouveau chef.

— Je les aiderai !

— La plus extrême prudence s'impose, princesse ; certes, la brutalité et l'autoritarisme du couple royal heurtent bien des consciences, mais il détient tous les leviers du pouvoir. Mahou a épuré les services de police, et c'est Ay qui contrôle l'armée ; les généraux douteux ont été chassés.

Maya omit de préciser qu'avec l'aide de son complice, Irji, il avait ruiné la réputation de plusieurs officiers supérieurs afin de dégager son propre chemin et de se débarrasser de concurrents encombrants.

— N'es-tu pas toi-même général ?

— À ce titre, j'exécute à la lettre les ordres du Père divin ; à la moindre contestation, il se méfierait et je perdrais mon poste. D'après des rumeurs propagées par les domestiques du palais, le roi est nerveux et passe des heures en compagnie de son épouse pour préparer une grande décision.

Kiya s'affala sur des coussins.

— Que fomentent-ils encore ?

— Dans l'ignorance, évitons toute initiative et courbons l'échine ; quand la situation s'éclaircira, nous aviserons. Je comprends votre impatience, princesse, mais elle est mauvaise conseillère. À force d'outrances et d'erreurs, ce roi se coupera de ses élites et de son peuple ; dès qu'il s'affaiblira, nous saisirons les opportunités.

Kiya apprécia la leçon : ce courtisan d'apparence grossière était aussi dangereux qu'un cobra.

Maya, lui, était persuadé que le couple royal vivait ses derniers mois ; en voulant détruire la forteresse des prêtres d'Amon, et ruiner la politique qui enrichissait l'Égypte, il commettait une erreur fatale.

Mener un double jeu était la meilleure ligne de conduite ; d'un côté, il s'afficherait comme le loyal serviteur de Pharaon, de l'autre comme le soutien des prêtres d'Amon, momentanément relégués au second plan. Quoi qu'il advienne, Maya serait gagnant.

*
* *

Convoquée au palais de Karnak, la cour bruissait de cent informations non vérifiées. Le roi serait souffrant, un nouveau grand prêtre d'Amon nommé, des impôts supplémentaires accableraient les provinces, le calendrier des fêtes serait modifié, les vizirs du Nord et du Sud sanctionnés… Et chacun garantissait la validité de ses sources.

Bon vivant, le Père divin n'avait plus d'appétit. Il avait espéré que sa fille modérerait les ardeurs réformatrices du pharaon mais, au contraire, elle le poussait à progresser et ne sollicitait pas les conseils de son géniteur, réduit au rang d'exécutant. Et Ay n'avait pas la force de protester.

Beaucoup le croyaient dans la confidence, alors qu'il ignorait tout des intentions du monarque ; faisant contre mauvaise fortune bon visage, il simulait avec dextérité et demeurait, en apparence, le pivot du régime.

Néfertiti… Elle avait toujours eu un caractère imprévisible, un feu étrange l'animait ; mais comment son père aurait-il pu imaginer pareil destin ? Et voilà qu'elle orientait celui de l'Égypte, pays riche et puissant, où les dieux avaient élu domicile ! Pourquoi incitait-elle son époux à bouleverser les coutumes en défiant les institutions ? Ay se taisait, craignant d'être expulsé du cercle des intimes ; et son devoir ne consistait-il pas à calmer les esprits ? La jeunesse et l'exaltation s'estomperaient, le bon sens reprendrait ses droits.

Le fidèle Parénéfer, lui, ne ressentait aucune inquiétude ; depuis que le monarque lui avait offert une superbe demeure d'éternité, il éprouvait envers lui une infinie gratitude et approuverait ses décisions, quelles qu'elles soient. Et c'est avec des yeux admiratifs qu'il vit apparaître le pharaon, coiffé de la double couronne, et la Grande Épouse royale, parée d'un large collier d'or et plus séduisante que jamais.

Les courtisans retinrent leur souffle, le silence s'établit et les souverains s'assirent sur leur trône. Un léger sourire illuminait l'admirable visage de la reine, le roi était tendu à l'extrême.

Ce qu'il allait annoncer s'apparentait à un séisme de grande envergure ; après mûre réflexion et de longues discussions au cours desquelles Néfertiti n'avait pas varié, le monarque s'était résolu à provoquer un orage comme peu de règnes en avaient connu. Une fois déclenché, impossible de revenir en arrière. Les conséquences ? Trop tard pour se poser encore la question.

— Moi, Amenhotep quatrième du nom, déclara le pharaon d'une voix forte, décrète que cette lignée s'éteint aujourd'hui.

L'assistance se figea. Aucun pharaon n'avait renoncé à la fonction suprême, se condamnant ainsi à l'anéantissement !

— Ce n'est plus Amon qui nous dirige, continua le monarque ; j'abandonne le nom « Amon est satisfait, en plénitude » qui ne correspond pas à la réalité et à mon programme de gouvernement. C'est pourquoi je m'appellerai désormais Akhénaton, « l'esprit lumineux et efficace d'Aton, celui qui est utile à Aton[1] ». Et la reine devient « Parfaite est la perfection d'Aton[2] », la Grande Épouse Néfertiti. Mes années de règne précédentes ne sont pas abolies, mais un nouveau couronnement aura lieu.

Les souverains quittèrent la salle d'audience, muette de stupeur.

----

1. *Akh-n-Itn.*
2. *Néfer-néférou-Itn.*

30

La reine Tiyi, veuve du pharaon Amenhotep III et mère d'Akhénaton, se manifesterait-elle pour ramener son fils à la raison et l'empêcher de dériver vers des horizons inconnus et dangereux ? Tel était l'espoir de nombreux dignitaires qui tentèrent d'obtenir un entretien et de la convaincre d'intervenir. Mais la grande dame ferma sa porte et n'émit aucun commentaire à propos de cette révolution.

Déçus, désabusés et désorientés, les notables furent incapables d'engendrer une force d'opposition dont le chef naturel aurait été le grand prêtre d'Amon ; mais sa fonction n'existait plus ! Et le roi avait promu des hommes nouveaux, n'appartenant pas à l'aristocratie thébaine, et désireux de prouver leur valeur en n'hésitant pas à piétiner les ex-privilégiés.

Akhénaton et Néfertiti... Ils gouvernaient. Brisée, la vieille noblesse de la cité d'Amon, dieu d'empire désormais confiné dans la pénombre de ses sanctuaires, subissait le joug de ses souverains qui ordonnaient aux sculpteurs et aux peintres de déformer leur visage et leur apparence physique afin de mieux marquer leur originalité et leur rupture avec le passé. Et ce n'était peut-être qu'un début !

*
* *

Akhénaton se réveilla en sursaut. Aussitôt, il enlaça son épouse, alors que les rayons du soleil levant éclairaient leur chambre.

— Je l'ai vu… J'ai vu le véritable domaine d'Aton…

Saisissant le drap de lin, elle essuya le front de son époux, trempé de sueur.

— Que t'a enseigné ton rêve ? demanda-t-elle d'un ton apaisant.

— Un espace vierge… Un immense espace vierge que n'ont occupé ni dieu ni déesse ! Un territoire à conquérir, au bord du Nil, le vrai royaume d'Aton ! Il se situe au nord de Thèbes, au centre de l'Égypte, et sera le nouveau cœur du pays. Là, mon amour, notre aventure prendra tout son sens !

— Souhaites-tu créer… une capitale ?

— D'autres monarques ont ainsi magnifié leur règne ! Le temps de Thèbes s'achève ; j'ai changé de nom, Aton me confère une mission sacrée : bâtir sa ville, pure et intacte.

— Cela signifie… abandonner Thèbes et construire une ville entière ?

Les yeux d'Akhénaton brillèrent d'excitation.

— Des temples, des palais, des maisons… Le domaine d'Aton sera un paradis ! Le moment est venu de concrétiser notre rêve, Néfertiti ; ici, Aton sera toujours à l'étroit, méprisé et controversé ! Là-bas, il

168

régnera en maître incontesté et nous vénérerons sa toute-puissance ; en m'offrant un nouveau nom, il a tracé le chemin.

— Aussi le suivrons-nous, trancha la reine.

*

* *

Enfin, une opportunité ! Au sortir de la chambre du grand prêtre d'Amon, qui venait de trépasser, Maya, dûment payé pour continuer à informer son clan, apprit que le roi se préparait à un voyage. À la suite de son changement de nom, le traumatisme était profond, et nombre de courtisans redoutaient des folies qui mettraient le pays en péril.

Évitant de s'exposer, Maya avait envoyé le scribe Irji rencontrer un quarteron d'officiers de la charrerie, partisans d'Amon. Ils proposaient un mode opératoire simple et efficace : le roi aurait besoin d'un conducteur de char, lequel organiserait un accident mortel.

En cas de réussite, Maya s'attribuerait ce succès et prêterait allégeance au nouveau monarque ; en cas d'échec, il dénoncerait les comploteurs et s'attirerait la pleine confiance d'Akhénaton.

*

* *

Le fleuron de la flottille était un imposant vaisseau amiral dont la vaste et confortable cabine abriterait le roi ; une cinquantaine d'archers assureraient sa sécurité, et un équipage expérimenté garantirait une navigation tranquille. De solides rameurs étaient heureux de faire progresser le bateau à bonne allure et recevraient une prime à la hauteur de leurs efforts.

À bord des navires d'escorte, d'autres archers, des fantassins, des chars et des chevaux, des artisans, des cuisiniers et des nourritures. Nul ne connaissait la destination de cette expédition, le seul mot d'ordre étant : « au nord ».

Néfertiti étant enceinte et la durée de l'expédition inconnue, les époux devaient se résoudre à une solution cruelle : se séparer jusqu'à ce que le roi identifiât le site révélé en rêve. La reine resterait à Thèbes et assurerait la direction de l'État.

Les risques encourus angoissaient le monarque ; elle lut dans sa pensée.

— Sois sans inquiétude, je ne redoute aucun danger. Entouré d'officiers fidèles, Ay contrôle l'armée ; et Mahou, notre obligé, a mis sur pied une police efficace qui arrêtera les éventuels séditieux. En cas d'incident, je serai ferme. Ne songe qu'à découvrir le territoire d'Aton où nous édifierons sa capitale et celle des Deux Terres.

Le couple se rendit à l'embarcadère, accompagné de Vaillant Guerrier ; le rapide chien noir était aux aguets et surveillait les parages. Les soldats requis pour ce voyage vers l'inconnu s'alignèrent, sous le commandement de Maya dont les gros sourcils étaient plutôt contrariés ; la présence de Parénéfer, cette fouine dévouée à Akhénaton, et de militaires sélectionnés par Ay, le contraindrait à une stricte obéissance.

Un voyage qui serait peut-être le dernier de ce souverain imprévisible.

On embarqua le splendide char du pharaon.

— Ses pièces ont-elles été vérifiées ? questionna la reine.

— J'y ai veillé, précisa Parénéfer.

— Qui le conduira, aux côtés du souverain ?

— Le chef de notre charrerie était tout désigné, mais il est souffrant ; voici son remplaçant.

Jeune et charpenté, le gradé inspirait confiance. Lié à la famille du grand prêtre d'Amon, il était décidé à le venger ; et Irji l'avait aisément convaincu de coopérer. Si le roi commettait l'imprudence de parcourir une zone désertique, il serait victime d'un regrettable et fatal accident.

Le chien noir se planta face au gradé ; ses babines se soulevèrent, il montra les crocs en émettant une sorte de râle agressif, annonçant une attaque imminente.

Les caresses de Néfertiti n'apaisèrent pas Vaillant Guerrier. La reine appela Maya.

— Cet homme n'a pas les compétences requises. Propose-m'en un autre.

Le chien noir courut en direction d'un vétéran, placé au rang arrière ; il s'assit et, langue pendante, fixa sur lui ses grands yeux marron.

— Toi, approche ! exigea Maya.

Précédé de Vaillant Guerrier, l'interpellé obéit.

Les cheveux courts, le front étroit, le regard direct, les muscles saillants, il ne se démonta pas.

— Ton nom ?

— Ranef[1].

— États de service ?

_____

1. Abréviation de *Ra-Néfer*, « Parfaite est la lumière divine. »

— Syro-Palestine, frontières du Nord-Est, forteresse d'Éléphantine, caserne principale de Memphis, régiment de Thèbes.

— Pourquoi n'es-tu pas officier ?

Le conducteur de char bougonna.

— Des conflits avec mes supérieurs. Je ne supporte pas les ordres stupides ; moi, les chevaux, je pratique ! J'ai vécu près d'eux depuis mon enfance. Et on ne les traite pas n'importe comment.

Maya eut une moue désapprobatrice.

— Majesté, je ne crois pas que…

— Ranef, déclara Néfertiti, je te nomme conducteur du char royal. Tu l'entretiendras et choisiras les meilleurs chevaux. La sécurité de Pharaon dépend de ta vigilance, et tu répondras de sa vie sur la tienne.

31

Le fleuve était calme, les rameurs débordaient d'énergie, le courant favorisait l'avancée rapide de la flottille vers le nord. Akhénaton demeurait silencieux, et même Parénéfer, qui recueillait parfois ses confidences, ignorait le but de ce voyage. Selon Maya, il ne pouvait s'agir que de Memphis, la prestigieuse capitale du temps des pyramides, centre économique des Deux Terres, à la jonction de la vallée du Nil et du Delta, de la Haute et de la Basse-Égypte. Le « nouveau » roi y réunirait la noblesse locale et affirmerait son autorité, donnant des directives que ferait appliquer le vizir.

Difficile, cependant, d'imaginer la politique qu'Akhénaton voulait imprimer au pays ; changer de nom, c'était changer d'être et de vision pour l'avenir. Sans doute imposerait-il un culte d'Aton dans la plupart des grands temples, mais modifierait-il en profondeur les organes de gestion, et comment se comporterait-il avec ses vassaux étrangers ? D'après certains diplomates, il fallait prendre au sérieux la menace hittite, ce peuple guerrier rêvant de conquérir des territoires.

Le roi dormait peu. À peine l'aube levée, il se tenait à la proue du vaisseau amiral et observait les rives jusqu'au couchant, en quête du paysage qui correspondrait à son rêve.

La navigation s'interrompait la nuit et, quand il fermait les yeux, le monarque revoyait le futur domaine d'Aton avec tant de précision qu'il n'aurait aucune possibilité de se tromper.

Et si ce n'était qu'un rêve ? Si ce territoire idéal n'existait pas sur Terre ?

D'ici à quelques heures, la flottille arriverait à Hermopolis[1], la cité sacrée du dieu Thot, le maître des « paroles divines », les hiéroglyphes, le patron des scribes et le dispensateur de toutes les sciences. La lumière était particulièrement vive, le Nil scintillait, le vert des palmeraies étincelait.

Thot, le dieu-Lune aux incessantes mutations, le vizir de Râ… Et si le rêve se réalisait, si la cité du Soleil se trouvait en face de celle de la Lune ? Eux, les yeux du principe créateur, associés au cœur des Deux Terres !

Thot, « le soleil de la nuit », n'avait-il pas guidé la pensée du pharaon ? Akhénaton ordonna de hâter l'allure. De l'eau fut distribuée, et la manœuvre s'accéléra.

*
* *

---

1. En hiéroglyphique, *Khémenou*, « la cité du Huit », à savoir l'Ogdoade qui organisa la création du monde.

L'éblouissement.

Le cœur du roi se dilata, ses yeux s'élargirent. Devant lui, sur la rive orientale du Nil, en face d'Hermopolis, se déployait le royaume rêvé d'Aton. Approximativement à mi-distance des deux principales villes du pays, Memphis et Thèbes, s'étendait un territoire vierge long de quinze kilomètres et large de vingt-deux, d'est en ouest.

Cette grande plaine désertique ne ressemblait à aucune autre ; délimitée par des éminences protectrices, elle offrait une perspective unique : entre deux hautes collines se levait le soleil, composant le hiéroglyphe qui signifiait « la contrée de lumière[1] ». Ici, et nulle part ailleurs, Aton renaîtrait chaque matin.

Parénéfer s'inquiéta.

— Vous semblez souffrant, Majesté.

— Nous avons atteint le but de notre voyage ! Accostons.

À la plupart des marins, le lieu parut inhospitalier ; le roi, lui, était la proie de l'exaltation et, méprisant les consignes de sécurité, il descendit le premier la passerelle.

À peine toucha-t-il le sol qu'il fut animé d'une énergie inconnue ; le mystérieux espace qu'il recherchait depuis toujours se révélait enfin. L'illumination d'Aton n'avait pas été vaine ; il revenait à son fils spirituel de bâtir une demeure digne de lui.

Parénéfer et Maya accoururent auprès du roi.

— Ne vous exposez pas ainsi, Majesté ! recommanda le général aux gros sourcils.

---

1. *Akhet.*

— Qu'aurais-je à craindre ? Contemple ce site merveilleux ! Ni dieu ni déesse ne l'ont habité, car il était réservé à Aton ! Des falaises le ferment à l'orient, des défilés au midi et au septentrion, et les terres fertiles de l'autre rive le nourriront.

Maya peinait à comprendre.

— Nourrir…

— Nous allons édifier la plus belle des capitales.

— Mais… il n'y a qu'un désert !

Le regard d'Akhénaton se durcit.

— T'opposerais-tu à mon projet, Maya ?

Le dignitaire aux gros sourcils se ratatina.

— Pas un instant, Majesté ! Créer une ville à partir de rien… Un travail gigantesque !

— Gigantesque, en effet ; nos ancêtres ne nous ont-ils pas montré l'exemple en érigeant des pyramides et en amenant Memphis au jour ? Nous rentrons à Thèbes et nous mobiliserons les forces nécessaires à l'accomplissement de ce grand projet à la gloire d'Aton.

Même Parénéfer, habitué à la démesure du roi qu'il chérissait, était sceptique ; les anciennes capitales n'étaient pas nées en un clin d'œil, et ce site désolé et vide ne semblait pas promis à un avenir riant. Cette fois, Akhénaton, ivre de ses premiers succès, succombait à l'utopie ; mais le vieux scribe continuerait à lui obéir.

Le roi appela son conducteur de char qui assista à son remontage et vérifia chaque détail avant d'atteler deux chevaux vigoureux, heureux de s'ébrouer. Akhénaton et Ranef s'élancèrent à la découverte de la vaste plaine vierge ; roulant à pleine vitesse, le char dévora cet espace inconnu, et le monarque eut une certitude : son destin se jouerait ici !

Et le visage de Néfertiti lui apparut.

À cet instant, elle le voyait. La reine savait que le voyage d'Akhénaton était couronné de succès et qu'une ère nouvelle s'ouvrait.

32

Akhénaton et Néfertiti s'étreignirent longuement.

— Je t'ai vu, là-bas, parcourir ce vaste territoire.

— Notre capitale y naîtra, elle rayonnera sur le pays entier ! Le paysage est envoûtant, l'esprit d'Aton y règne déjà. Ces lieux nous attendent, mon amour.

— Alors, ne tardons pas !

— Ton état…

— La cabine du vaisseau amiral n'est-elle pas confortable ? Le médecin de la cour nous assistera, et Aton me protégera. L'heure est venue de fonder la cité où sa toute-puissance s'épanouira.

— Quand désires-tu quitter Thèbes ?

— Dès demain.

*
* *

La nouvelle circula à la vitesse d'un vent d'orage : le roi avait l'intention d'abandonner Thèbes, de la reléguer au rang d'une bourgade et de bâtir une ville entière à la gloire d'Aton ! La majorité des dignitaires ne crut pas à cette rumeur insensée ; en réalité, le souverain, conscient du rôle économique de Memphis, tenait à la visiter et à se rallier les autorités administratives. Aussi emmenait-il la reine pour un second voyage ; la beauté de la Grande Épouse royale séduirait les réticents.

Même les plus fervents partisans d'Amon n'accordèrent aucun crédit à la fable qu'avait probablement répandue un marin ivre. Fût-il adepte d'initiatives douteuses, Akhénaton ne sombrerait pas dans une telle folie, tout à fait irréalisable.

Et lorsque la flotte royale de vingt bateaux vogua vers le nord, les Thébains goûtèrent un calme qu'ils n'avaient pas connu depuis quatre ans.

*
* *

Néfertiti fut éblouie.

En ce début du mois de mars, un vent léger soulevait de fins nuages de sable qui formèrent un halo au-dessus du futur domaine d'Aton.

— Tu ne t'es pas trompé, dit-elle à son mari ; la magie de ce site est exceptionnelle. À nous de réunir les deux rives, celles du soleil et de la lune, et d'y implanter les frontières du royaume d'Aton.

Le roi sourit.

— J'ai devancé ton désir ! Bek et ses sculpteurs ont taillé dans la roche six grandes stèles, les bornes éternelles de notre nouveau territoire[1].

Le roi conduisit Néfertiti jusqu'à l'une de ces

_____

1. Ces stèles frontières délimitèrent un périmètre de 63 km (19 d'est en ouest, 13 du nord au sud).

pierres gravées annonçant les intentions du couple royal, représenté en vénération sous les rayons d'un soleil vivifiant ; leurs deux premières filles les accompagnaient.

Malgré le caractère imposant de la stèle, Néfertiti parut inquiète ; Akhénaton perçut son trouble.

— Que redoutes-tu ?

— La vastitude de l'espace à conquérir, l'énormité de la tâche...

— Moi, je ne doute pas ! C'est Aton qui m'a dicté l'emplacement des frontières que tu espérais, sur l'une et l'autre rive ; le Nil sera notre allié, les champs généreux, proches d'Hermopolis, nourriront notre population.

Néfertiti regarda au loin.

— Ce monde futur est vide, si vide... Et nous le transformerons en temples et en palais, voués à la lumière ! À une condition, cependant...

Akhénaton saisit les mains de son épouse.

— Laquelle ?

— La parole du roi doit trancher les ténèbres et libérer l'avenir.

*
* *

La nuit était tourmentée. Un vent violent provoquait un défilé de nuages cachant la pleine lune et les myriades d'étoiles ornant le corps de la déesse-ciel.

Ne parvenant pas à dormir, Ay sortit de sa cabine et arpenta le pont du bateau amarré au bord de l'étendue désertique qui émerveillait Akhénaton et Néfertiti. Le Père divin ne partageait pas ce sentiment.

181

Dans quelle aventure périlleuse se lançait Akhénaton qui, après avoir changé de nom, avait le tort de projeter ses rêves personnels sur son pays ? Et Néfertiti, au lieu de dissiper ses visions irréalistes, l'encourageait à les réaliser !

Ayant tissé sa toile au sommet de l'État, Ay aurait dû prendre la tête d'une faction capable de freiner les ardeurs du monarque, de gré ou de force. Mais Néfertiti était sa fille, et agir ainsi serait la trahir de manière ignoble ; néanmoins, la sauvegarde de l'Égypte ne serait-elle pas à ce prix ?

N'était-il pas trop tard ? Loin d'être un songe creux, Akhénaton avait évincé la plupart des anciens dignitaires et brisé les reins de ses opposants ; ne se contentant pas de ce succès, il avait nommé à des postes clés des hommes nouveaux, que rien ne prédisposait à une brillante carrière. Aussi étaient-ils devenus ses zélateurs, prêts à tout pour défendre leur bienfaiteur.

Ay estimait indispensable de parler au roi et de prêcher la modération. Ce site désertique, en face d'Hermopolis, pouvait accueillir un petit sanctuaire dédié à Aton que desserviraient quelques prêtres attachés à la mystique prônée par le roi ; ne nécessitant pas de gros moyens, l'entreprise serait aisée et peu coûteuse. Ensuite, à Thèbes, la situation se normaliserait.

Des cris retentirent.

À bord de chacun des bateaux de la flotte royale, les capitaines réveillaient l'ensemble des équipages et des passagers.

Cheveux et sourcils en bataille, le général Maya accourut.

— Nous avons reçu l'ordre de nous rendre immédiatement à l'une des stèles frontières, révéla-t-il.

— Où est le pharaon ? questionna Ay.

— Il a disparu.

33

L'aube pointait, une brise frigorifiait certains des dignitaires massés au pied d'une des bornes délimitant le nouveau domaine d'Aton. Imperturbable, Néfertiti fixait l'orient ; à sa gauche, Vaillant Guerrier dont le calme était plutôt rassurant. Chacun ressentait l'imminence d'un événement exceptionnel que les témoins, ô combien privilégiés, sauraient apprécier à sa juste valeur.

L'estomac vide et noué, le Père divin craignait le pire ; sa tentative de conciliation et d'apaisement n'avait-elle pas échoué avant de débuter ?

À l'instant où le soleil apparaissait, l'assistance crut discerner, dans le lointain, un char étincelant d'or. Il surgissait entre deux collines formant les limites de l'espace et du temps, les deux colonnes de la contrée de lumière entre lesquelles ressuscitait le soleil vainqueur des ténèbres.

— C'est Akhénaton ! s'exclama le fidèle Parénéfer ; notre roi est l'astre du jour !

Pétrifié, comme les autres courtisans, Ay contempla un spectacle hallucinant. À vive allure, le char royal parcourut l'immense plaine désertique qu'illuminait peu à peu le jeune soleil. Akhénaton suivait ses rayons, il était l'un d'eux, marquant de sa vie et de sa puissance chaque pouce de ce territoire vierge, promis à Aton.

Baigné des vives clartés du petit matin, le monarque guidait lui-même ses chevaux, enivrés de leur galop, et traçait les plans de son œuvre future. Portant une couronne bleue, Néfertiti épousait chacun de ses gestes, comme si elle tenait les rênes.

Fussent-ils sceptiques, les participants à cette réunion insolite éprouvèrent une émotion identique à celle du vieux scribe. Contrairement à des suppositions infondées, Akhénaton n'était ni un faible ni un indécis, mais porteur d'un destin inexorable. Et cette date[1] modifierait celui de l'Égypte.

Le char s'immobilisa devant un autel situé dans l'axe de l'ouadi qui s'ouvrait à l'orient, au centre des collines bordant la plaine.

— Que se rassemblent les dignitaires, les directeurs des travaux, les chefs de mon armée et de ma garde ! ordonna Akhénaton d'une voix puissante.

Tous se hâtèrent et embrassèrent le sol.

— Voyez Aton ! Il exige que nous agissions en sa faveur et que nous construisions, à sa gloire, des monuments pour l'éternité. Personne ne m'a conseillé, personne ne m'a influencé ; c'est Aton qui m'a inspiré et conduit en ce lieu. Ici, nul dieu, nulle déesse, nulle chapelle, nul tombeau ! Cet endroit solitaire, loin de Thèbes, est vierge de toute présence, aucun pharaon

---

1. An cinq, quatrième mois de la deuxième saison (*peret*, « ce qui sort », la germination), le treizième jour. Selon une hypothèse mentionnée, par L. Gabolde, il s'agirait du 13 février 1351 avant J.-C., à 5 h 30.

n'y a établi sa demeure ; moi, Akhénaton, j'y établirai la mienne et celle d'Aton ! Personne, pas même la reine, ne me détournera de ce projet. Cette ville s'appellera Akhet-Aton, « la contrée de lumière d'Aton[1] », et mon père céleste m'a dicté ses volontés : « Emplis ma capitale de richesses et de denrées multiples, qu'elle devienne le centre vital des Deux Terres. »

Des ritualistes s'empressèrent d'apporter les premières offrandes et de les déposer sur l'autel pendant que Néfertiti rejoignait le roi. Des pains, de la bière, du vin, de l'encens, de la viande et des plats recouvrirent la pierre inaugurale.

Et Akhénaton leva les bras vers le ciel.

— Aton m'a enfanté, je bâtirai sa cité selon les limites qu'il m'a révélées, ni plus au sud, ni plus au nord, ni plus à l'ouest, ni plus à l'est. Je ne les outrepasserai pas, et les monuments s'érigeront sur le côté oriental de ce site qu'Aton a créé, là où il se manifestera en plénitude, là où il connaîtra le bonheur, là où je lui présenterai l'offrande.

Le roi encensa l'autel, la reine versa une libation ; et leur regard se tourna en direction de l'orient.

Leur méditation fut interminable, comme s'ils s'excluaient du monde des vivants pour entrer dans un univers dont eux seuls possédaient les clés. Le Père divin se demanda si le couple ne s'évanouissait pas à jamais au sein de son rêve.

Mais Akhénaton s'adressa de nouveau à une assistance sidérée :

---

1. En dépit de la démonstration de C. Kuentz, on continue à traduire le terme *akhet* par « horizon », alors que son sens fondamental est « contrée de lumière ».

— C'est à vous, mes serviteurs, de déployer le domaine de mon père, Aton, son temple, sa demeure de la joie, le sanctuaire de la reine, le palais royal, la tombe de vos souverains où seront magnifiées des millions de fêtes de régénération ! Si moi ou la Grande Épouse royale mourons loin de notre capitale, vous nous ramènerez à Akhet-Aton afin de nous y inhumer. Et ceux qui seront fidèles à Aton bénéficieront d'un privilège identique.

Parénéfer était au bord de l'extase, Maya tâtait ses gros sourcils en s'interrogeant sur le moyen d'exploiter la situation, Ay ne songeait plus à négocier. En adoptant le nom d'Akhénaton, le pharaon n'avait pas cédé à un caprice de despote ; à l'exemple de ses prédécesseurs, il fixait un but précis à son règne et mettrait tout en œuvre pour l'atteindre. Quiconque se rebellerait serait piétiné.

— Le roi remplira la mission que lui a confiée Aton, proclama la reine, et vous le seconderez grâce à des actions efficaces. Dieu anime Pharaon de son désir de création, nul monarque n'a connu semblable félicité ; et c'est Akhénaton qui sera l'unique maître de ce pays.

Ay, le Père divin, s'avança.

— Puisse Sa Majesté gouverner depuis sa nouvelle capitale, puisse-t-elle orienter chaque peuple vers Aton. Provinces et villes fourniront les ressources nécessaires.

En prêtant ainsi allégeance, Ay imposait silence à d'éventuels contestataires.

— Dès ma première année de règne, intervint le roi, j'ai entendu de mauvaises paroles, et elles n'ont cessé de se propager jusqu'à aujourd'hui. Désormais, je ne les supporterai plus ; quels que soient les obstacles, je jure à mon père Aton d'incarner sa volonté.

Ay frissonna.

Le monde ancien sombrait.

34

Lors de leur retour à Thèbes, Akhénaton et Néfertiti provoquèrent l'ébullition. D'abord, ils célébrèrent le culte d'Aton dans son domaine de Karnak et réitérèrent leur couronnement ; puis, devant la cour au grand complet, ils précisèrent le projet annoncé sur le site de la future Akhet-Aton[1] où la première équipe d'artisans, dirigée par un architecte doté d'un plan de la main du roi, avait ouvert un vaste chantier.

Cette fois, chacun comprit que la nouvelle capitale allait bel et bien sortir du néant et que le roi asservissait l'économie entière du pays à cette création. Nombre d'esprits raisonnables, cependant, prédirent un échec cuisant. Difficulté des transports, inévitable lenteur des travaux, impossibilité de transférer les principaux organes administratifs installés à Thèbes, et cent autres problèmes insolubles qui surgiraient au fil des mois… L'exaltation passée, Akhénaton, comme l'envisageait Ay, se contenterait d'élever un sanctuaire en l'honneur d'Aton au cœur de cette lointaine plaine désertique.

---

1. Son nom arabe est Amarna (préférable à el-Amarna et à Tell el-Amarna, également utilisés).

Ni Akhénaton ni Néfertiti n'employaient le terme de « ville », appliqué à Thèbes ou à Memphis ; la future capitale des Deux Terres serait l'espace sacré d'Aton, un lieu unique, la « place du premier instant » où s'accomplirait, dans une joie constante et ineffable, le mariage du ciel et de la terre.

*
* *

Quoique réduits au silence, les partisans d'Amon disposaient encore de capacités de nuisance et entraveraient l'entreprise d'Akhénaton, au point de le décourager ; aussi Maya maintenait-il les meilleures relations avec les représentants de l'ancien monde qui, tôt ou tard, reprendraient les rênes du pouvoir. Irji organisait des entretiens secrets et sécurisés au cours desquels on échangeait des informations afin de préparer l'avenir réel du pays. Étant donné l'activisme des policiers nommés par Mahou, une extrême prudence prévalait. Et Irji ferait taire un éventuel bavard.

En franchissant le seuil du palais de la princesse Kiya, grand espoir des opposants au roi, Maya gratta ses gros sourcils. Maîtrisant son impatience, la jeune femme ne manquait pas une occasion d'afficher son allégeance au couple royal et continuait donc de bénéficier de ses privilèges en occupant le premier rang au sein de la cour. Tactique habile qu'estimait Maya, spécialiste du double jeu.

La princesse se gavait de luxe. Vêtements somptueux, mobilier haut de gamme, nourriture digne de la table royale, décors peints enchantant le regard, jardin aménagé à la perfection. Elle accueillit son hôte au bord d'une pièce d'eau récemment creusée et couverte de lotus. Un échanson s'empressa de leur apporter deux coupes d'un vin blanc fruité aux arômes incomparables.

Sans égaler la beauté de Néfertiti, celle de Kiya ne laissait pas Maya indifférent ; mais il n'était qu'un roturier, et cette aristocrate étrangère, convertie à la mode égyptienne, demeurait inaccessible.

— Cet Akhénaton est un fou furieux, jugea la princesse, et Néfertiti ne vaut pas mieux ! Heureusement, leur délire disparaîtra dans les sables de leur capitale imaginaire. Quelle cérémonie grotesque ! Le roi a impressionné les courtisans ; moi, j'avais envie de rire !

— Vous aviez tort.

— Comment oses-tu !

— Revenez à la réalité.

— Réalité... Tu plaisantes ?

— Vous mésestimez le roi et son épouse.

— Des mystiques dont la tête s'est brûlée au soleil d'Aton !

— Non, des souverains à la détermination affirmée ; et leur but sera peut-être atteint.

— Impossible ! Les chefs de province refuseront de verser des taxes exorbitantes à Aton.

— Le contraire est en train de se produire, indiqua Maya ; la tête de Néfertiti semble très solide, et ses dernières directives sont observées avec zèle.

— Qu'a-t-elle encore inventé ?

— Remplacer les principaux collecteurs d'impôts, naguère sous la coupe des prêtres d'Amon, par des fonctionnaires jeunes, agressifs et dévoués à la Couronne. L'Égypte entière participera à l'effort nécessaire pour la création de la capitale. En cas de retard, les coupables seront démis de leurs fonctions ; aucun chef de province ne sera à l'abri de graves sanctions.

Kiya se mordilla les lèvres ; ses convictions étaient ébranlées.

— Thèbes se révoltera !

— Détrompez-vous, princesse ; c'est la principale cité mise à contribution. Les richesses qui lui étaient réservées sont à présent attribuées à la nouvelle capitale.

De rage, Kiya jeta sa coupe au loin.

— Cette Néfertiti est une démone ! Elle manipule le roi et l'entraîne à commettre des folies ! Thèbes dégradée, humiliée… Qui l'aurait imaginé !

La princesse se leva et fit les cent pas, le long de la pièce d'eau ; Maya n'interrompit pas sa réflexion.

— Tout n'est pas perdu, estima-t-elle ; bâtir une cité entière, des temples, des palais, n'est pas à la portée d'un manœuvre ! Les meilleurs architectes ont été formés ici, à Thèbes, et ils ont œuvré à la gloire d'Amon. Les déplacer dans un coin perdu les mécontentera, ils traîneront des pieds et freineront les travaux.

— C'était mon hypothèse, confessa Maya.

— Pourquoi dis-tu : « c'était » ?

— Parce que Néfertiti a senti le danger et trouvé la parade.

Excédée, la princesse serra les poings et les posa sur sa bouche afin de s'empêcher de crier ; Maya s'expliqua :

— Les architectes de Karnak et de Louxor n'ont pas été engagés, les rénovations prévues sont annulées ; Néfertiti a désigné un maître d'œuvre provincial, sans lien avec la noblesse thébaine. Il vient de partir pour Akhet-Aton, assisté de centaines de soldats qui serviront de manutentionnaires.

Kiya frôlait la crise de nerfs.

— Vous avez raison, princesse : tout n'est pas perdu. En se privant de tant de compétences, Akhénaton et Néfertiti courent un risque majeur : voir leur rêve se transformer en cauchemar.

35

D'extraction modeste, le sculpteur Bek s'avançait en hésitant vers le poste de garde du palais royal. Lui, un homme simple, reçu dans ce cadre magnifique par le seigneur qu'il vénérait ! L'artisan n'aimait que son atelier et le contact de la pierre qu'il fréquentait depuis son enfance. En façonnant les surprenants visages déformés du roi et de la reine, il avait transcrit une profonde mutation des règles en vigueur, mais ce n'était pas à lui d'émettre un jugement.

La personnalité du monarque le fascinait. Son regard exprimait un feu qu'il ressentait lorsqu'il créait une statue dont il extrayait les formes d'une pierre brute ; la magie des outils et des rites donnait naissance à un être inaltérable, capable de résister à l'usure du temps.

Bek montra au capitaine du poste de garde le petit papyrus qui le convoquait à la résidence royale. Le gradé lut lentement le texte et dévisagea le rustre qu'il aurait volontiers éconduit.

— Ton nom ?

— Bek.

— Profession ?

— Sculpteur.

Les indications correspondaient.

— Deux soldats t'accompagneront.

Les consignes de Mahou, le chef de la police, étaient strictes : garantir la sécurité du couple régnant, fût-ce au prix d'une bavure. Au moindre geste suspect, les fantassins abattraient le suspect.

Un chien noir aux grandes pattes barra le chemin au trio qui s'immobilisa. La queue battante de Vaillant Guerrier était un indice rassurant ; et l'apparition de Néfertiti, vêtue d'une longue robe vert pâle masquant sa grossesse, émerveilla le visiteur. Comme il aurait été heureux d'immortaliser ce visage parfait en reproduisant ses traits avec une absolue fidélité !

— Suis-moi, Bek ; le roi t'attend.

Hébété, l'artisan eut l'impression d'avoir des jambes en bois. Marcher jusqu'à une pergola fut une sorte de supplice. Indifférent à la luxuriance du jardin, le sculpteur s'inclina devant le monarque qui dégustait des dattes.

— Assieds-toi, ordonna Akhénaton, et sois attentif.

La recommandation était inutile ; Bek buvait les paroles du souverain.

— Les architectes d'Amon étant prêts à nous trahir en sabotant la construction de la cité d'Aton, la reine a choisi un maître d'œuvre[1] à l'expérience limitée. Or, je suis pressé, très pressé. Si les travaux s'enlisaient, mes adversaires se multiplieraient. Quelles sont les solutions pour vaincre le temps ?

Bek examina le plan déroulé sur une table basse.

---

1. Son nom a été préservé : Maa-Nakht-Ouef.

— Les bâtiments principaux seront alignés le long d'une artère d'environ huit kilomètres, ce qui facilitera la tâche mais exigera un grand nombre d'hommes. Grâce à l'utilisation de petits blocs de grès, nous pratiquerons une discipline aussi simple qu'efficace : un porteur, un bloc.

— Les carriers sont déjà au travail, indiqua la reine, et la production a triplé, sous le contrôle de Parénéfer ; et Maya s'occupe des bateaux de transport qui effectueront des navettes incessantes entre les carrières et le site d'Akhet-Aton.

Bek fut rassuré. Sans cette logistique, l'entreprise se serait heurtée à des difficultés insurmontables.

— À Karnak, rappela Akhénaton, tu as imité la technique de la brique en l'appliquant à la pierre ; cette fois, il ne s'agira pas d'ériger un sanctuaire, mais des temples entiers, des palais et des maisons.

— Le nombre des édifices ne m'inquiète pas, affirma Bek, et la réussite sera identique. Néanmoins...

L'hésitation de l'artisan semblait préoccupante.

— On peut améliorer le processus et accélérer de manière significative la montée des murs. C'est une idée neuve, plutôt surprenante... Je suis persuadé du succès !

— Décris-la, exigea Akhénaton, impatient.

— Depuis toujours, nous appareillons des blocs, souvent de belle taille ; un travail ardu et long. Afin d'aller vite, je propose la méthode suivante : couler les fondations en plâtre, en l'armant de galets qui augmenteront sa solidité[1]. Des lits de mortier assureront le lien et la stabilité des petits blocs de grès et de calcaire.

---

1. Selon la remarque de D. Laboury, « c'est le seul équivalent fonctionnel du béton que les anciens Égyptiens aient jamais pratiqué ».

— Autrement dit, nota Néfertiti, les plâtriers auront un rôle décisif à jouer.

— Exactement, Majesté ! Et j'aurai besoin de milliers de briques, destinées aux palais, aux bâtiments officiels et aux maisons. Au lieu de la paille, nous utiliserons du gravier comme liant ; là encore, davantage de solidité !

Bek réfléchit.

— En ce qui concerne les statues, si vous m'y autorisez, j'emploierai plusieurs types de pierre ; ainsi, chacun de mes adjoints sera en charge d'un matériau particulier et de la partie du corps correspondante. Ils progresseront ensemble et rapidement.

— J'y consens, décréta le roi.

— Il me faudra une équipe de dessinateurs et de peintres, ajouta le sculpteur ; s'ils connaissent les motifs que vous désirez, ils seront sur le chantier dès le début des travaux et orneront sols et murs sitôt terminés.

L'enthousiasme de Bek ravit Néfertiti ; le sculpteur disposerait des documents officiels pour recruter en urgence le personnel nécessaire et s'embarquer à destination du site de la future capitale où seraient bientôt livrés les matériaux.

— Ne gaspille pas un instant, recommanda Akhénaton, dont le visage se creusait.

Heureux de servir son maître, Bek s'empressa de lui obéir.

Néfertiti caressa le front du roi, en sueur.

— Thèbes m'étouffe, murmura-t-il ; ici, je ne respire pas.

Son souffle se raccourcit, ses yeux se révulsèrent, sa main droite agrippa le poignet de son épouse.

Akhénaton s'évanouit.

36

Vent du Nord apporta les pommades et les onguents qu'avait commandés le médecin-chef du palais ; précédant le Vieux, qui peinait à suivre le rythme, l'âne franchit les postes de garde et se dirigea vers le lac de plaisance du palais de Malgatta.

Assise à l'ombre d'un parasol, Néfertiti regardait s'ébattre un couple de colverts.

— Voici les remèdes, indiqua le Vieux ; le roi va-t-il mieux ?

— Malheureusement non.

— T'a-t-il parlé ?

— Il en est incapable.

— Le diagnostic ?

— Surmenage. Mais c'est plus grave, j'en suis certaine !

La gorge sèche, le Vieux se contenta de la bière légère que dédaigna la reine.

— Quoique tu gouvernes le pays, tu restes la petite fille sur laquelle j'ai veillé ; et jamais je ne t'ai menti.

Empreints de tristesse et de curiosité, les yeux de Néfertiti observèrent son serviteur.

— Qu'as-tu à me confier ?

— Ton gynécologue[1] est excellent, tes accouchements se sont déroulés à merveille et tu as trois enfants magnifiques ; en revanche, le médecin-chef du palais est moins intelligent que mon âne ! Il ne songe qu'à son titre, à sa carrière, à sa fortune et non à ses patients. Entre les mains de ce crétin, ton mari est condamné.

— Aurais-tu une alternative ?

— Une seule : Pentiou.

— Pentiou !

— Oui, je sais, le thérapeute de la Maison de Vie du temple de Karnak, lié aux prêtres d'Amon ! Ce n'est pas un homme neuf, mais sa science est incomparable. Et si tu veux sauver le roi, convaincs-le d'intervenir.

— Impossible.

— Ce mot-là, dans ta bouche ? Je n'y crois pas !

— Ce médecin-là est membre du clan d'hier ; comment avoir confiance en lui ?

— À toi de décider.

*
* *

Du haut de sa terrasse, la princesse Kiya admira Thèbes que les Égyptiens appelaient *la* ville, tant sa gloire et ses richesses éclipsaient celles des autres cités. Le spectacle grandiose ne la dérida pas ; récemment informée de l'état du monarque, elle était profondément affligée.

---

1. Les diagnostics et les traitements cités dans plusieurs papyrus (Ebers, Kahoun, Carlsberg VIII, etc.) permettent d'affirmer que la gynécologie était une branche remarquable de la médecine égyptienne ancienne.

Kiya souhaitait la disparition de Néfertiti, pas celle d'Akhénaton ! S'il bousculait des habitudes et des hiérarchies sclérosées, n'avait-il pas raison ? N'incarnait-il pas la jeunesse de l'âme, l'élan vers un nouvel horizon ?

À cet instant, Kiya comprit qu'elle était amoureuse du roi et voulait le conquérir, fût-ce au prix d'une longue lutte qu'il lui faudrait mener avec un maximum d'habileté.

Le perdre... À cette idée, elle ressentait un vide insupportable ! Déjà, Thèbes bruissait de mille rumeurs ; à la mort du roi, Néfertiti assumerait la régence, mais elle ne tarderait pas à accoucher. En deuil, isolée, ne succomberait-elle pas à cet événement toujours dangereux ? Brisée, ne renoncerait-elle pas au trône ? Ne rappellerait-on pas la reine Tiyi, contrainte de sortir de son silence ? Et quel pharaon élirait-on, en l'absence de successeur désigné ?

Akhénaton s'affaiblissait d'heure en heure, les partisans d'Amon reprenaient espoir ; et Kiya pleura.

*
* *

À la fois bibliothèque, centre d'études et de recherches, et lieu rituel où l'on célébrait les mystères d'Osiris, la Maison de Vie de Karnak était l'une des plus vastes du pays. Chaque grand temple était doté de cette très ancienne institution qui, au cours des dynasties, avait formé les rois, les prêtres et les savants.

Le docteur Pentiou y avait reçu l'enseignement de plusieurs thérapeutes et venait souvent consulter les

203

traités médicaux rédigés pendant l'âge d'or des pyramides qu'il complétait grâce à sa propre expérience. Robuste, trapu, le front haut et large, le médecin avait un aspect rassurant et sa seule présence revigorait les malades. À ses compétences techniques s'ajoutait un puissant magnétisme, capable de dissiper de violentes douleurs et de régénérer l'organisme.

L'annonce de la visite imminente de la reine l'avait surpris ; fidèle aux traditions d'Amon, ami du grand prêtre défunt, Pentiou n'appréciait guère les décisions d'Akhénaton et de Néfertiti. Veuf, le médecin vivait seul et comptait exercer son art à Thèbes jusqu'au terme de son existence.

— Sa Majesté est arrivée, le prévint son assistant, impressionné.

Pentiou roula un papyrus, le rangea et, de son pas tranquille, gagna l'antichambre de la bibliothèque qu'éclairaient de façon parcimonieuse de petites fenêtres hautes.

La lumière émanant de Néfertiti l'étonna ; le médecin n'imaginait pas une personnalité aussi rayonnante dont l'autorité s'imposait au premier regard. Cette femme n'avait peur de rien ni de personne ; en elle, Akhénaton avait trouvé une alliée plus efficace que n'importe quel ministre.

— Notre pharaon est souffrant, déclara-t-elle d'une voix mélodieuse, au charme prenant, et le médecin-chef de la cour est désemparé. Si ta réputation est justifiée, tu réussiras.

— Majesté…

— Je connais tes opinions, Pentiou, et je n'ai pas l'intention de te supplier, mais de te rappeler tes devoirs de thérapeute. C'est notre roi qu'il s'agit de sauver.

— Majesté, je…

— Détestant l'incompétence, j'ai renvoyé le médecin-chef de la cour qui ne méritait pas d'occuper cette haute fonction. Les avis sont unanimes : toi seul es digne de la remplir. À une condition, cependant : être le fidèle serviteur du pharaon.

— Cela signifie-t-il… que je devrai peut-être quitter Thèbes ?

— Sois-en certain.

— J'y suis né, Majesté, j'y ai tout appris et j'y vénère le dieu Amon, dispensateur d'innombrables bienfaits.

— Ton passé ne m'intéresse pas. Voici mes vœux : tu guéris le roi, tu es nommé médecin-chef du palais, et tu appartiens à la cour. Quand nous partirons pour la nouvelle capitale, tu nous suivras et tu veilleras sur la santé de la famille royale.

— Et si je refuse ?

— Ta carrière thébaine se poursuivra.

— J'en doute !

— La loi de Maât s'applique à Pharaon comme à ses sujets, Pentiou, et il en est le premier serviteur. Personne ne te forcera la main, et tu ne subiras aucun désagrément. La parole de la reine d'Égypte te suffit-elle ?

— Majesté…

— Réfléchis et donne-moi ta réponse avant le coucher du soleil.

La reine se retira.

Pentiou n'avait jamais rencontré une femme de cette envergure. Hautaine, séductrice, impérieuse, enchanteresse… Elle disposait à la fois de la magie d'Hathor, maîtresse de l'amour, et de la férocité de la lionne

Sekhmet, la patronne des médecins, qui les accoutumait à la mort et à la maladie, tout en leur révélant les moyens de les combattre.

Le thérapeute abordait la croisée des chemins ; habitué au calme de l'annexe du temple où il recevait ses patients, il n'avait pas le caractère d'un aventurier et se contentait de son difficile labeur, sans la moindre envie de modifier son quotidien. Et nul ne l'ébranlait.

Néfertiti serait-elle la première ?

37

Le soleil levant éclaira la chambre d'Akhénaton ; le roi ouvrit les yeux, Néfertiti lui essuya les tempes avec une serviette parfumée. Il la contempla longuement, se redressa et l'étreignit.

— Mon amour… Je m'étais égaré dans des brumes et je te retrouve enfin ! C'est toi… C'est bien toi !

— Sois tranquille, tu es guéri ; le docteur Pentiou t'a administré des remèdes efficaces et promet un rétablissement complet.

— J'ai… J'ai faim !

— J'appelle notre intendant.

— Non… J'ai surtout faim de toi !

La fine robe de lin de la reine ne résista pas à l'ardeur de son mari.

— J'ai eu tellement peur de ne pas te revoir, et tu m'as sauvé.

— Tu n'as parcouru que le début de la route révélée par Aton, et tu n'es pas homme à renoncer.

Lui, l'impétueux et l'impatient, savait se montrer si doux… Oui, le pharaon était sauvé et la science du docteur Pentiou serait désormais à son service.

Quand Akhénaton apparut dans la salle d'audience du palais de Malgatta, accompagné de Néfertiti, la princesse Kiya versa une larme de joie. À l'admirer, aucun doute : le monarque avait recouvré la pleine santé et une énergie communicative !

Son discours éblouit l'assemblée. La future capitale serait un paradis, reléguant Thèbes au rang de bourgade provinciale ; les travaux avaient débuté, le transport des matériaux s'effectuait à une cadence effrénée, et la généralisation de la corvée avait permis de recruter des milliers d'hommes qui bâtiraient la cité d'Aton.

Les derniers sceptiques se rendirent à l'évidence : la volonté d'Akhénaton renverserait les derniers obstacles, et l'aide de Néfertiti serait déterminante. Réduits au silence, les partisans d'Amon et du monde ancien n'avaient plus la possibilité d'entraver les projets des souverains.

En réalité, constatait Maya, ce n'était qu'une illusion ; certes, Akhénaton semblait triompher, mais le succès restait incertain. Les travaux gigantesques qu'exigeait la vision du roi demeureraient peut-être à l'état de chimères.

*
* *

Colosse issu d'un village proche d'Hermopolis, Rouquin avait été l'un des premiers paysans engagés par les recruteurs d'Akhénaton. Ils choisissaient des hommes jeunes et robustes, leur assurant un salaire décent, composé d'une nourriture correcte, de vêtements, de boissons et de logements sommaires sous des tentes, en attendant mieux. Certaines familles déploraient le départ de bras précieux, mais affronter les militaires chargés de satisfaire le pharaon risquait d'entraîner de graves conséquences ; seuls les gens âgés et les veuves pouvaient garder auprès d'eux un garçon en âge de travailler sans craindre des mesures de rétorsion.

Rouquin n'était pas mécontent d'abandonner la ferme familiale et de s'intégrer à une équipe de tâcherons. Ne s'entendant pas avec son père, fâché avec un maximum de villageois, bagarreur et rétif, il était heureux de découvrir un autre monde.

À sa question « Quel sera mon boulot ? », son supérieur, un capitaine d'infanterie, avait répondu : « Construire la nouvelle capitale du pharaon Akhénaton et de la Grande Épouse royale Néfertiti. » Rouquin et ses camarades avaient éprouvé de la fierté ; c'était plus gratifiant que de mornes journées aux champs !

Sur le terrain, Rouquin avait déchanté. D'abord, une discipline implacable, de longues journées de labeur et un minimum de temps de repos ; ensuite, des efforts répétés à un rythme soutenu qui épuisait la plupart des participants à la corvée.

Il s'agissait de porter de petits blocs de pierre pesant environ cinquante kilos en accomplissant un trajet qui menait du débarcadère aux sites de construction. Lorsque le vent se déchaînait et que le soleil tapait fort, le parcours devenait éreintant, mais les surveillants maintenaient la cadence. De nombreuses fondations avaient été creusées, une armée de maçons et de plâtriers était à l'œuvre, des murs s'élevaient.

Dès le milieu de cette matinée-là, la chaleur était écrasante et l'air se raréfiait. Devant Rouquin, l'un de ses collègues, victime d'un malaise, s'affala.

Aussitôt, un surveillant lui tâta les côtes avec son bâton.

— Relève-toi, feignant ! Ce n'est pas l'heure de dormir.

Rouquin s'interposa.

— Il s'est évanoui. On doit le soigner.

— Dis donc, toi… Tu te prends pour qui ?

— Pour un travailleur qui hait les petits tyrans.

Le surveillant aurait volontiers corrigé l'insolent, mais la colère qu'il lut dans ses yeux l'en dissuada.

— Je t'emmène chez le capitaine !

— Excellente idée ! Je voulais justement lui parler.

Rouquin souleva son camarade et le plaça sur ses épaules. Furibond et pressé, il précéda le surveillant et déposa le corps inanimé aux pieds du capitaine, occupé à rédiger un tableau de service.

— Un médecin, et vite !

Le gradé envoya le surveillant chercher un thérapeute qui examina le malade.

— Ça ne va pas, déclara Rouquin. La nourriture est insuffisante, les pains ne sont pas assez cuits, la bière est médiocre. Vu la dureté du travail, on mérite mieux ; et il faut doubler les périodes de repos. Sinon, les dos casseront, et vos blocs de pierre s'entasseront sur le quai.

Le capitaine dévisagea Rouquin.

— Oseras-tu revendiquer ainsi face au délégué de Pharaon ?

— J'oserai.

— Je note tes réclamations et je les transmettrai. De mon côté, j'accepte de reconsidérer l'ordinaire. Maintenant, retourne au travail.

38

Rouquin dévorait une galette fourrée aux fèves chaudes. Depuis son intervention, les repas s'amélioraient, mais le rythme du travail n'avait pas baissé, au contraire ! Désigné à la tête d'une escouade de tâcherons, Rouquin lui-même terminait ses journées au bord de l'épuisement ; à peine allongé sur sa natte, il s'endormait. Au moins, comme ses collègues, il bénéficiait d'un dortoir en dur doté de commodités ; et l'on ne manquait pas d'onguents pour assouplir les muscles douloureux.

Un costaud de seize ans interrompit son repas.

— Il est là, il est là !

— Le capitaine ?

— Mais non, mais non !

— Alors, qui ?

— Lui, lui…

— Qui, bon sang ?

— Le… Le… Le pharaon !

Oubliant sa galette, Rouquin bondit.

*
* *

Un an après le choix du site où naîtrait la cité du soleil, Akhénaton, Néfertiti et leurs filles vérifièrent l'état d'avancement des travaux. À l'occasion de cette visite, une journée de congé avait été accordée à l'ensemble des travailleurs. Et Rouquin se pointa au premier rang afin d'apercevoir le monarque qui contraignait des centaines de jeunes hommes à trimer jusqu'à la limite de leurs forces.

Entouré de gardes du corps, le roi descendit la passerelle.

Brève vision, réaction intense : Rouquin détesta ce roi au visage austère, marqué de rides profondes traduisant de rudes épreuves. Il illustrait cette race d'oppresseurs hantés par leurs obsessions et piétinant quiconque s'y opposait.

La cité du soleil… Un futur enfer ! Voilà ce que préparait ce dictateur au regard impitoyable et au pas rapide.

Et cette reine si belle, si rayonnante… En l'inspirant, ne décuplait-elle pas ses forces ? Sans elle, ne s'effondrerait-il pas sous un poids trop lourd ?

Rouquin rejeta ces idées folles ; il n'était qu'un ouvrier au service du pharaon et n'avait pas à le juger.

*
* *

Maya fut étonné. Le scribe Parénéfer et le sculpteur Bek avaient organisé le chantier avec tant de zèle et de rigueur que la ville d'Aton commençait à se dessiner ; la plaine désertique s'effaçait, plusieurs édifices semblaient sortir du sol.

Une vaste tente avait été dressée à l'intention de la

famille royale ; Parénéfer veillait au confort, Mahou à la sécurité. Loin d'être achevé, le palais serait un monument imposant, digne du grand temple d'Aton voisin qui prenait forme.

Le roi et son épouse parcoururent l'ébauche de la future cité, en compagnie des principaux dignitaires. Ay était resté à Thèbes, de manière à verrouiller la situation. Tenant l'armée d'une main ferme, il étoufferait tout mouvement de révolte.

Akhénaton était radieux. Architectes, maçons et plâtriers avaient concrétisé ses plans, et ce qu'il découvrait était conforme à son rêve. Jamais un dieu n'aurait bénéficié d'un domaine aussi splendide ; ici s'affirmerait la gloire d'Aton dont les rayons animeraient le cœur des êtres vivants.

— Il faut hâter les travaux, ordonna-t-il à Maya.

Le courtisan aux gros sourcils parut enthousiaste.

— Comptez sur moi, Majesté ; j'augmenterai les effectifs et me débarrasserai des inutiles. Souhaitez-vous élargir le territoire d'Aton ?

Les yeux du monarque flamboyèrent.

— Il m'en a lui-même fixé les bornes, elles sont intangibles !

Maya s'inclina, se promettant de ne pas réitérer ce genre de suggestion.

*
* *

Néfertiti se réjouissait du bonheur communicatif de son mari, à la santé éclatante ; les remèdes du docteur Pentiou et l'air d'Akhet-Aton lui assuraient une vigueur

215

éblouissante, et le désir qu'il avait d'elle ne faiblissait pas.

— Certains n'ont encore rien compris ! s'exclamat-il en l'étreignant ; je vais renouveler mon serment et l'expliciter. La volonté d'Aton doit être respectée à la lettre ! Que Ranef prépare mon char ; toi et mes enfants, secondez-moi.

*
* *

Akhénaton se dirigea vers le sud et s'immobilisa alors que les rayons du disque l'environnaient, face à une nouvelle stèle frontière précisant les limites du territoire d'Aton ; Néfertiti et les fillettes le rejoignirent, la foule des courtisans se tut.

— Moi, roi de Basse et de Haute-Égypte, sur la vie de la lumière divine, sur l'amour que j'éprouve envers la vénérable épouse royale Néfertiti et mes enfants, je jure de préserver l'aire sacrée d'Aton délimitée par les stèles frontières que je complète en ce jour, conformément aux directives de mon père céleste. Je ne dépasserai jamais ces limites, ni au sud, ni au nord, ni à l'est, ni à l'ouest. Tout, ici, appartiendra à Aton : les collines, les champs, les terres hautes et basses, l'eau, les rivages, les villages, les humains, les animaux, les végétaux et la totalité des êtres qu'il ne cesse de créer. Ce serment est gravé pour toujours ; personne ne l'effacera et, s'il venait à s'estomper, si cette stèle s'écroulait, je le graverais à nouveau et la rétablirais à sa place. Que Néfertiti atteigne un grand âge et perdure éternellement sous la protection d'Aton.

Le roi répéta le même engagement devant trois

autres stèles, œuvres du sculpteur Bek ; lui et son épouse, suivis de leurs deux filles, étaient représentés en adoration, les yeux levés vers le disque solaire qui illuminait leurs visages et un autel chargé d'offrandes. À l'extrémité des rayons, des mains transmettaient aux souverains le signe *ânkh*, « la vie », et les petites saluaient ce moment exceptionnel en agitant des sistres dont les vibrations dissipaient les ondes maléfiques.

À la fin de cette journée éprouvante, riche en émotions, Néfertiti révéla au roi qu'elle attendait un nouvel enfant.

39

Cette fois, c'était le branle-bas de combat ! D'une activité débordante, Akhénaton surveillait en permanence les grands corps de l'État et manifestait fréquemment son impatience et son mécontentement. Les forces vives devaient se consacrer en priorité à la construction de la nouvelle capitale, et le Vieux regardait défiler un nombre impressionnant de hauts fonctionnaires qui se rendaient au palais de Malgatta pour y recueillir les directives du Père divin Ay et, parfois, du roi en personne.

Le Vieux accordait une attention toute particulière à sa protégée, Néfertiti, car la reine ne tarderait pas à accoucher. Son ventre s'était peu arrondi au cours de sa grossesse, et elle avait bénéficié des soins vigilants de son gynécologue que supervisait le rigoureux docteur Pentiou dont les tests étaient formels : la reine mettrait au monde une quatrième fille.

La princesse Kiya avait espéré que cette incapacité à donner au roi un héritier mâle disqualifierait Néfertiti ; mais Akhénaton avait accueilli la nouvelle avec joie, et la cour ne s'en était nullement offusquée. En

Égypte, une femme pouvait occuper « le trône des vivants » et gouverner les Deux Terres.

D'ailleurs, le sérieux de l'aînée, lors de la célébration des rituels, tendit à prouver qu'elle avait hérité des qualités de sa mère ; la petite Méritaton avait vite appris à lire et à écrire, et s'affirmait comme la meilleure élève de l'école du palais. Elle, « l'aimée d'Aton », se montrait digne de ce nom.

Méritaton n'oubliait pas de jouer avec ses sœurs, et leur compagnon le plus facétieux n'était autre que Vent du Nord ; elles seules avaient le droit de lui tirer les oreilles et de lui adresser mille questions insolites auxquelles l'âne répondait pendant de longues promenades dans les jardins de Malgatta. Et que dire des baignades ponctuées de fous rires et de goûters où l'on dégustait de délicieux gâteaux !

Certes, le Vieux se rongeait les sangs en observant les gamines afin d'éviter tout incident. La jeunesse, la jeunesse… C'était bien beau, mais quelle insouciance ! Et puis ce bonheur-là était presque excessif ; un monarque craint et obéi, une reine intelligente et belle, des fillettes en parfaite santé… De quoi douter de l'avenir ! Élément réconfortant : le bel appétit de Vent du Nord, dont l'œil rieur égayait les dures journées du Vieux.

Et soudain, l'agitation !

Néfertiti entrait au pavillon de naissance, assistée de quatre sages-femmes. Elle accoucherait debout, au cœur de ce refuge fleuri et parfumé.

— Puissent les dieux favoriser la mère et l'enfant, implora le Vieux.

L'inquiétude fut de courte durée. La quatrième fille[1] du couple royal poussa un beau premier cri, fut lavée et remise à une nourrice, tandis qu'une masseuse atténuait la fatigue de la mère, après un examen réconfortant du docteur Pentiou ; grâce à une alimentation appropriée, la reine serait vite sur pied.

L'aînée et ses sœurs furent autorisées à contempler le bébé et à participer au banquet que le roi offrit à ses proches ; l'agrandissement de sa famille n'était-il pas le signe de la bénédiction d'Aton ?

Ay était un grand-père comblé et, chaque matin, il s'étonnait du destin exceptionnel de sa fille ; ne lui devait-il pas sa propre fortune, certes fragile, en raison des exigences d'Akhénaton ? Et la dernière en date était particulièrement difficile à satisfaire !

À l'issue du repas, le Père divin s'approcha du monarque. Les invités quittaient le palais, sous son regard acéré.

— Des courtisans, murmura-t-il, des flatteurs qui ne songent qu'à eux-mêmes et tentent de m'abuser.

— Majesté, vous…

— Ne les imite pas, Ay ! Sortons d'ici et marchons. J'ai besoin de respirer.

Des myriades d'étoiles scintillaient, l'air était embaumé, la nuit délicieuse ; pourtant, le roi semblait à bout de nerfs.

---

1. *Néfer-néférou-Aton-ta-shérit*, « Parfaite est la perfection d'Aton, la petite ».

— As-tu progressé ?

— Majesté, j'ai bon espoir.

— Pas davantage ?

— Vous avez conscience de la rudesse de ma tâche !

— Sous-estimerais-tu la mienne ?

— Majesté !

Dans cet état, le souverain ressemblait à un fauve prêt à bondir, et la moindre remarque inconvenante provoquerait sa fureur. En dépit de sa bonhomie et de son expérience, Ay redoutait de commettre un impair.

— Ce mince espoir, quel est-il ?

— Transférer la cour à Akhet-Aton sera une entreprise à haut risque, avança le Père divin. Même s'ils courbent l'échine, les partisans d'Amon ne renoncent pas à vous nuire et entraveront cette démarche ô combien décisive.

— Tu ne m'apprends rien, Ay ! As-tu réussi à les faire changer d'opinion ?

— Seulement en apparence, reconnut le Père divin, et je ne crois pas à leurs protestations de fidélité à votre égard. À leurs yeux, votre projet est une erreur et une folie.

Akhénaton ressentit ces mots comme des coups.

— Merci de ta franchise… J'éradiquerai ce clan de comploteurs !

— Si vous envisagiez une solution moins radicale ?

— À savoir ?

— Les partisans d'Amon sont privés de chef ; néanmoins, ils tiennent compte des avis d'un scribe très âgé, Any, dépourvu d'ambition et détaché des affaires de ce monde. Il vit retiré dans l'une des petites demeures sises au bord du lac sacré de Karnak et m'a reçu avec courtoisie. Je lui ai exposé vos intentions.

— Sa réaction ?

— Il ne s'est pas prononcé. Avant d'émettre un avis aux lourdes conséquences, Any pose une condition : rencontrer la reine Néfertiti.

...térieures alors au bord du lit, serra une Karpak et me reçu avec condescendu. Je lui ai exposé mes intentions.

— Ka radean ?

— Il n'est-il pas prisonnier. Avant de disaire travers la beauté de cérémai, parce de Arpa avec une compagne avait indifférent, mais il a été qu'un...

scélér... se jouaient... verra à la...

40

Le scribe Any vivait hors du temps et se réjouissait de passer la fin de sa longue existence dans un cadre idyllique, imprégné de la paix profonde de Karnak où l'irruption d'Aton ne détrônait pas Amon, le dieu qui avait accordé à l'Égypte puissance et richesse.

En supprimant la fonction de grand prêtre d'Amon, le pharaon Akhénaton avait piétiné une tradition essentielle et risquait d'entraîner le pays entier vers le chaos. Sa jeunesse n'était pas une excuse et, malgré les explications détaillées du Père divin, Any n'avait pas été convaincu par le grand dessein du roi ; créer une nouvelle capitale n'était qu'un rêve, lequel se dissiperait rapidement.

Afin de signifier sa fin de non-recevoir, le scribe avait exigé la visite de la reine, puisque la rumeur prétendait qu'elle était l'inspiratrice du monarque et lui conférait une force issue de la déesse Hathor. Dédaignant un vieil érudit, pourtant capable d'influencer de nombreux notables thébains, Néfertiti persisterait, jusqu'à l'inévitable échec, à tracer son mauvais chemin.

Any s'éveillait avec le soleil et admirait les jeux des

hirondelles au-dessus du lac sacré ; un jeune prêtre lui apportait du lait frais, un pain chaud et des figues.

— J'ai ajouté un gâteau au miel, indiqua une voix envoûtante.

Le vieillard redressa la tête et découvrit une jeune femme d'une extraordinaire beauté, vêtue d'une fine robe de lin vert clair.

— Vous... Vous n'êtes pas...

— Aujourd'hui, je suis ta servante ; la reine d'Égypte ne doit-elle pas rendre hommage à un fidèle serviteur ?

— Majesté, je ne peux accepter, je...

— Partageons ce lait et ce pain, proposa-t-elle ; cette matinée est radieuse, le disque solaire nourrira nos âmes.

D'un tempérament plutôt froid et distant, le vieux scribe était envoûté. Ce charme, cette allure, la musicalité de ces paroles, un port de tête incomparable, un regard magique et profond qui vous prenait au piège et vous empêchait de réfléchir... Son arme la plus efficace, l'expérience, était réduite à néant.

— Tu as souhaité ma venue, rappela Néfertiti ; et j'ai jugé cette aspiration légitime.

— Pardonnez-moi, je...

— Je connais ton influence, à Karnak ; négliger la force d'une pensée comme la tienne serait impardonnable. Je comprends ton attachement au dieu Amon, à son culte, à la hiérarchie où tu t'es élevé ; mais tous les temples ne sont-ils pas, depuis la lointaine origine de notre civilisation, l'œuvre de Pharaon ? À l'exemple de ses prédécesseurs, Akhénaton combat en faveur de Maât, l'harmonie et la justesse, et lutte contre *isefet*[1], le mal, l'injustice et le désordre. S'il en allait autrement, le soleil ne se lèverait plus et nous ne tarderions pas à disparaître.

— Je… J'en suis persuadé.

— En ce cas, pourquoi t'opposerais-tu à sa vision ?

Le scribe demeura coi.

— Akhénaton veut construire, non détruire ; lui et moi en appelons aux cœurs épris de lumière, et tel est le tien, n'est-ce pas ?

— Certes, Majesté, certes…

— Voici ma proposition, Any : rassure les partisans d'Amon, explique-leur que le roi a pour seul but le bonheur de l'Égypte. La création d'une nouvelle capitale correspond au génie de son règne.

— Comptez sur moi, s'entendit répondre le scribe, hypnotisé.

— Cet engagement ne suffit pas, précisa Néfertiti ; lorsque la cour quittera Thèbes pour la cité d'Aton, tu partiras avec nous, car ta présence à Akhet-Aton est indispensable. Tu incarneras le lien entre les deux mondes et témoigneras de la paix que désire Akhénaton.

— Mon âge, Majesté, mes douleurs…

— Ton ami Pentiou te dispensera ses soins ; c'est un excellent médecin qui sait atténuer les effets de l'âge. Le voyage ne sera pas si long, et ta nouvelle fonction de scribe royal te rajeunira. Ai-je ton accord ?

La raison imposait un refus catégorique.

— Vous… Vous l'avez, Majesté.

Le sourire de Néfertiti éteignit toute velléité de protestation. Hébété, le vieillard fut incapable de justifier

----

1. Maât est une divinité et un concept ; *isefet* est un concept, non une divinité.

son comportement ; seule une sorcière nantie de la science des grimoires avait pu le manipuler ainsi. Et le pire, c'était qu'il lui obéirait !

*

* *

Cette fois, constatait Maya, les derniers doutes s'évanouissaient ; en l'an huit de son règne, Akhénaton avait renouvelé son serment d'offrir une capitale à Aton, vierge d'autres influences divines, et les travaux progressaient à marche forcée.

À l'évidence, cette ineptie n'aurait qu'un temps ; désorganisés, incapables d'élire un chef digne de ce nom, les prêtres d'Amon et leurs partisans se morfondaient, espérant un faux pas du souverain, une maladie grave, un accident ou n'importe quel incident susceptible de déclencher un changement de régime ! Bientôt, ils reprendraient la main ; et si la situation s'éternisait, ne faudrait-il pas tenter de renverser ce mauvais monarque ?

Maya, lui, profitait au maximum de cette étrange période ; chargé des incessants transports d'ouvriers, de matériaux et de marchandises à destination d'Akhet-Aton, il en détournait une minime partie avec l'aide du scribe Irji qui remplissait les bordereaux de livraison. Les deux complices revendaient leur butin hors des circuits légaux et s'enrichissaient à la petite semaine, sans courir de risques.

Haut fonctionnaire efficient et zélé, membre éminent de la cour d'Akhénaton, Maya continuait à pratiquer un double jeu et gardait, sous le sceau du secret absolu, des contacts parmi les prêtres d'Amon. Comment imaginer qu'une médiocre cité, bâtie à la hâte, supplanterait Thèbes, aux splendeurs incomparables ?

La revanche des exclus s'annonçait féroce, et Maya les aiderait à porter des coups fatals, en échange d'une position dominante. Au cœur de cette stratégie-là, la princesse Kiya serait une alliée de choix, à condition de ne pas devenir trop encombrante ; ses éventuelles dérives l'excluraient de cette bataille souterraine.

41

Ay recoupa les rapports de ses espions. Rien d'affolant, mais des zones d'ombre subsistaient : les notables thébains dépasseraient-ils le stade de groupuscules protestataires et formeraient-ils une réelle force d'opposition ? Aucun élément sérieux ne plaidait en ce sens. Arrêter ou déporter certains prêtres d'Amon, particulièrement grincheux ? Ce remède-là serait pire que le mal. Ces revanchards n'attaquaient qu'en paroles, incapables de choisir une tête pensante, et leur babillage ne se transformait pas encore en insurrection.

Néanmoins, le Père divin restait sur ses gardes ; l'accumulation de rancœurs et de critiques inexprimées alimenterait peut-être le vivier où s'épanouiraient des contestataires n'hésitant pas à utiliser la violence. Ay ne se bouchait pas les yeux : la révolution d'Akhénaton n'entraînait pas l'unanimité. Grâce à sa vigilance et au dévouement de ses proches collaborateurs, Parénéfer, Maya et Mahou, l'armée et la police avaient été réformées en profondeur, et leurs effectifs composaient le bras armé du monarque. Briserait-il les nuques récalcitrantes ?

Et que dire de l'inévitable déplacement de la cour… Le ralliement du vieux scribe Any, très influent, était une excellente nouvelle ; en acceptant de suivre le pharaon, il reconnaissait la validité de son projet et apaisait bien des tensions.

Comment Néfertiti avait-elle réussi à le convaincre ? Si différente de la reine mère, naguère omniprésente et maintenant enfermée dans le silence, la Grande Épouse royale imprimait sa personnalité à chaque étape du règne. Fier de sa fille, Ay la redoutait ; elle maîtrisait le pouvoir et ne ménagerait personne, pas même lui, s'il se mettait en travers de sa route et de celle d'Akhénaton.

Le transfert des administrations et des hauts fonctionnaires était une entreprise périlleuse qui risquait de paralyser pendant longtemps l'appareil de l'État. Ay n'exprimerait pas cette opinion, de peur d'être démis de ses fonctions et renvoyé dans sa province natale. Cette erreur-là serait sans doute fatale, le gouvernement volerait en éclats, et Thèbes triompherait, réduisant la cité d'Aton à un cauchemar.

Se confier à sa fille ? L'éminence grise y renonçait. La reine d'Égypte ne l'écouterait pas et condamnerait ses propos défaitistes. Alors, il se plierait aux volontés du couple régnant et protégerait Néfertiti en écartant ses adversaires et en déviant leurs attaques.

Mais comment entraver l'inéluctable ?

*
* *

— Je ne supporte plus Thèbes ! rugit Akhénaton, à bout de nerfs ; pourquoi les travaux durent-ils aussi longtemps ? Intensifions le rythme et doublons les équipes !

Néfertiti s'assit auprès de son mari et lui caressa le visage.

— Pas une seconde n'a été égarée, garantit-elle, et des ouvriers du pays entier ont été réquisitionnés afin d'édifier ta capitale. D'après le rapport de notre maître sculpteur Bek, les ateliers travaillent presque sans interruption ; augmenter les effectifs provoquerait un encombrement des chantiers et ralentirait les artisans.

— Donc, impossible d'aller plus vite…

— Quelle est la cause de ton inquiétude ?

— J'ai peur de ne jamais voir la cité d'Aton.

Elle lui prit la main et le conduisit hors du palais, jusqu'au lac de plaisance où les attendait leur barque préférée, équipée d'avirons faciles à manier et d'un large parasol.

— Emmène-nous au centre, demanda-t-elle, et ne te soucie de rien. La vision qu'Aton t'a offerte se concrétisera, et tu contempleras ta création, inspirée de sa lumière. Et c'est dans sa ville que naîtra notre prochain enfant.

Le ton était ferme, la parole animée d'une certitude inébranlable ; les angoisses du roi se diluèrent au rythme de sa progression. La magie de la reine façonnait une sorte de miracle et lui redonnait une énergie qu'il croyait perdue.

Quand Néfertiti se dévêtit, il fut émerveillé ; enivré de la perfection de ses formes, il n'osait pas la toucher.

Doucement, la reine l'attira vers elle.

*
* *

233

En raison d'une vague de chaleur subite, il convenait de s'hydrater ; aussi le Vieux s'assurait-il que les filles du couple royal buvaient suffisamment d'eau. Lui, en revanche, était un adulte, et recourait à un vin blanc fruité et désaltérant.

L'ennui, avec ces gamines bien nourries et bien soignées, c'était leur vitalité débordante ! Comme leur père et leur grand-père consacraient leurs jours et la majeure partie de leurs nuits au service de l'État, le Vieux les remplaçait et se prêtait aux mille caprices de ces futées, à l'imagination inépuisable. Côté bêtises, le niveau était excellent ; sans l'aide de Vent du Nord, il aurait succombé sous le poids. Et l'âne accordait un privilège unique à ses camarades de jeu : monter sur son dos et s'y cramponner à califourchon. À une condition, cependant : qu'elles soient d'un calme exemplaire, à la manière d'un scribe comptable dressant une liste d'impôts. Bien entendu, le Vieux marchait à côté, surmontant ses douleurs au genou qu'atténuait, au coucher du soleil, un vin rouge léger.

Ce matin-là, l'atmosphère était lourde et l'orage menaçait ; les gamines ne tenaient pas en place, et le Vieux se multipliait afin d'éviter un incident. Alors qu'il commençait à hausser le ton, des cris retentirent et les regards se tournèrent vers l'entrée du canal reliant le Nil à Malgatta.

Un bateau rapide à deux grandes voiles venait de s'y engager ; à la proue, un marin expérimenté guidait la manœuvre.

Vent du Nord leva les deux oreilles et fixa le bâtiment.

— Holà, holà ! s'inquiéta le Vieux ; ça présage un événement grave.

Négligeant les protestations des fillettes, il les ramena au palais d'où, comme l'ensemble du personnel, il assista à un accostage nerveux.

À peine la passerelle installée, le sculpteur Bek la dévala. Portant un coffret rectangulaire, il courut à l'entrée principale ; des gardes l'interrogèrent, le fouillèrent et libérèrent le passage.

L'information circula vite : en provenance d'Akhet-Aton, le bateau était chargé d'une mission spéciale.

42

Serrant le trésor contre sa poitrine, Bek peinait à contenir l'émotion qui l'avait étreint pendant le voyage. Un trajet interminable, tant il désirait parler au roi toutes affaires cessantes.

Akhénaton et Néfertiti consultaient les rapports des vizirs du Nord et du Sud, affirmant que l'économie du pays ne présentait pas de signe de faiblesse et que la totalité des provinces avait contribué à la construction de la nouvelle capitale.

— Bek, enfin ! s'exclama le monarque ; où en sont les travaux ?

— Majesté...

L'artisan s'agenouilla en présentant le coffret.

— Que m'apportes-tu ?

— La brique de fondation de votre capitale.

Akhénaton frémit.

— Cela signifie-t-il... qu'elle est bâtie ?

— Nous attendons votre venue pour l'inaugurer.

Tendu, le roi ouvrit le coffret ; à l'intérieur, une brique moulée à la perfection. Néfertiti éprouva un sentiment d'une rare intensité ; à lui seul, ce modeste objet symbolisait le destin du règne.

— Les palais, les temples, les villas, les maisons des artisans, les jardins… Tout serait-il achevé ?

Bek hocha la tête.

Akhénaton se leva et fit quelques pas, face au soleil qui perçait encore des nuages porteurs d'un orage imminent.

— Aton m'a permis de réaliser l'impossible… Je saurai honorer sa toute-puissance !

La reine le rejoignit.

— J'organise notre départ, décréta-t-elle.

*
* *

Malgré le caractère inéluctable de la décision, Ay eut l'impression que le plafond du palais lui tombait sur la tête. Les ordres de Néfertiti étaient clairs et sans appel : la cour, les administrations et les divers corps de l'État devaient quitter Thèbes pour la nouvelle capitale à partir de laquelle serait gouvernée l'Égypte entière.

Et il fallait exécuter ce décret royal dans les plus brefs délais, à la stupéfaction des hauts fonctionnaires qui, jusqu'à cet instant, n'avaient pas envisagé cette éventualité ! Sous cette contrainte jugée invraisemblable quelques mois auparavant, certains cédèrent à la panique, et l'onde de choc déstabilisa les ministères, habitués à une gestion régulière et paisible.

On alerta le scribe Any en lui signalant les innombrables incidents et les protestations de ses collègues, contraints d'empiler des masses de documents dans des coffres de transport. L'attitude des policiers de Mahou était choquante ; ils traitaient les employés de l'État comme de vulgaires tâcherons et ne leur laissaient pas le temps de respirer.

Irrité, Any empoigna sa canne et demanda à une escouade de jeunes prêtres de le conduire au palais royal. Chaise à porteurs et bateau lui procurèrent un voyage confortable au cours duquel il affûta des arguments incisifs. Nul, pas même le pharaon, n'était autorisé à fomenter de tels troubles ; obligé de sortir de sa réserve, le plus écouté des serviteurs d'Amon exigerait que l'on mît immédiatement fin à cette agitation inacceptable. Et il ne trouverait pas de mots assez durs pour stigmatiser cette attitude inqualifiable de la part des autorités ; les bornes avaient été franchies, une intervention était nécessaire.

Écartant les gardes qui n'osèrent s'interposer, le vieillard furibond gravit les marches du palais avec une belle énergie. Il réclamerait une audience et ne bougerait pas avant d'être reçu.

L'apparition de la reine le figea sur place. Souriante, elle manifesta son bonheur de l'accueillir.

— Merci de ta promptitude, Any.

— Majesté…

— Tu contrôleras l'embarquement des vases de purification qui seront utilisés dès notre arrivée à Akhet-Aton. J'ai veillé à ton confort, ta cabine est équipée d'un lit de première qualité et de coussins moelleux ; deux serviteurs satisferont tes désirs, et le cuisinier de ton bateau est l'un des meilleurs du palais.

La voix de Néfertiti était douce, ferme et envoûtante ; qui lui aurait résisté ?

— Majesté…

— Le roi apprécie ton aide à sa juste valeur, et tu auras la place que tu mérites dans notre nouvelle capitale. Surtout, tranquillise les prêtres d'Amon ; eux demeurent à Thèbes.

*
* *

À la tête d'une troupe d'ânes disciplinés, Vent du Nord remplissait une tâche délicate : transporter les archives du ministère des Affaires étrangères, des documents confidentiels qui déterminaient en grande partie la politique extérieure de l'Égypte ; longtemps domaine réservé de la reine Tiyi, elle était aujourd'hui l'un des sujets de préoccupation de Néfertiti. Ambassadeurs et espions transmettaient-ils des informations dignes de foi, la sécurité des Deux Terres était-elle réellement assurée ? Les derniers rapports n'avaient rien d'alarmant mais, à leur lecture, la Grande Épouse royale ressentait parfois un étrange malaise.

L'heure n'était pas à ce genre d'interrogations ; l'urgence consistait à répondre aux mille et une interrogations des directeurs des services administratifs, stupéfaits d'assister au déménagement complet de leurs bureaux. Personne n'ayant vraiment cru à un tel bouleversement, le choc était d'autant plus brutal.

Et la grogne montait.

Plusieurs responsables se rassemblèrent et, à l'unanimité, décidèrent de déposer une plainte en bonne et due forme au bureau du vizir. Souffrant, ce dernier était absent ; son adjoint prêta une oreille favorable à la délégation et préconisa de solliciter une audience auprès du Père divin Ay.

Le transfert se poursuivait, mais l'atmosphère se gâtait. Certes, le nombre impressionnant de bateaux prévu était à quai, et les dockers ne cessaient de charger une énorme quantité d'objets rituels, de papyrus, de tablettes en bois et de palettes de scribes, de mobilier, de vêtements et de nourritures ; néanmoins, des retards s'accumulaient, et l'on déplorait des obstructions au sein de la haute administration thébaine.

Et ce que redoutait Ay se produisit : une protestation officielle soutenue par l'assistant du vizir et de nombreux notables. Ordonner leur arrestation risquait d'envenimer la situation ; et prévenir le roi déclencherait une colère dévastatrice.

Aussi le Père divin essaya-t-il de calmer les esprits et de rappeler aux contestataires leur devoir d'obéissance ; on lui rétorqua que ce transfert hâtif démantèlerait les services de l'État et causerait une pagaille préjudiciable aux Deux Terres.

Dernier rempart : Néfertiti.

Si la Grande Épouse royale n'obtenait pas davantage de succès que son père, Ay demanderait à Mahou, le chef de la police, de mater cette rébellion. Méthode dure, aux conséquences incalculables...

La délégation fut introduite dans la salle d'audience de Malgatta ; et les meneurs souhaitaient, fût-ce avec respect, formuler leurs récriminations.

Deux femmes se présentèrent devant eux, provoquant une stupéfaction générale.

À côté de Néfertiti, la reine mère, Tiyi. Mince, élégante, la vieille dame au visage austère jeta un regard dédaigneux à l'assemblée.

— Veules, révoltés, méprisables... Comment êtes-vous tombés si bas ? Vous trahissez votre rôle fondamental, celui de serviteurs de Pharaon ! Il a tracé le chemin, suivez-le. Seriez-vous plus clairvoyants que lui ? Quelle vanité détruit votre cœur ? S'il ne tenait qu'à moi, je vous condamnerais aux ténèbres ! Pourtant, malgré votre médiocrité, le couple royal est indulgent et accepte de vous emmener à Akhet-Aton, en espérant que vos compétences seront utiles. Moi, je reste à Thèbes et je gouvernerai cette ville en l'ancrant dans sa fidélité au royaume. Servir Pharaon, c'est favoriser la vie ; s'opposer à lui, c'est propager la mort. Et je lutterai contre elle et les séditieux jusqu'à mon dernier souffle.

Tiyi et Néfertiti s'embrassèrent, puis se retirèrent.

Subjugués et rassurés, les dignitaires thébains se hâtèrent de regagner leurs postes et de participer au transfert de capitale.

43

Le départ.

Une centaine de lourds bateaux quittèrent Thèbes en direction du nord ; au centre du cortège, le vaisseau amiral.

À la poupe, Akhénaton et Néfertiti contemplaient le temple de Karnak, le domaine du dieu Amon qu'avait défié Aton ; mais cet espace était trop étroit et trop marqué par le passé. En changeant de nom, Akhénaton avait besoin d'un territoire vierge où s'épanouirait le culte de son dieu.

Le départ, enfin.

Akhénaton poussa un profond soupir et enlaça son épouse.

— Jamais nous ne reviendrons ici, affirma-t-il ; Thèbes s'endort, notre capitale s'éveille. Je ne supportais plus ces temples obscurs et l'hypocrisie de ces prêtres corrompus, aux mauvaises paroles ! J'étouffais dans cette prison, ton amour m'a libéré. Et je ne retournerai pas en arrière ; désormais, l'avenir de notre règne se jouera au cœur de la cité du soleil, sous ses rayons bienfaisants.

Soudain, l'inquiétude déforma les traits du roi.

— Si… Si elle ne correspondait pas à mon rêve ? Si ce n'était qu'une bourgade ordinaire et sans âme ?

La reine posa tendrement la tête sur l'épaule de son mari.

— Aton a illuminé ta volonté, il t'a dicté les plans de son domaine, tes artisans les ont exécutés, et tu ne seras pas déçu. La cité du soleil n'est pas un rêve, sa brique de fondation t'a été présentée : bientôt, tu célébreras le premier rituel en l'honneur du soleil divin et consacreras son grand temple.

L'inébranlable confiance de Néfertiti dissipa les angoisses d'Akhénaton ; ses yeux ne mentaient pas, sa parole exprimait sa certitude d'avancer sur le chemin de la vérité.

Et le roi avait hâte de découvrir la capitale qui donnerait un sens à son règne.

*
* *

— Réveille-toi, Rouquin, ils arrivent !

Le chef d'équipe entrouvrit un œil.

— Qui ça, « ils » ?

— Le pharaon, la Grande Épouse royale, la cour, les hauts fonctionnaires… Une centaine de bateaux, viens voir !

Fâché d'interrompre sa première sieste depuis un mois, Rouquin se déploya ; même lui était épuisé. Sortir cette ville du néant avait exigé d'incroyables efforts, et une bonne vingtaine de jeunes travailleurs, morts à la tâche, ne jouiraient pas de la fête d'inauguration ; enveloppés de nattes, ils reposaient au pied des collines, en dehors de la ville. Et une bonne centaine

244

d'autres avaient le dos brisé, à force de transporter des blocs de pierre servant à construire en toute hâte des monuments à la gloire d'Aton et de son roi.

« Les délais, les délais ! »… Les surveillants n'avaient que ces mots-là à la bouche et, malgré ses protestations, Rouquin s'était soumis aux ordres, comme ses collègues, sous peine d'être arrêté par les policiers de Mahou, accusé d'insubordination et déporté dans une oasis de l'Ouest où les travaux forcés étaient pires que sur ce chantier.

Le quartier des artisans et des ouvriers était convenable, les petites maisons plutôt confortables, le salaire correct, personne ne manquait de rien, et beaucoup se félicitaient d'avoir choisi l'exil et de résider à Akhet-Aton. Rouquin, lui, détestait cet endroit qu'il jugeait artificiel. Il aurait aimé vivre à Thèbes ou à Memphis, de grands centres embellis au fil des siècles ; on y respectait les traditions et l'on y goûtait d'innombrables plaisirs.

Ici, il n'y avait que le travail acharné et l'ennui. Terminée, la nouvelle capitale ? Seulement en apparence ! Il faudrait redresser des murs ratés, et l'on ne tarderait pas à entreprendre réparations et restaurations. Ce n'était pas la qualité de l'ouvrage qui avait prévalu, mais la rapidité, fruit de précipitation et de négligence. Aton était un dieu pressé.

Rouquin se rinça la bouche et, d'un pas lourd, se dirigea vers le débarcadère où la foule admirait le spectacle, oubliant la question majeure : quelles corvées prescrirait le pharaon ?

*
* *

D'abord, ce fut le silence.

Plus un bruit, plus un murmure ; la flotte s'immobilisa. Marins et voyageurs n'étaient-ils pas la proie d'un mirage ? On se frotta les yeux, on s'interrogea du regard, et la réalité s'imposa : là, au bord du Nil, occupant une vaste plaine cernée de falaises protectrices, il y avait bien une cité comprenant des palais, des sanctuaires, des villes, des maisons de tailles diverses des jardins, des plans d'eau, des greniers.

Le Père divin Ay se statufia, le fidèle Parénéfer pleura, le général Maya gratta ses gros sourcils ; et ce fut Méritaton, l'aînée des filles du couple royal, qui rompit l'hébétude générale en lançant un cri de joie, aussitôt repris par des centaines de poitrines.

Akhénaton était dans un état second, et Néfertiti dut serrer très fort son bras pour le ramener sur terre.

— Ce n'est pas un rêve, murmura-t-elle ; ta capitale s'étend devant toi, et sa beauté dépasse ce que nous avions imaginé. Déjà, son charme conquiert ses habitants, et Aton y régnera en maître absolu.

De nombreux puits avaient été creusés, et le désert avait cédé la place à de luxuriants écrins de verdure entourant les bâtiments aux murs blancs, étincelants sous le soleil de midi. Victorieuse du désert et de l'aridité, Akhet-Aton s'offrait à l'admiration des arrivants.

Sur un signe de Néfertiti, Parénéfer, les mains tremblantes, apporta les couronnes rouge et blanche ; la reine en coiffa le pharaon qui manifestait son autorité, issue du principe créateur, et sa maîtrise du pays entier.

La liesse s'éteignit un instant, chacun étant conscient d'assister à un événement exceptionnel.

— Ce n'est pas un humain qui débarquera le premier, annonça le pharaon, mais le représentant du dieu solaire d'Héliopolis, source de notre sagesse.

À l'appel du roi, un taureau blanc aborda la passerelle qu'il descendit d'un sabot assuré en gardant les cornes pointées vers le ciel.

44

La princesse Kiya était incrédule. Comment, en si peu de temps, artisans et ouvriers avaient-ils réussi à bâtir une cité d'une telle ampleur ? Laissée libre de rester à Thèbes ou d'habiter Akhet-Aton, elle se réjouissait de sa décision ; cette ville nouvelle était une splendeur, et les appréhensions des courtisans se dissipaient. Résider ici ne serait pas un châtiment, au contraire ; et les ambitieux songeaient au lendemain. À qui seraient attribués les meilleurs postes et les grandes villas ? Ay, le Père divin, demeurerait-il au sommet ou serait-il écarté ?

Pour l'heure, Akhénaton accompagnait le taureau blanc à son enclos, proche du débarcadère ; une étable spacieuse abriterait l'animal sacré que nourriraient et soigneraient une dizaine de prêtres.

Kiya vint à la hauteur de la reine.

— Majesté, je suis subjuguée !

— Nous le sommes tous.

— Puis-je vous demander… ?

— Où tu seras logée ? Vu ton rang, tu bénéficieras d'un palais plus agréable que celui de Thèbes. Et ton personnel est maintenu.

— Ma gratitude vous est acquise, Majesté.

— Ta présence préserve la paix avec le Mitanni, Kiya ; le roi et moi t'en sommes reconnaissants.

Rassurée, Kiya marqua sa déférence et se mit en retrait. Néfertiti sentait-elle à quel point la Mitannienne la haïssait et désirait sa perte ? Toute à son ivresse de triomphe, sans doute considérait-elle l'étrangère comme quantité négligeable. Et cette erreur-là lui serait peut-être fatale.

*
* *

Le taureau blanc ayant pris ses aises, Akhénaton et Néfertiti, suivis des dignitaires, gagnèrent le palais principal, gigantesque édifice situé au centre de la capitale. À son approche, Vaillant Guerrier se détacha du cortège, franchit le cordon de policiers et gravit quatre à quatre l'escalier d'honneur.

Un archer banda son arc.

— Baisse ton arme ! ordonna la reine ; il examine les lieux.

— Majesté, protesta Mahou, je les ai sécurisés.

— Notre chien est un précieux auxiliaire ; son flair est inégalable.

Le chef de la police jouait sa tête ; et l'attente fut interminable.

Langue pendante, l'œil vif, la queue battant joyeusement, Vaillant Guerrier réapparut et recueillit les caresses de Néfertiti sans émettre le moindre aboiement.

Mahou fut soulagé. La famille royale pouvait prendre possession de son nouveau domaine et la fête débuter. Avant de donner le signal des réjouissances, qui dureraient plusieurs jours, Akhénaton et Néfertiti se retirèrent dans leur sanctuaire privé où ils firent leur première offrande à Aton, en le remerciant de l'incommensurable bonheur qu'il leur accordait.

*
* *

Le Vieux devait l'admettre : il avait un peu trop bu, mais ce léger excès était la conséquence de la générosité du roi. Des milliers de jarres de vin avaient été débouchées, arrosant les innombrables banquets organisés dans toute la ville. L'inauguration d'Akhet-Aton serait un souvenir inoubliable pour ceux qui avaient eu la chance d'y participer, et le pharaon avait su placer cet événement extraordinaire sous le signe d'une gaieté débridée.

Même le scribe Any avait oublié le poids de ses quatre-vingts ans et succombé à la tentation en dégustant viandes, poissons et pâtisseries aux côtés de dignitaires éméchés qui appréciaient la présence d'orchestres féminins et de jeunes danseuses vêtues d'un rien. Le disciple du dieu Amon ne regrettait pas d'avoir quitté Thèbes et d'affronter cet univers inattendu ; au fond, cette expérience le rajeunissait, et il félicitait Akhénaton d'avoir abouti.

— Debout, dit le Vieux à Vent du Nord qui avait abusé de fruits frais et de fourrage goûteux ; comme les autres fêtards, le grison peinait à se remettre sur pattes.

L'âne absorba de l'eau, le Vieux un blanc sec et léger, remède contre la migraine ; une petite marche les dérouillerait avant de reprendre leur service.

Parallèle au Nil, l'artère principale de la capitale était longue de huit kilomètres ; cette voie royale desservait, au nord, le palais de nuit, résidence privilégiée de Néfertiti, et, au sud, le palais de jour près duquel se trouvaient les ministères garantissant le bon fonctionnement de l'État. Fleuron de ce centre de la ville, digne de celui de Thèbes, le grand temple d'Aton, aux dimensions impressionnantes.

Deux faubourgs, le plus étendu au sud, le second au nord, accueillaient un mélange de villas aux nombreuses dépendances et de maisons allant de 20 à 400 m^2. Puits et espaces verts abondaient, rendant la ville agréable à vivre.

Les architectes avaient appliqué à la lettre les directives d'Akhénaton et de Néfertiti, de manière à sublimer un espace inhospitalier, appelé à devenir le cœur des Deux Terres. C'était ici, désormais, que s'enracinerait l'institution pharaonique dont l'énergie irriguerait l'ensemble des provinces.

— Elle a quand même fait du chemin, la petite Néfertiti… Une capitale comme ça, à son âge, c'est du sérieux.

En signe d'assentiment, Vent du Nord leva l'oreille droite.

— Bon, on arrête de penser et on se mobilise ; si je ne surveille pas les jeunes domestiques du palais, on court au désastre. Et ce soir, régime !

D'un pas tranquille, l'âne et le Vieux empruntèrent l'allée royale que découvraient, émerveillés, les nouveaux habitants de la cité du soleil. Ils croisèrent un petit groupe de costauds, chacun portant une pierre destinée au grand temple, en voie d'achèvement.

À leur tête, un rouquin, à l'allure farouche ; son regard toisa le Vieux qui y discerna de l'animosité et de la rancœur.

À l'évidence, ce gaillard-là n'était pas satisfait de sa condition ; n'était-il qu'une exception ou appartenait-il à une cohorte de mécontents dont l'avis, dans l'avenir, ne serait pas négligeable ?

45

Le palais de jour était un gigantesque ensemble architectural divisé en deux parties, la première officielle, la seconde privée, que reliait un pont couvert pour permettre au monarque et à son épouse de passer aisément de l'une à l'autre.

Le palais officiel comprenait une salle d'audience, celle du Conseil des ministres, plusieurs salles de réception et de banquet, des bureaux et une bibliothèque ; de multiples cours et jardins agrémentaient ce dispositif auquel s'ajoutaient les logements des serviteurs, des cuisines, des celliers et des entrepôts abritant nourritures, vêtements et produits divers. Sous l'œil sévère des intendants, cette ruche bourdonnait jour et nuit.

Le palais privé était un enchantement. Répondant aux vœux de Néfertiti, Akhénaton avait exigé l'omniprésence de la nature : un parc planté de nombreux arbres, un lac, des piscines, et même un vignoble. Quelle que fût la chaleur, parfois étouffante, la famille royale jouirait d'un endroit frais.

Salle à manger ouverte sur le Nil, chambres, salles de bains, toilettes, salons de massage, pièces de rangement, cabinets de travail procuraient au couple régnant un confort digne de ses prédécesseurs. Et les fillettes s'amusaient à parcourir les couloirs et à explorer cet immense domaine, contraignant le Vieux et ses assistants à redoubler de vigilance.

La première nuit d'amour en ce lieu magique avait ressemblé à la première union de jeunes amants dévoilant les secrets de leurs corps ; jamais Néfertiti n'avait vu son mari aussi heureux, lui qui touchait du doigt son rêve réalisé et se sentait enfin libre de déployer sa pensée et son action.

La reine ne partageait pas complètement cette euphorie. Certes, elle goûtait le charme de ce palais fabuleux, au décor incomparable : colonnes en grès symbolisant des bottes de roseaux, chapiteaux évoquant des fleurs de lotus, tambours en albâtre, peintures représentant des scènes de la vie sauvage dans les marais, des envols d'oiseaux, des papillons, des vignes exubérantes. Sur les sols de mosaïque fleurissaient marguerites et bleuets.

Quelle femme au monde était plus heureuse ? Pourtant, Néfertiti ne parvenait pas à effacer de sa mémoire quelques lignes de rapports diplomatiques lourdes de menaces pour l'avenir de l'Égypte. S'inquiétait-elle à tort ou pressentait-elle le pire, une guerre envisagée par un peuple belliqueux, avide de conquêtes : les Hittites ?

*
* *

Les principaux dignitaires furent subjugués. La grande salle d'audience du palais de jour était une merveille aux colonnes élégantes et aux couleurs vives ; des peintres exaltaient le couple royal en adoration devant Aton, soleil aux rayons généreux, et les pavements s'ornaient d'ennemis soumis et impuissants qu'écrasaient les sandales du pharaon.

Akhénaton confirmerait-il le gouvernement venu de Thèbes ou procéderait-il à d'importants changements ? Telle était la question qui hantait les notables introduits dans cet endroit imposant, sous le regard des policiers de Mahou, omniprésents à Akhet-Aton. À l'évidence, le monarque aimait l'ordre et ne tolérerait pas le moindre trouble.

L'absence du Père divin Ay inquiéta le général Maya qui n'avait pas obtenu d'informations fiables à propos des intentions du souverain et de son épouse ; après tant de brutales mutations, que préparait ce couple imprévisible ? De son côté, Maya pensait avoir parfaitement rempli sa tâche ; les transports d'hommes et de matériels, clé majeure de la construction de la capitale, avaient été une éclatante réussite et devraient valoir à son auteur la reconnaissance du monarque. Mais son comportement semblait parfois si étrange que le général aux sourcils broussailleux redoutait un accès d'ingratitude.

Un seul courtisan était en permanence proche du roi : cette anguille de Parénéfer, qui se vantait de l'avoir fidèlement servi alors qu'il n'était encore que prince héritier. Traînant partout, recueillant témoignages et ragots, il avait surveillé les travaux avec un maximum d'efficacité et bénéficiait de la confiance absolue du monarque. Lui déplaire, c'était déchoir à brève échéance ; aussi Maya, expert en hypocrisie, prenait-il soin de ne jamais froisser Parénéfer et de le flatter à doses adéquates.

Et ce fut lui, bien entendu, qui déposa un coussin sur les trônes en bois doré qu'occuperaient les souverains ; puis il se plaça au premier rang, entre Maya et le sculpteur Bek.

Apparut le Père divin, précédant le couple royal. Coiffé d'une perruque légère, vêtu d'une robe de lin plissé de première qualité, les poignets ornés de bracelets dorés, Ay avait le visage grave.

Éminence grise du régime, il demeurait donc le bras droit du pharaon. Déçu, Maya déplora que ce personnage retors, malheureusement compétent et apprécié, tirât la couverture à lui.

Akhénaton et Néfertiti s'assirent sur leur trône, Ay leur remit un papyrus, sans doute le décret comportant les nominations des notables de la nouvelle capitale. Puis le Père divin s'éloigna à reculons et resta debout à la droite de la princesse Kiya dont la somptueuse robe rose ravissait l'assistance ; il lui signifiait ainsi l'affection du monarque, et cet hommage enchanta la Mitannienne.

Hélas, la beauté de Néfertiti éclipsait la sienne ! La couronne bleue et les bijoux d'or mettaient en valeur la pureté du visage ; la finesse des traits et des attaches, la grâce ineffable de la silhouette captaient les regards et forçaient l'admiration des plus réticents. En lui attirant un nombre considérable de suffrages, elle était la meilleure alliée du roi.

Akhénaton déroula lentement le papyrus, chacun retint son souffle.

— Nous ne sommes pas à Thèbes, la ville des mauvaises paroles, mais dans la cité d'Aton, le soleil divin, la nouvelle capitale des Deux Terres ; ici, tout sera différent. Mon règne ne se préoccupera pas des ambitions humaines, mais de la lumière qui anime tous les êtres. Aton m'a parlé, ses paroles ont élargi mon cœur et je les ai transcrites par écrit ; ce papyrus est la première prière prononcée à la gloire d'Aton, et seuls ses disciples sincères et fervents seront dignes de lui obéir. Justice et vérité les guideront, le mensonge sera banni, la bassesse châtiée. Nous combattrons sans relâche les ténèbres et rétablirons la pureté de nos origines ; demain, la ville entière célébrera son dieu. Et je vous recevrai un par un afin d'évaluer vos qualités et vos compétences.

46

Le soir même, Ay fut le premier à comparaître devant Akhénaton et Néfertiti, alors que le soleil commençait à décliner. À l'instar des autres courtisans, le Père divin était encore sous le choc de l'incroyable déclaration d'Akhénaton qui avait plongé la cour dans l'inquiétude et la détresse.

Ce monarque n'était pas un chef d'État, mais un théologien et un mystique dont les dérives et le rigorisme risquaient de conduire le pays au désastre ; pourtant, grâce à Néfertiti, il ne manquait pas de réalisme et avait donné corps à son rêve. Ne se pliait-il pas à la règle de Maât, n'invoquait-il pas la tradition primordiale, n'imposait-il pas ses volontés avec l'autorité d'un pharaon ?

Akhénaton ouvrait un monde inconnu, et lui seul en possédait les clés ; nulle stratégie, nulle manœuvre, si habile fût-elle, ne le détournerait de ce soleil qu'il s'estimait capable de ressusciter.

Ay n'espérait pas d'indulgence de la part de sa fille ; voilà longtemps qu'elle ne le considérait plus comme son géniteur, mais comme « Père divin », porteur d'une fonction rituelle. À lui de se montrer à la hauteur de sa tâche ou de regagner sa province natale afin d'y mourir en paix.

Cette seconde solution n'était-elle pas préférable ? Effacée et craintive, l'épouse du Père divin la préconisait ; les dieux ne leur avaient-ils pas accordé une existence privilégiée, ne convenait-il pas de profiter d'une vieillesse tranquille ? Ay aurait dû céder à ses arguments, mais un événement imprévu les balayait : le goût du pouvoir.

D'abord simple gestionnaire, il avait vite appris à se faufiler dans les méandres de l'administration centrale, à en déceler les forces et les faiblesses ; utilisant son statut d'homme de l'ombre, il s'était rendu indispensable en résolvant quantité de dossiers épineux. Abandonner ce labeur ingrat ? Il ne s'y résignait pas, se jugeant utile à son pays ; c'était au pharaon de décider.

Et comment le convaincre ? Proclamer sa croyance en Aton et son allégeance au monarque... La majorité des courtisans adopterait cette attitude puérile, n'omettant pas de vilipender Thèbes et les prêtres d'Amon. Ay ne jouerait pas ce jeu-là. De son point de vue, miser sur la naïveté du couple royal serait une erreur ; aussi le Père divin éviterait-il de simuler et rappellerait-il son bilan au service de l'État. Ses réformes discrètes, et sa reprise en main de l'administration, à Thèbes, n'avaient-elles pas porté leurs fruits ? Conduire le gouvernement, à Akhet-Aton, ne serait pas une mince affaire ; quelle que fût la grandeur d'Aton, des conflits jailliraient entre les anciens et les nouveaux dignitaires. Les éteindre nécessiterait beaucoup de doigté ; et qui prédirait l'avenir de cette capitale ? Réussirait-elle à évincer Thèbes, le rêve d'Akhénaton ne se briserait-il pas sous les coups de boutoir du quotidien ?

Alors que le Père divin atteignait la salle d'audience, l'un de ses secrétaires lui apporta un message urgent en provenance de Thèbes. Le texte annonçait-il une mauvaise nouvelle ?

*
* *

Assis en scribe, habillé d'un pagne à l'ancienne, le roi rédigeait une prière à Aton ; Néfertiti composait un bouquet d'iris et de lotus.

— Tu as l'air soucieux, Ay, observa Akhénaton.

— Le vizir du Sud, Ramosé, est mort ; acceptez-vous qu'il soit inhumé dans le caveau de la tombe où vous apparaissez ?

— Je ne m'y oppose pas. Souhaites-tu lui succéder ?

— Non, Majesté ; nommez un homme vigoureux, connaissant bien les provinces du Sud, apte à préserver un lien d'harmonie avec Thèbes et d'effectuer sans fatigue de nombreux voyages.

— Aurais-tu un candidat ? interrogea Néfertiti.

— L'un de mes adjoints, Nakht, me paraît taillé pour cette fonction.

— Et toi, intervint Akhénaton, que désires-tu ?

— Poursuivre ma tâche.

— Te satisfait-elle ?

— Pleinement, Majesté, et je ne minimise pas les difficultés. Thèbes avait ses habitudes, votre capitale aura les siennes ; faire respecter votre loi ne sera pas aisé, des rebelles la contesteront, quel que soit leur rang. Je tenterai de les identifier et de les empêcher de nuire. Avant tout, la prospérité ! Et votre capitale doit être l'exemple. Ce sera un rude combat, car la défaillance d'un seul secteur de l'État aurait des conséquences redoutables ; trop souvent, les hauts fonctionnaires se croient intouchables, et cette attitude est le ferment de la décadence. Je ne l'admettrai pas.

Akhénaton recommença à écrire.

— Demain, que chaque habitant de ma ville assiste au lever du soleil et que mes sujets se disposent le long de la voie royale ; même les plus humbles participeront ainsi au rituel en l'honneur d'Aton.

Les regards de Néfertiti et de son père ne s'étaient pas croisés ; Ay ignorait quelle était la décision du pharaon le concernant et n'avait discerné aucun signe encourageant. Quant à l'ordre reçu, il eût été malséant de solliciter des éclaircissements ; l'impératif consistait à l'appliquer tout en maintenant l'ordre.

*
* *

Avant de rejoindre le roi et ses enfants au palais de nuit où ils dîneraient et dormiraient, Néfertiti monta lentement les marches d'un escalier conduisant à une plate-forme sur laquelle avait été érigé un autel. Elle y déposa le bouquet d'iris et de lotus, puis implora le soleil couchant de revenir, régénéré et vivifiant, à l'aube prochaine.

Pendant quelques instants, elle contempla son domaine que les bâtisseurs avaient aménagé selon ses plans. Au centre de ce vaste palais, un plan d'eau entouré de palmiers formait un îlot de fraîcheur ; dans la grande cour, une volière et des enclos équipés de mangeoires. Là vivaient des bovidés, des gazelles, des chèvres, des oies et des canards. À proximité, une boucherie, des cuisines et un cellier. Artisans et domestiques bénéficiaient d'agréables logements.

Les appartements de la Grande Épouse royale comprenaient une salle du trône, une vaste salle de réception à colonnes, de nombreuses chambres et des salles de bains au confort remarquable. Un petit paradis qu'agrémentaient de délicates peintures consacrées à la luxuriance de la nature ; les ébats des oiseaux, au-dessus des forêts de papyrus, éclataient de couleurs nées de la lumière d'Aton.

Ce paradis-là n'était-il pas aussi fragile qu'un papillon, à la beauté tellement éphémère ? Une épouse aimée et amoureuse, une mère comblée… Quelle femme ne se serait pas contentée d'un pareil bonheur ? Mais Néfertiti n'était pas une femme comme les autres. Le destin lui avait confié la fonction de reine d'Égypte, aux côtés d'un monarque dont l'idéal bousculait les conventions. En dépit de ses doutes et ses faiblesses, elle le conforterait.

Depuis leur rencontre, et malgré les obstacles, Akhénaton et elle avaient franchi plusieurs étapes décisives, jusqu'à la naissance de cette capitale. Un aboutissement ? Non, le début d'une aventure aux horizons infinis.

À la vue de la cité du soleil, surgie du regard du roi et de la parole d'Aton, Néfertiti avait été éblouie et effrayée. Éblouie par cette ville émergée du néant, à la mesure d'un empire, désormais rivale de Memphis et de Thèbes ; effrayée par les vertiges qu'impliquait cette apparition que seul Akhénaton avait pu concevoir.

Aujourd'hui, elle cernait mieux l'origine de son trouble ; le culte d'Aton dépassait les limites d'un homme, d'un souverain, d'un pays, d'une époque… Ce qu'avait engendré l'esprit du pharaon était une vague à la puissance insoupçonnable, et ses premiers effets étaient à peine perceptibles. Les dieux le voulaient-ils ou avaient-ils disparu pour laisser la place à ce soleil écrasant ?

La nuit apaisa les tourments de Néfertiti ; cette angoisse n'était-elle pas l'effet dérisoire de la fatigue ? Attitude méprisable de la part d'une reine ! Demain serait un jour extraordinaire, comme l'Égypte n'en avait jamais connu, et le rôle de la Grande Épouse royale serait déterminant.

Chassant les ombres, Néfertiti se rendit à la salle à manger où les fillettes mangeaient d'un bel appétit sous l'œil attentif de leur père et de l'intendant du palais. Une scène de la vie ordinaire, joyeuse et tendre.

Le sourire de la reine capta l'attention d'Akhénaton ; incapable d'y résister, il la prit dans ses bras.

— Je redoute la nuit.

— Le prélude au premier matin, murmura-t-elle.

47

La capitale était en effervescence, et la quasi-totalité de ses habitants, conformément aux instructions de la police, s'était agglutinée le long de l'avenue royale, la grande artère de la cité qui desservait les principaux édifices. Certains badauds étaient curieux, d'autres crispés ; la mine sombre, Rouquin se demandait quelle mauvaise surprise leur réservait ce despote, après avoir exploité tant d'ouvriers qui s'étaient tués ou esquintés à la tâche.

Mahou avait déployé un imposant service d'ordre afin d'éviter des incidents ; prêts à intervenir de manière brutale si nécessaire, policiers et militaires surveillaient une foule débonnaire et intriguée. Ni le chef des forces de l'ordre, ni le général Maya, ni même le Père divin Ay n'avaient été informés des intentions du couple royal, et aucune indiscrétion n'avait filtré.

Et le jeune soleil commença à illuminer sa capitale.

*
* *

— As-tu terminé ? questionna le roi.

— J'ai vérifié le moindre détail, affirma Ranef, le préposé au char royal.

— Les rênes sont-elles solides ? s'inquiéta Néfertiti.

— Je les ai changées, elles sont neuves ; et j'ai choisi les deux meilleurs chevaux, à la fois robustes et dociles. Ils répondront à la plus infime impulsion et sauront garder l'allure. Pourtant, j'aurais préféré conduire moi-même votre char et garantir votre sécurité.

— Impossible, trancha le monarque ; Aton exige que seuls la reine et moi accomplissions ce rite. Grâce à lui, la lumière dissipera les ténèbres et l'harmonie s'étendra sur tout le pays ; nous terrasserons les forces du mal, la joie inondera les cœurs.

Néfertiti portait une étrange couronne bleue, en forme de tronc de cône et au sommet plat ; trois uræus dorés magnifiaient cette tiare. De leur bouche jaillirait le feu qui brûlait les ennemis et libérait le chemin.

Le rugueux Ranef, ne se plaisant qu'au contact de ses chevaux qu'il nourrissait et dressait, osait à peine observer du coin de l'œil cette souveraine trop belle et majestueuse, incarnation de la déesse Hathor ; elle appartenait à un monde différent et inaccessible.

Akhénaton peinait à maîtriser son exaltation ; cette superbe matinée ne verrait-elle pas le triomphe d'Aton ?

Un feu si intense animait son regard que Néfertiti fut presque craintive.

— Viens, mon amour ; permettons à notre peuple de percevoir la puissance et l'éclat de notre dieu.

D'un même élan, ils montèrent sur la plate-forme du char ; Akhénaton enserra la taille de son épouse de la main gauche et, de la droite, saisit fermement les rênes.

— Vous êtes les chevaux d'Aton qui jubilez dans la contrée de lumière, proclama le roi d'une voix ferme ; que votre sabot soit juste et nous mène à son temple.

*
* *

La foule s'impatientait, Rouquin n'était pas le dernier à protester. À quoi rimait ce rassemblement, si nul événement ne se produisait ?

Mahou, lui aussi, devenait nerveux ; certes, il disposait d'éléments capables de réprimer un début d'émeute, mais une intervention musclée ne provoquerait-elle pas une série de troubles ? Sa confiance en Akhénaton le rassura ; le monarque tenait ses engagements et ne décevrait pas son peuple.

Des exclamations s'élevèrent, provenant de la partie de l'assistance massée devant le palais de nuit.

Les citadins admiraient l'apparition d'un char de guerre, entièrement doré, qu'occupaient Akhénaton et Néfertiti, coiffés de couronnes d'un bleu céleste et vêtus de longues robes d'un lin étincelant. Des plumes bariolées ornaient la tête de deux chevaux blancs, affichant leur fierté de servir le couple royal.

À la stupéfaction succédèrent les acclamations ; pour la première fois, nombre d'Égyptiens voyaient leur souverain de très près, et ce privilège inouï les enthousiasmait.

Même Rouquin fut ébranlé par cet incroyable spectacle ; le roi avait de l'allure et la reine était fascinante.

Le char avançait à faible allure, les chevaux paradaient et, soudain, sous les yeux ébahis de ses sujets, Akhénaton embrassa son épouse avec ardeur.

Un couple d'amoureux étalant sa passion au grand jour... Jamais un pharaon et sa reine ne s'étaient comportés de cette manière !

Les acclamations redoublèrent, les citadins se félicitant de ce bonheur ; ce n'était pas un véhicule guerrier et menaçant qui parcourait l'allée royale, mais un char pacifique baigné de la lumière du matin où s'unissaient le père et la mère de la nation.

Au-delà de l'émotion populaire, Akhénaton exposait à la vue de son peuple l'un des principes majeurs qu'il avait découverts en vénérant son dieu : incarnation du soleil divin, le pharaon fécondait la déesse du ciel, symbolisée par la reine, et engendrait les multiples formes d'existence. C'était grâce à cette communion que les êtres respiraient et connaissaient la joie de vivre.

Ay et les autres courtisans étaient bouche bée ; comment imaginer qu'un roi et une reine piétinassent à ce point un protocole en vigueur depuis des siècles ? Guide de son peuple, garant de sa survie, assurant l'ordre et la justice, Pharaon demeurait un être à part, à cause de ses contacts directs avec les divinités ; il n'apparaissait qu'en de rares circonstances, notamment lors des grandes fêtes, et seul un petit nombre de ritualistes était autorisé à le côtoyer.

Ce baiser public, cette tendresse exposée à tous les regards, cette volonté de se rapprocher des humbles... Une telle politique ne ruinerait-elle pas, à court terme, l'institution pharaonique ?

Un rayon de soleil toucha les rênes, encourageant ainsi la conduite du monarque ; se sentant pleinement associée à la direction qu'il adoptait, la population lui souhaita « Vie, prospérité et santé ! ».

Ces acclamations émurent aux larmes Akhénaton et Néfertiti qui savouraient cet incroyable moment ; refrénant leurs sentiments, ils s'élancèrent en direction du grand temple d'Aton, ce dieu à la générosité inépuisable.

48

Doutant encore de l'ampleur du succès, Néfertiti savait que l'instant crucial approchait ; les deux chevaux, eux aussi, l'appréhendèrent et se montrèrent rétifs, comme s'ils redoutaient d'atteindre le terme de la voie royale.

À l'orée du grand temple d'Aton, le fidèle Parénéfer attendait les souverains ; Akhénaton lui avait confié une tâche délicate : préparer la célébration du premier rituel qui rompait avec la tradition thébaine et le culte d'Amon.

Cette révolution-là était essentielle, car elle marquerait le génie du règne et un tournant irréversible. Conscient de l'enjeu, Parénéfer avait respecté à la lettre les consignes du roi, sermonné les desservants, vérifié et revérifié la qualité et la quantité des offrandes. Toute imperfection déclencherait la colère justifiée du monarque.

Le char s'immobilisa, Akhénaton et Néfertiti en descendirent ; la reine perçut l'extrême tension de son mari, si proche d'un but jugé naguère inaccessible. Main dans la main, ils progressèrent vers le monumental pylône d'entrée donnant accès à une enfilade de cours à ciel ouvert où étaient érigés des autels. Un mur d'enceinte en brique protégeait l'imposant édifice, long de huit cents mètres et large de trois cents.

Deux serviteurs, dans la force de l'âge, s'empressèrent de présenter à Néfertiti des vases d'or, d'argent et de bronze contenant de l'eau. À la reine d'animer le grand temple en purifiant son monumental portail, haut de vingt-deux mètres ; des mâts à oriflammes signalaient la présence du divin.

— Le disque apparaît pour manifester son amour et ses faveurs envers Néfertiti, déclara Akhénaton ; puisse-t-elle inaugurer sa demeure dont le rayonnement diffusera sa création.

Le cœur serré, le pharaon et son épouse franchirent le seuil de l'immense sanctuaire entièrement dédié au seul Aton, à l'exclusion de toute autre divinité ; jamais un temple semblable n'avait été édifié. Ni plafonds, ni salles obscures, ni rite secret : le soleil inondait chaque partie du temple de sa présence, et le cérémonial se résumait à une succession d'offrandes consacrées par le couple royal.

Pourquoi occulter les effets bénéfiques du disque solaire, pourquoi cacher la profusion vitale dont il était l'auteur ? Le passé s'estompait au profit d'un avenir riant ; désormais, les ténèbres reculeraient face à l'éclat ininterrompu d'un soleil triomphant, aux yeux du peuple d'Égypte et des pays étrangers.

À la cour nommée « Demeure de la joie » succédait la partie principale du temple appelée « Aton a été trouvé », comme à Karnak. Là-bas, le vrai dieu cohabitait avec Amon ; ici, il régnait en maître absolu et ne tolérerait aucune intrusion.

En trouvant Aton, le pharaon avait décelé l'origine et le secret de la vie ; ce trésor-là, il le partageait ! Lui et la reine célébreraient chaque matin ce miracle, de façon à bâtir un royaume de lumière ouvert à tous.

Le rêve avait maintenant un corps de pierre, un lieu d'épanouissement quotidien. Plusieurs centaines d'autels étaient couverts de fleurs, de vases de vin, de bière et de lait, de parfums, de légumes, de fruits, de morceaux de viande, de pains... Les richesses de la création étaient présentées à Aton afin qu'il continue de briller et de répandre ses bienfaits.

— Tu te lèves en gloire à l'orient, déclama le roi, soleil du premier instant ; tu illumines nos visages, tu es notre souffle.

Maniant le sceptre « puissance[1] », Néfertiti sacralisa les offrandes ; Aton goûterait leurs vertus subtiles, les humains se satisferaient de leur apparence matérielle.

Puis le couple se dirigea vers l'extrémité du temple, le sanctuaire de la naissance d'Aton. Une entrée en chicane débouchait sur la chapelle de la pierre primordiale qu'incarnait une grande stèle représentant Akhénaton, Néfertiti et leurs filles adorant le disque solaire qui les enveloppait de ses rayons. Des colosses assis du roi et de la reine traduisaient leur éternelle présence en ce lieu où, à l'aube, jaillissait l'énergie du premier matin.

Autour de l'autel central se déployaient douze salles symbolisant les douze mois de l'année que traversait le soleil ; l'année était ainsi placée sous sa protection, et sa clarté ritualisait le temps.

---

1. Le *sekhem*.

Le roi offrit à son dieu une statuette de Maât, la vérité et la justice ; Néfertiti, une coupelle d'encens dont la fumée odorante monterait au ciel. Ce temple prolongeait sur Terre la montagne d'Orient, berceau des futurs soleils, et Akhénaton éprouva une sensation de plénitude d'une incroyable intensité.

Et le chant de Néfertiti s'éleva.

Une voix pure, aérienne, solaire. Sa prière à Aton fut reprise par un chœur de prêtresses qu'accompagnèrent des musiciennes jouant de la lyre, de la flûte et du luth ; la reine fit résonner deux sistres aux vibrations métalliques qui dissiperaient les influences maléfiques.

Akhénaton vivait une sorte d'extase ; tant de perfection et d'harmonie prouvaient la présence réelle d'Aton. Ce culte était une fête de tous les sens, une fête de régénération qui se répéterait chaque matin.

À l'intérieur du temple et au-dehors, tous s'agenouillèrent et embrassèrent le sol ; comment ne pas ressentir le bouleversement en cours ? Akhet-Aton n'était pas une ville ordinaire, mais l'écrin façonné pour un dieu jusqu'alors ignoré ; en le révélant, Akhénaton et son épouse modifiaient à la fois les rites, fondement de la prospérité égyptienne, et le quotidien de ses adorateurs. La cité du soleil serait le creuset d'une nouvelle spiritualité qui s'étendrait à l'ensemble des provinces, peut-être au-delà des frontières et des limites du règne.

La voix de Néfertiti survolait le sanctuaire et ravissait les plus insensibles ; c'était donc par la beauté que le pharaon transmettait son message, rejetant la violence et l'autoritarisme. Le rôle éminent de la reine, son charisme, sa popularité grandissante ne garantis-saient-ils pas le succès de l'aventure d'Akhénaton ?

Quand chants et musiques s'éteignirent, le couple royal quitta le temple à pas lents ; à l'ivresse de cette célébration inaugurale se superposait la nécessité de désigner un gouvernement chargé de mettre en œuvre la vision du roi.

49

Le roi était tellement bouleversé que Néfertiti craignit qu'il ne fût victime d'un malaise ; sortir du grand temple et regagner le palais de jour exigea un temps infini. L'esprit d'Akhénaton était ailleurs, il demeurait en communion avec son dieu et revivait chaque étape de cette matinée miraculeuse qui avait vu l'accomplissement de ses désirs les plus profonds.

En dépassant le monde des humains et en célébrant ce rite à l'intérieur du domaine d'Aton, le monarque avait contemplé la véritable lumière, le cœur de son dieu s'était uni à son propre cœur.

Le couronnement de longues années d'efforts et cette victoire éclatante n'avaient-ils pas épuisé le pharaon ? Ses pas étaient incertains, son regard vague ; accepterait-il de revenir parmi les vivants ?

Sitôt franchi le seuil du palais, la reine manda le docteur Pentiou et ordonna au chambellan de conduire le roi à sa chambre et de l'aider à s'allonger sur son lit.

*
* *

L'aspect rassurant du thérapeute et sa bonhomie naturelle n'apaisèrent pas Néfertiti.

— Ton diagnostic ?

— Fatigue passagère sans aucun caractère de gravité.

— En es-tu certain ?

— C'est un mal que je connais et que je sais guérir, Majesté ; j'ai longuement magnétisé le roi, et sa vigueur naturelle ne tardera pas à réapparaître. Un traitement léger et de bons repas, avec un maximum de viande rouge, achèveront de le rétablir. Laissez-le dormir jusqu'au coucher du soleil.

Enfin, Néfertiti se détendit. Franc et direct, Pentiou ne dissimulait pas la vérité ; puisque son mari était sauvé, la reine avait des initiatives à prendre.

*
* *

La nuit tombait, le monarque se réveilla en sursaut.

La reine lui saisit la main, il la regarda, puis redécouvrit sa vaste chambre dont les peintures illustraient l'épanouissement de la nature sous le soleil d'Aton.

— Était-ce réel ? interrogea Akhénaton ; avons-nous créé ce temple et vécu ce rite ?

— C'était bien réel, et ta capitale entière s'en est réjouie.

— Alors, le règne d'Aton débute !

Le roi se redressa.

— J'ai faim et soif.

Le traitement du docteur Pentiou ne manquait pas d'efficacité ; retrouvant son dynamisme, le roi dévora une belle côte de bœuf rôtie à la sauge et au basilic qu'agrémenta un solide vin rouge du Delta.

— Demain, rappela Néfertiti, nous procéderons aux nominations des principaux dignitaires de la capitale ; il nous faut un maire capable d'assurer le bien-être de ses habitants et un grand prêtre, préposé à l'entretien du temple.

Akhénaton s'irrita.

— Je suis le seul grand prêtre et l'unique officiant ! Et toi, la seule grande prêtresse.

La reine sourit.

— Nous avons cependant besoin d'un supérieur des ritualistes, constamment préoccupé du parfait état de l'édifice et de l'apport des offrandes. Reconstituer la hiérarchie des prêtres d'Amon serait une erreur fatale : qu'aucun maléfice thébain n'affaiblisse la lumière d'Aton ! Et j'ajouterai un impératif : nous débarrasser de la clique d'opposants et d'hypocrites qui nous ont suivis afin de préserver leurs privilèges.

— Voudrais-tu… renvoyer à Thèbes la quasi-totalité de la cour ?

— Exactement ! Nous avons besoin d'hommes neufs, dévoués à Aton et au roi, pas de crapules à la parole viciée. Ces tenants de l'ancien régime ne songeront qu'à nous trahir et à précipiter notre échec.

Akhénaton se rendit à l'évidence : son épouse avait mille fois raison. Construire sur de mauvaises bases conduirait à l'écroulement de l'édifice ; et la plupart des notables thébains n'étaient que des langues de vipère. Leurs flatteries n'enrobaient-elles pas jalousie et rancune ? Mal entouré, le roi verrait son action entravée, voire dénaturée. Couper tous liens avec Thèbes et les Thébains : la décision s'imposait.

— Ton père…, avança Akhénaton.

— Ce n'est ni un Thébain ni un adepte d'Amon, et

il ne nous a pas déçus ; ses dons d'éminence grise sont incomparables et nous aurions tort de nous en passer. J'ai percé le secret de son âme : manipuler en restant dans l'ombre et en remplissant les devoirs qui lui ont été fixés. Nous n'avons rien à craindre de lui, au contraire ; et j'émets un jugement identique à propos du vieux scribe Any. Tu le subjugues, et sa présence à Akhet-Aton est un gage de notre tolérance.

Le roi approuva.

— Ces hommes nouveaux…

— J'en ai déjà trouvé deux, révéla la reine : les ritualistes qui m'ont apporté les vases de purification. Ils sont originaires de cette région et proviennent d'un milieu modeste : en les interrogeant longuement, j'ai apprécié leurs qualités. L'un sera un maire dévoué, l'autre un grand prêtre scrupuleux.

Le ton enjoué de la reine s'assombrit.

— Après la mort de Ramosé, il ne sera pas facile de choisir un vizir du Sud honnête et compétent. Et ce n'est pas la seule urgence… Le ministère des Affaires étrangères s'assoupit ! J'aurais dû m'en soucier et je me reproche ma négligence ; me permets-tu de résoudre ce problème ?

Le roi donna à son épouse une coupe de vin.

— Douterais-tu de ma réponse ?

Néfertiti savoura le grand cru ; fruité, ensoleillé, il la conforta.

— Je t'ai aimée dès le premier instant et je t'aimerai toujours.

— Notre combat, nous le mènerons ensemble ; les ennemis ne désarmeront pas et les ténèbres ne cesseront de se reformer. Mais rien ni personne ne nous contraindra à renoncer.

50

Une flottille avait rapatrié à Thèbes les notables de l'ancien régime, stupéfaits d'être ainsi éconduits par le maire d'Akhet-Aton, un misérable paysan au discours rugueux. Et que penser de la nomination d'un grand prêtre d'Aton, un médiocre, et d'un vizir du Sud dépourvu d'expérience[1] ?

Le pharaon ne s'égarait-il pas ? Ces parvenus bénéficiaient d'avantages injustifiés et de demeures somptueuses, au détriment de gestionnaires brillants, exilés dans la capitale déchue. Une véritable épuration, un scandale intolérable !

Responsable de ce transport exceptionnel, le général Maya avait essuyé de violentes critiques ; en expulsant les hautes personnalités thébaines, Akhénaton ne commettait-il pas une erreur qu'il paierait cher, très cher ? Ses gros sourcils en bataille, Maya avait tenté de rétablir un semblant de calme, sans omettre de nouer des contacts qui seraient peut-être utiles à l'avenir.

---

1. Le maire se nommait Néfer-Khépérou, le grand prêtre Méryrê et le vizir Nakht.

Combien de temps dureraient les excès d'Akhénaton ; quand Thèbes reprendrait-elle son statut de capitale ?

Seule solution : jouer sur tous les tableaux ; mais Maya en aurait-il l'occasion ? C'était à son tour d'être convoqué au palais de jour et d'entendre le jugement du roi. Et le général craignait d'être victime, lui aussi, de la purge.

Un chambellan le conduisit au bureau d'Akhénaton où le roi rédigeait un hymne à son dieu que chanterait Néfertiti lors du culte matinal. Maya n'osa pas l'interrompre et attendit qu'il s'aperçoive de sa présence.

— Ces maudits Thébains ont-ils embarqué ?

— Oui, Majesté.

— L'armée t'obéit-elle aveuglément ?

— Aucune insubordination à signaler. Le Père divin Ay a nommé de nouveaux officiers supérieurs et surveille de près l'état-major.

— Aton exige de nombreuses offrandes, les ressources de la région ne suffiront pas ; tu continueras donc à t'occuper des bateaux de transport qui nous apporteront du bétail et des jarres de vin en provenance d'Héliopolis. La plus ancienne ville sainte du pays doit coopérer de manière significative ; et tu n'oublieras pas Thèbes. Je relève son taux d'imposition, et le moindre retard sera sanctionné.

— Je serai inflexible, Majesté.

Maya n'était pas rassuré ; il conservait ses fonctions habituelles, mais ne serait-il pas exclu du premier cercle d'influence ?

— J'ai besoin d'un homme de confiance pour écarter les courtisans qui me harcèlent ; leurs discours inutiles m'ennuient et me font perdre du temps. En

284

tant que chef de ma salle d'audience, tu me préserveras des importuns ; sois sévère et lucide.

Maya jubilait ; il ne pouvait espérer mieux ! Non seulement demeurait-il l'un des bras armés du régime, mais encore aurait-il l'opportunité de pourrir le fruit en toute impunité.

*
* *

À la tête de son troupeau d'ânes, Vent du Nord acheva le transfert des archives du ministère des Affaires étrangères ; les locaux attribués aux diplomates et à leur personnel étaient situés à proximité du palais de jour, au centre de la ville. Bureaux, salles d'archivage, coffres de rangement, palettes de scribes, matériel d'écriture... Les fonctionnaires disposeraient de locaux agréables et des outils nécessaires.

Toutou, un quadragénaire aux cheveux rares et à la mine renfrognée, mastiquait un oignon frais. Pointilleux, il vérifiait chaque ligne de son inventaire, pendant que son supérieur, un bellâtre à la parole facile, aménageait sa somptueuse villa. Toutou travaillait, son supérieur paradait ! Voilà dix ans que cette situation perdurait, et le changement de capitale ne la modifierait pas. Lorsque la reine Tiyi avait délaissé le ministère qu'elle contrôlait, les rats s'y étaient introduits, profitant d'un nombre incalculable de privilèges.

Toutou, lui, se cantonnait à son obscur labeur : classer le courrier émanant des pays étrangers et des territoires sous contrôle égyptien. À son avis, certaines lettres auraient mérité un examen approfondi, mais les diplomates responsables ne se préoccupaient que des mondanités.

Râleur congénital, Toutou s'était plaint de sa condition auprès du Vieux qui, magnanime, lui avait apporté une jarre de vin blanc doux, excellent remède contre la nervosité. Recueillant confidences et critiques, le généreux donateur s'en était inquiété au point de les transmettre à la reine qu'il savait soucieuse des relations de l'Égypte avec le monde extérieur.

Toutou établissait des normes strictes de classification quand surgit son chef, pomponné et méprisant.

— Tu n'as pas terminé ?

— Il faudra une bonne semaine.

— Tu traînes, mon brave ! Je me demande si ton salaire est justifié.

— Moi, j'ai la réponse.

Le bellâtre sursauta.

— Majesté...

— J'ai étudié ta gestion de ce ministère essentiel, précisa Néfertiti ; un seul qualificatif : lamentable. Et ne serais-tu pas un partisan du clan thébain ?

— Certes pas, Majesté !

— Incapable et menteur ! Quitte immédiatement ma capitale. Le vizir du Sud t'attribuera un nouveau poste, loin d'ici.

Estimant s'en tirer à bon compte, le pomponné s'éclipsa.

— Ce n'est pas trop tôt, marmonna Toutou ; il serait temps de remettre ce ministère en ordre de marche.

— Eh bien, charge-t'en.

Toutou se figea.

— Moi, mais....

— Tu connais son fonctionnement et as décelé ses défauts ; efface-les et prouve tes capacités. Ministre des Affaires étrangères, tu deviens également chambellan et porte-parole de Pharaon. Sers ton pays et ne nous déçois pas.

Dès que Néfertiti s'éloigna, Toutou, abasourdi, vida la jarre de vin blanc.

51

Le chef de la police, Mahou, ne chômait pas ; la capitale comptait déjà plus de trente mille habitants[1] et trois mille demeures de tailles diverses, allant des grandes villas des dignitaires aux modestes logements des ouvriers. Une obsession : la sécurité. Néfertiti exigeait que la cité du soleil fût un havre d'ordre et de paix, marquée au sceau de l'abondance et de la prospérité dispensées par Aton. Ville fleurie, Akhet-Aton était parsemée d'espaces verts et de jardins ; sa réputation serait celle d'un paradis terrestre, création du soleil divin.

Pour Mahou, rien d'idyllique ! Se méfiant de tout le monde, il quadrillait l'agglomération de façon stricte, profitant de la topographie. Les collines et le Nil formaient un encadrement parfait ; la voie royale et le centre qu'occupaient les principaux bâtiments étaient faciles à surveiller ; le quartier des artisans, en revanche, regorgeait de fortes têtes.

Outre sa vénération envers Aton, Mahou avait une

_____
1. Les évaluations vont de vingt à cinquante mille habitants.

religion simple : aucune tolérance à l'égard des fauteurs de troubles. Emprisonnement immédiat, puis présentation du délinquant au tribunal du vizir qui ne pratiquait pas l'indulgence.

Jour et nuit, des patrouilles sillonnaient la cité, avec l'ordre d'arrêter quiconque aurait un comportement inadéquat ; et les lourds bâtons avaient ramené à la raison des tâcherons mécontents, des ivrognes bruyants et même une maîtresse de maison surexcitée.

Alors qu'il dépouillait les rapports concernant une nuit tranquille, l'un de ses adjoints l'importuna.

— Qu'est-ce qu'il y a encore ?

— Un bonhomme souhaite vous parler.

— Une plainte ?

— Je l'ignore.

— Bon, amène-le.

Le solliciteur était un quinquagénaire de large carrure aux cheveux blancs. Lourd et calme, il n'avait pas l'air d'un plaisantin.

— Ton nom ?

— Panéhésy.

— Ton travail ?

— Surveillant des greniers à blé.

— Qu'as-tu à déclarer ?

— Un danger menace la capitale.

La voix était posée, le ton grave ; Mahou fut impressionné.

— Quel est-il ?

— La mauvaise gestion de l'eau. Si nous continuons ainsi, cette ville retournera au désert.

— Et que proposes-tu ?

— Une parade contre la catastrophe. Préviens les

autorités ; si elles ne m'écoutent pas, la population se révoltera.

Mahou blêmit ; ce désastre-là entraînerait la fin de sa carrière !

— J'étudierai le problème.

— Ne tarde pas.

*

* *

Ne dédaignant pas Panéhésy, mais dépassé par ce genre d'incident, le chef de la police s'adressa au maire, lequel ne courut pas de risques et alerta le vizir. Nommé depuis peu, ce dernier estima indispensable de consulter le Père divin Ay. Troublé, il informa Néfertiti, à l'issue du rituel du matin, que le couple régnant célébrait chaque jour avec une égale ferveur. Akhénaton avait ordonné de multiplier les autels et les offrandes et, désormais, toute sa famille était associée au rituel ; sa fille aînée avait même été autorisée à monter sur le char qui empruntait l'allée royale sous les acclamations des habitants de la capitale.

Néfertiti était fière de sa ville. Les villas des riches se mêlaient aux maisons des humbles, les premiers employant un nombreux personnel logé à proximité, personne n'était réduit à la pauvreté, chaque ouvrier possédait un logement décent, comprenant au moins une chambre et une salle de séjour. Comme les autres grandes cités égyptiennes, Akhet-Aton se composait de plusieurs villages et d'îlots de verdure, de manière à éviter la formation d'un quartier misérable où seraient entassés les indigents.

Dès les premières dynasties, cette mixité sociale,

source d'harmonie, avait paru essentielle aux yeux des pharaons. S'y ajoutait un impératif majeur : le strict respect de l'hygiène, qui évitait la propagation des épidémies. Aussi l'une des premières tâches d'un bon maire était-elle la gestion des ordures et des déchets divers. La proximité du désert avait facilité le creusement de décharges, et la propreté des maisons s'inspirait de celle du temple, sans cesse purifié et parfumé. Les fabricants de balais ne manquaient pas de clients et, du palais au deux-pièces d'un manœuvre, la corvée de nettoyage était une habitude quotidienne.

Le dernier rapport du vizir indiquait que l'ensemble des ministères, à commencer par celui du Trésor, chargé d'encaisser les impôts, fonctionnait de façon satisfaisante : d'ores et déjà, Akhet-Aton revendiquait son statut de capitale et reléguait Thèbes au rang de bourgade provinciale : quant à Memphis, centre économique vital, elle courbait l'échine et se soumettait aux décisions du pharaon.

Akhénaton peaufinait ses hymnes en l'honneur de son dieu, choisissant chaque mot, éliminant des imprécisions, cernant l'image précise née des rayons de soleil inondant son cœur. Que lui importaient, au fond, l'inauguration de la caserne, de l'arsenal, du local de la police et l'apport de contingents étrangers, préparés à la surveillance du port et du fleuve ? À son épouse de régler ces détails et de préserver la sécurité, en s'appuyant sur des hommes compétents ; le succès du règne en dépendait.

Et Néfertiti était inquiète.

D'après son père, rapportant les propos du surveillant des greniers Panéhésy, l'eau devenait un souci.

Privée d'elle, la capitale périrait : l'homme n'en avait pas dit davantage, attendant la réaction des autorités.

Angoisse excessive ou réalité ? La reine ne prit pas cet avertissement à la légère. Puisque ce Panéhésy était considéré comme un technicien sérieux, autant vérifier et intervenir si nécessaire.

52

Panéhésy était fataliste. Depuis son enfance, il s'attachait à l'entretien des greniers et à la qualité des grains conservés ; n'était-ce pas l'unique moyen de lutter contre la famine en cas de mauvaise crue, trop basse ou trop haute ? D'un abord difficile, peu causant, le spécialiste s'était également intéressé aux techniques d'irrigation qu'il jugeait insuffisantes et avait recherché une méthode plus efficace. Au terme de longues années d'efforts, une solution s'était imposée ; l'administration thébaine l'avait repoussée avec dédain. Les traditions étaient ce qu'elles étaient, et les innovations suspectes.

À quoi bon s'obstiner ? Panéhésy avait suivi son bonhomme de chemin mais, lors de la révolution d'Akhénaton et de la création d'une nouvelle capitale, il avait de nouveau songé à son invention, d'autant que la ville, se voulant un écrin de verdure, lui semblait en péril. Aussi avait-il, sans grand espoir, alerté le chef de la police. Son devoir accompli, il se cantonnait à son rôle de superviseur des greniers : s'y était ajoutée la recension des têtes de bétail arrivant à Akhet-Aton. Travail pénible, car le roi venait d'augmenter la quantité des offrandes alimentaires, à la satisfaction d'Aton et des habitants auxquels étaient distribués les quartiers de viande déposés sur les autels.

Dépourvu d'ambition, Panéhésy oubliait ses idées folles et se contentait d'une existence monocorde, loin de Thèbes qu'il ne regrettait pas.

— Un ennui, l'avertit l'un de ses subordonnés ; une porte de grenier défectueuse.

— Changez-la.

— Le scribe contrôleur réclame votre assentiment.

Habitué à la rigidité des fonctionnaires du palais, Panéhésy alla constater les dégâts.

Le scribe n'était pas seul ; à ses côtés, le Père divin et Néfertiti. Bien qu'il l'eût admirée lorsqu'elle parcourait la voie royale en compagnie du pharaon, Panéhésy se demanda s'il ne rêvait pas.

— L'avenir de notre capitale serait-il menacé ? interrogea la reine.

— Majesté...

— Réponds sans détour.

— Il l'est.

— Pourquoi l'eau nous ferait-elle défaut ?

— Parce que le nombre d'habitants va augmenter et que la capitale abrite bassins, jardins d'agrément, jardins potagers, et souhaite rester un paradis arboré. Le dispositif actuel ne suffira pas.

— Tes propositions ?

— D'abord, creuser de nouveaux puits et en parsemer la cité, afin que chaque îlot de maisons soit indépendant du Nil ; ensuite, améliorer l'irrigation.

— De quelle manière ?

— En utilisant la machine de mon invention.

Ay fut surpris.

— Es-tu sérieux ?

— Je n'ai pas l'habitude de plaisanter, affirma Panéhésy, vexé.

— Montre-la-nous, exigea la reine.

— J'en ai construit une, installée au bord du canal principal.

Accompagné de Mahou et d'une dizaine de policiers, le trio se rendit sur les lieux.

Un pivot fixe, une perche de bonne taille, un seau à une extrémité, un contrepoids à l'autre[1]. Panéhésy abaissa la perche pour que le seau se remplisse d'eau, puis relâcha la pression en laissant agir le contrepoids : répétant un mouvement régulier, il préleva de belles quantités en économisant ses efforts.

— C'est… C'est magnifique ! s'exclama le Père divin ; il faut en fabriquer des dizaines d'exemplaires et former les travailleurs au maniement de cette machine.

— J'éduquerai des contremaîtres, annonça Panéhésy, et ils recruteront les équipes nécessaires ; ainsi, la beauté et la prospérité de la capitale seront assurées.

Néfertiti examina l'ingénieuse invention.

— Cet après-midi, le roi t'accueillera au palais.

*
* *

De tempérament placide, Panéhésy était presque nerveux ; fréquenter les puissants ne lui plaisait guère. N'avait-il pas eu tort de proposer son idée ? Au moins, elle serait utile au peuple d'Égypte et allégerait le

---

1. Cette machine a reçu l'appellation moderne de *chadouf*.

fardeau des milliers de travailleurs chargés de l'irrigation.

Mais le roi ne désapprouverait-il pas cette innovation et ne chasserait-il pas de sa ville un provocateur ? Contracté, Panéhésy ne prêta pas attention aux peintures chatoyantes du palais. La gorge serrée et le pas lourd, il fut introduit dans la salle d'audience.

Humblement vêtu, Akhénaton marchait de long en large, mains croisées derrière le dos.

Le visiteur s'immobilisa.

— La reine m'a décrit ta trouvaille. Pourquoi la dévoiler si tard ?

— L'administration thébaine m'a ri au nez.

— Et tu as cru que je serais plus accessible ?

— Je me suis seulement soucié du bien-être des résidents.

Le souverain dévisagea son hôte.

Panéhésy se sentit transpercé par un regard de rapace, dépourvu d'indulgence ; le monarque lui fouillait l'âme, et son jugement serait sans appel.

— J'ai pris connaissance de tes états de service. Remarquables ! Sauf aux yeux des Thébains qui t'ont si mal traité... Tu as eu raison de persévérer, Aton t'a inspiré et a reconnu tes qualités. À présent, tu figureras au premier rang de ses adorateurs et tu géreras les richesses qu'il nous dispense, ses greniers et ses troupeaux. Ma capitale est celle de l'abondance et de la luxuriance ; à toi de la préserver. Tu auras un logement de fonction près du grand temple et assisteras au culte matinal.

La décision du monarque ébranla le solide Panéhésy ; comment réagir à la brutale évolution de son destin, sinon en l'acceptant ?

53

La grandiose cérémonie du matin s'était déroulée comme de coutume : parade en char du couple royal à faible allure, acclamations des habitants d'Akhet-Aton, arrivée au grand temple, présentation des offrandes à Aton en pleine lumière, méditation dans la chapelle orientale, vénération de la stèle exaltant le disque solaire qui sacralisait de ses rayons le pharaon, son épouse et leurs enfants, chants liturgiques, fidèles frappant dans leurs mains ou agitant des palmes.

Pour Akhénaton, c'était chaque fois le premier matin, ce moment de grâce où le soleil recréait la vie ; atteignant une forme d'extase, il se détachait du monde ordinaire et se nourrissait de cette lumière si généreusement dispensée à tous les êtres. La voix suave de Néfertiti, psalmodiant l'hymne qu'il ne cessait de parfaire, le transportait au-delà des frontières de l'apparence, au cœur même de son dieu.

L'incident survint à la fin du rituel.

Le grand prêtre s'approcha du monarque.

— Majesté, en ce qui concerne la réversion des offrandes aux célébrants et à la population, j'ai procédé à un partage équitable afin de vous épargner cette tâche.

La colère froide d'Akhénaton éclata.

— Ton titre t'a égaré ! Cette décision n'appartient qu'à moi, et à moi seul, car je suis l'unique interlocuteur d'Aton. Ton rôle consiste à entretenir son temple, à le maintenir en état de perfection et à préparer le rite, non à décider à ma place ! C'est moi, et moi seul, qui enseigne à mon peuple la véritable nature d'Aton et transmets ses bienfaits. Personne d'autre ne peut l'adorer, puisqu'il a illuminé ma pensée et guide mon action.

Tétanisé, le grand prêtre regarda le roi s'éloigner et fut au bord de l'asphyxie pendant de longues minutes. Sa jeune carrière se terminait là.

*
* *

Non sans peine, mais en s'appuyant sur l'impeccable travail du grand prêtre, Néfertiti avait obtenu sa grâce ; l'homme était humble, dévoué à la Couronne et, après cette terrible réprimande, il se cantonnerait dans l'ombre et ne prendrait plus d'initiative.

Un nouveau rêve de Néfertiti se réalisait : voir naître au sein de la capitale une verrerie dont la production ornerait les palais et les demeures des dignitaires. Le fidèle Parénéfer ayant vérifié que les artisans étaient prêts à recevoir la cour, celle-ci se déplaça, y compris le grand prêtre d'Aton. La reine l'avait rassuré sur son sort, à condition qu'il demeurât efficace et muet.

D'une rare élégance, couverte de bijoux, la princesse Kiya n'avait pas manqué cette occasion d'être proche du roi. Détendu, Akhénaton lui consentit le privilège d'une conversation à bâtons rompus.

— Ton palais te convient-il ?

— Il n'est pas au centre de la ville, Majesté, mais c'est une petite merveille, et le jardin, un délice.

— Tes jardiniers utilisent-ils le procédé de Panéhésy ?

— Ils sont enthousiastes ! Viendrez-vous, un soir, admirer leur travail ?

— Pourquoi pas ?

Néfertiti interrompit le dialogue.

— Voici notre maître verrier ; qu'il nous présente ses installations.

Kiya dissimula sa joie ; enfin, le monarque remarquait son existence ! Et la réponse à l'invitation était encourageante. Elle feignit de s'intéresser aux fours installés à l'ouest de la ville et destinés à la fabrication de lingots de verre circulaires d'une douzaine de centimètres de diamètre à partir de cendres de plantes, de poudre de quartz et d'agents colorants.

Cette opération effectuée, les lingots étaient confiés à des spécialistes qui en extrayaient de fines languettes qu'ils enroulaient sur une âme de terre ; en colorant la pâte de verre, ils créaient de multiples objets, tels un récipient en forme de poisson, un vase décoré d'une fille du couple royal, au-dessus d'un lotus épanoui, ou une grappe de raisin.

Le roi s'en empara et l'offrit à la princesse Kiya, rosissant de plaisir ; puis il remit le vase à la reine.

— Bel hommage à notre famille, estima-t-il ; j'en souhaiterais d'autres de cette qualité.

— Vous les aurez vite, promit le maître verrier, soulagé d'avoir contenté le souverain.

L'inquiétude le reprit quand il vit Akhénaton arpenter l'atelier et s'attarder sur chacune de ses productions. Les rumeurs visant le pharaon divergeaient ; les unes le décrivaient comme un mystique ne se souciant que du culte d'Aton, les autres comme un despote colérique aux avis tranchés et irréversibles. Ses partisans le portaient aux nues, ses détracteurs le craignaient ; tous s'accordaient à reconnaître le rôle décisif de Néfertiti dont le visage fermé angoissait le maître verrier. Son travail lui déplaisait-il ?

— Une fois encore, déclara le souverain, la reine avait raison : l'art du verre sera l'un des fleurons de la cité d'Aton. Ne nous limitons pas aux chefs-d'œuvre qui embelliront les palais et les grandes villas ; produisons un maximum de pièces variées que nous vendrons à nos provinces, à nos vassaux et même aux pays lointains !

— Majesté, je ne dispose ni d'assez de place ni d'assez d'artisans qualifiés !

— Deux ateliers seront ouverts à proximité du palais de jour, et je ferai venir ici les verriers de Memphis et des capitales régionales. Adresse tes éventuelles doléances à Parénéfer et mets-toi à l'ouvrage.

Cette industrie enrichira la cité du soleil, pensa Maya qu'une telle perspective n'enchantait pas. À l'évidence, Akhénaton se préoccupait de la dimension économique de sa révolution. Et la promotion de Parénéfer, remarquable gestionnaire, renforçait cette constatation.

L'inspiratrice de cette décision était Néfertiti ; quelles que fussent les dérives de son époux, elle tenait bon la barre et gardait à flot le navire de l'État. Cependant, ce nouveau succès ne semblait pas la réjouir ;

302

elle, d'ordinaire souriante et charmeuse, ne parvenait pas à masquer sa contrariété.

Lorsqu'elle passa devant la princesse Kiya, cette dernière ressentit l'agressivité d'un regard glacial.

Conquérir le roi serait une entreprise dangereuse, peut-être trop risquée ; Kiya n'aurait pas droit au moindre faux pas.

54

L'après-midi était radieuse, les filles du couple royal nageaient dans le plan d'eau du palais de jour en riant aux éclats, et la nouvelle grossesse de Néfertiti se déroulait à merveille, sous l'étroite surveillance du docteur Pentiou qui procédait à des examens quotidiens.

Pourtant, la reine demeurait morose, et son mari finit par s'en inquiéter.

— Développer la verrerie, c'était ton intention ; pourquoi es-tu contrariée ?

— Ce projet est excellent.

— Alors, quelle est la cause de ton tourment ?

— Ne devions-nous pas chasser les dignitaires thébains ?

— Ils ont regagné leur repaire et nous en sommes débarrassés !

— Pas tous.

— À qui songes-tu ? s'étonna Akhénaton.

— À Kiya.

— Ce n'est pas une Thébaine, mais la fille du roi du Mitanni !

— Je n'ai aucune confiance en cette femme.

— Tu as tort, Néfertiti, elle a adopté nos lois et nos coutumes, et sa présence à Akhet-Aton est indispensable.

— Indispensable ?

— Réfléchis : nous démontrons ainsi à son père que nous respectons son autorité et son amitié. Isoler Kiya à Thèbes équivaudrait à une disgrâce et provoquerait de l'animosité ; ne perdons pas un précieux allié à cause d'une fausse manœuvre ! Je vais écrire à son père que Kiya est l'une des personnalités éminentes de ma cour et jouit des privilèges inhérents à son statut d'épouse secondaire. En pratiquant la politique des mariages diplomatiques, ma mère a conforté la paix ; n'est-ce pas l'exemple à suivre ? Son aide n'est pas négligeable : elle tient les Thébains en laisse et les empêche de nuire ! De ton côté, as-tu réformé le ministère des Affaires étrangères ?

— J'ai demandé à Toutou, un fonctionnaire intègre et pointilleux, de dresser l'état des lieux et une liste des urgences.

Le roi enlaça son épouse.

— S'il te donne satisfaction, qu'il dirige ce département ; et toi, tu seras le véritable ministre.

*
* *

Le recrutement des hauts fonctionnaires était achevé et le gouvernement travaillait sous la houlette d'Akhénaton et Néfertiti, qui n'avaient choisi que des hommes nouveaux après avoir éliminé les notables thébains. Comme les autres dignitaires, Maya, chef de la salle d'audience, était doté de privilèges remarquables : une superbe villa, de nombreux domestiques, un grenier, une cave bien remplie. À condition de se prosterner devant le roi et d'afficher sa vénération envers Aton, le général aux gros sourcils conserverait ces avantages, tout en étant persuadé que Thèbes, tôt ou tard, reprendrait le dessus et qu'il fallait donc soutenir ses partisans avec une extrême discrétion.

Maya n'avait jamais bénéficié d'un cadre de vie aussi agréable. Le matin, pendant le passage du service chargé d'emporter les ordures ménagères jusqu'aux décharges du désert, il profitait longuement de ses toilettes, équipées d'un siège en pierre, et de sa salle d'eau où un serviteur le douchait à l'eau chaude. Recouverts d'une couche de plâtre enduite de gypse, les murs étaient protégés des éclaboussures. Puis intervenait le barbier qui rasait Maya et le parfumait avant qu'il n'adoptât les vêtements adéquats dans sa somptueuse garde-robe.

Sises sur un terrain clos d'au moins un demi-hectare, les villas des membres de la cour d'Akhénaton étaient plus vastes et plus confortables que celles de Thèbes et de Memphis. Outre l'habitation principale, elles comprenaient un grenier, une boulangerie, une cuisine, un puits et, parfois, des ateliers. Le domaine de Maya prouvait son importance et la considération du monarque.

Les murs de brique régulaient la température, atténuant la chaleur en été et le froid en hiver ; des fenêtres distribuaient la lumière et formaient un rempart contre les vents de sable. Parmi son mobilier, abondant et de qualité, le chef de la salle d'audience appréciait particulièrement son lit en sycomore, posé sur quatre plots en pierre, pourvu d'un appuie-tête et installé au fond d'une alcôve. Il y rêvait de ses futurs profits et de fonctions majeures lors du retour à Thèbes.

— Maître, l'avertit son intendant, votre visiteur est arrivé.

— Je le recevrai dans le jardin ; apporte-nous le petit déjeuner.

Des palmiers ombrageaient la piscine, que Maya, qui détestait l'eau, utilisait rarement ; à la baignade, il préférait la sieste et la bière forte.

Le scribe Irji paraissait soucieux ; moins bien logé, il continuait à servir le général, personnage central du régime.

— Assieds-toi, mon ami, et mange !

Le géant au crâne chauve but du lait frais, goba un œuf et dégusta une bouillie d'orge avant de savourer un délicieux pain chaud fourré aux fèves. Maya, lui aussi, se régala.

Grâce à lui, Irji avait été nommé contrôleur des bateaux de commerce ; il effectuait d'incessants trajets, tantôt vers le nord, tantôt vers le sud, et truquait les bordereaux avec son habileté coutumière, de façon à détourner diverses denrées au profit de son patron et de lui-même.

Entre deux bouchées, il exposa ses résultats.

— Ce n'est qu'un début, jugea Maya ; nous n'avons pas encore exploité les ressources de la capitale. Ma position me permettra d'accumuler quantité de richesses non comptabilisées, et je ne t'oublierai pas. Mais l'important, c'est Thèbes !

Irji se renfrogna.

— Les nouvelles ne sont pas bonnes.

— Les notables renvoyés chez eux ne sont-ils pas révoltés ?

— Ils subissent le joug de la reine Tiyi, favorable à son fils Akhénaton ; elle muselle toute opposition, et personne ne conteste son autorité.

Maya ne désespéra pas.

— Un lourd handicap afflige la reine mère : son âge. La vieillesse viendra à bout de son insolente santé. Quand ses forces s'épuiseront, Thèbes redressera la tête, et l'inévitable chute d'Akhénaton débutera.

55

Le banquet qu'offrit le couple royal en l'honneur des nouveaux dignitaires de la cité d'Aton dépassait le faste de tous ceux célébrés à Thèbes. La beauté de Néfertiti l'illuminait, et l'on rivalisait d'élégance, de la ravissante princesse Kiya au rugueux Panéhésy, contraint de revêtir une robe blanche à manches longues et de se coiffer d'une lourde perruque. Colliers, bracelets et boucles d'oreilles scintillaient à la lueur des lampes à huile, et le menu satisfaisait les gourmets : marmelade de légumes aromatisée, cailles rôties, rognons, perche du Nil sur lit de poireaux, côtes de bœuf grillées, salades, fromages frais, gâteaux et compote de figues. Sélectionnés par le Vieux, de grands crus accompagnaient chaque mets.

Au milieu du repas, Panéhésy demanda la parole.

— J'étais un pauvre homme, déclara-t-il d'une voix tremblante ; le roi m'a construit et élevé. Je n'avais rien, il m'a attribué des serviteurs et mêlé aux grands, alors que mes parents étaient humbles.

Le Père divin surenchérit :

— Pharaon est un Nil pour l'humanité, il la nourrit,

il est l'interprète d'Aton, source de vie ; ni pauvreté ni besoin ne toucheront qui aime le roi.

Flûtistes, harpistes et hautboïstes entamèrent un air joyeux pendant que des serviteurs plaçaient sur la tête des convives des cônes de parfum. Même l'austère Panéhésy s'abandonnait à l'ivresse de cette fête qui voyait poindre une nouvelle aristocratie au service de généreux souverains.

Au moment de la séparation, la princesse Kiya parvint à s'approcher d'Akhénaton, alors que Néfertiti était entourée de plusieurs courtisans.

— M'accorderez-vous la grâce de visiter mon jardin ? Vous seriez le premier à découvrir ma volière, peuplée d'oiseaux aux couleurs enchanteresses.

Le monarque inclina la tête ; peut-être le plan de la Mitannienne réussirait-il.

*
* *

Rouquin fulminait. Les riches se gavaient, les ouvriers se contentaient des miettes ! La révolution d'Aton, le soleil divin dispensateur de bienfaits ? Une sinistre blague ! Rien ne changeait. Si l'on n'était pas un privilégié de l'entourage du pharaon, il fallait trimer dur et ne pas se plaindre. Certes, on avait un logement, de la nourriture et des vêtements, mais ni jardin ni piscine, et encore moins de serviteurs !

Tout en étant chef d'équipe, Rouquin n'obtenait que le minimum ; et ça ne lui suffisait plus. Tant de richesses à portée de main… Pourquoi ne pas s'en emparer ? Ayant convaincu deux manœuvres de passer à l'action, le jeune révolté profita de cette nuit de fête au palais pour atteindre l'arsenal dont la garde avait été allégée ; Mahou avait massé l'essentiel de ses forces au centre de la ville, de façon à étouffer d'éventuels débordements.

La relève fut effectuée au milieu de la nuit ; les trois agresseurs attendirent que l'un des policiers s'assoupisse, se jetèrent sur lui et saisirent son gourdin. À l'aide de cette arme, Rouquin l'assomma et réserva un sort identique à ses deux collègues.

— Tu… Tu les as tués ? s'inquiéta l'un de ses complices.

— Mais non, imbécile ! J'ai la clé… Pressons !

Les trois voleurs pénétrèrent dans l'arsenal et y prélevèrent des poignards à lame solide. Ainsi équipés, ils pourraient agir.

*
* *

Au petit matin, Mahou constata les dégâts ; d'après le responsable des stocks, on avait dérobé plusieurs poignards. Malheureusement, les policiers assommés n'avaient pas aperçu leurs agresseurs ; ni description, ni indice.

Le premier vol au sein de cette capitale paisible, car tellement surveillée… Furieux, Mahou était aussi anxieux ; les bandits possédaient à présent des armes dangereuses et comptaient forcément s'en servir. Préparaient-ils un attentat contre une haute personnalité, voire contre le roi ? Supposant que les coupables étaient des artisans ou des ouvriers, le chef de la police fouillerait les demeures modestes ; et il solliciterait une augmentation de ses effectifs.

Une brise glacée réfrigéra Mahou ; on alluma un brasero pour qu'il se réchauffât les mains avant que le soleil d'Aton augmentât la température. Bientôt, le couple royal apparaîtrait sur son char. Aussi Mahou s'empressa-t-il de vérifier la stricte application de ses consignes de sécurité ; un dément ne jaillirait-il pas de la foule poignard en main, avec l'intention d'assassiner Akhénaton ? Non, impossible... Aucun Égyptien ne concevrait pareille horreur. Néanmoins, Mahou redoubla de vigilance.

Le parcours se termina sans incident, et le chef de la police crut pouvoir souffler en dégustant une cuisse de canard ; à peine l'attaquait-il qu'un gradé accourut.

— Des bateaux chargés d'étrangers... Un du nord, l'autre du sud !

— Je m'en occupe.

Mahou se rendit au port ; la police patrouillait en permanence sur le Nil et des navires de guerre étaient prêts à intervenir en cas de menace. Méticuleux, le dignitaire ne laissait rien au hasard ; mais impossible de s'opposer à la volonté du monarque qui souhaitait accueillir à Akhet-Aton des Asiatiques et des Nubiens. La capitale n'était-elle pas représentative de toutes les provinces d'Égypte et, au-delà de ses frontières, des territoires qu'il bénissait de ses rayons ?

Cette magnifique perspective, à laquelle Mahou adhérait, lui causait de sérieux soucis ; une cohorte de scribes notaient le nom et la provenance des nouveaux résidents de la capitale, et le chef de la police recueillait les documents après avoir procédé à des interrogatoires. Et s'il doutait trop de l'honnêteté d'un arrivant, il le réexpédiait chez lui.

La sévérité n'empêchait pas l'augmentation constante de la population, heureuse d'habiter une cité dont le prestige attirait un nombre croissant de familles désireuses de s'y installer.

La tâche de Mahou s'annonçait de plus en plus rude ; s'honorant de la confiance d'Akhénaton, il s'en acquitterait au mieux et protégerait le roi de tout danger.

56

Parénéfer se réjouissait chaque jour d'avoir été le fidèle serviteur du jeune prince Amenhotep, devenu le pharaon Akhénaton, créateur d'une splendide capitale et d'un culte auquel tous les habitants étaient associés. Réduits au silence et relégués dans leur fief, les prêtres d'Amon, bridés par la reine mère Tiyi, se morfondaient.

Méfiant et prudent, le passe-partout Parénéfer continuait d'être les yeux et les oreilles du roi, prêtant une particulière attention aux nouveaux dignitaires ; la richesse ne leur tournerait-elle pas la tête, accompliraient-ils correctement leur tâche ? À la moindre incartade, au moindre soupçon, le monarque serait averti et, si nécessaire, couperait la branche morte.

Parénéfer connaissait à présent le luxe, entouré de serviteurs dévoués ; débarrassé des tâches matérielles, mangeant les meilleures nourritures et buvant les plus grands vins, il veillait sur les cuisines et la cave royale. Il se préoccupait aussi de la qualité du travail des nombreux ateliers, allant de la fabrication des sandales à celle de la vaisselle. Au palais, tout devait être parfait.

Alors qu'il sortait de son domaine afin d'inspecter une livraison de vêtements destinés aux filles du couple royal, Parénéfer se heurta au Père divin. Quoique distants, leurs rapports demeuraient excellents ; le comportement de l'éminence grise n'était pas sujet à critiques, Ay sachant se tenir à sa place et contrôler efficacement l'action des ministres.

— Sa Majesté veut te voir.

— Maintenant ?

— Maintenant.

— J'avais une inspection et...

— C'est urgent, Parénéfer.

Le petit homme se crispa ; cette procédure était inhabituelle ! Avait-il commis une faute passible d'une sanction ?

Ay emmena Parénéfer sur son char, lequel s'élança en direction du palais de jour accompagné de soldats. La gorge sèche, l'échanson du roi n'osa poser aucune question, cherchant en vain son erreur.

À l'approche du centre de la cité, une foule joyeuse se densifia ; beaucoup agitaient des palmes et criaient le nom de Parénéfer, désemparé.

— Sa Majesté rend hommage à ta fidélité, expliqua Ay ; une cérémonie exceptionnelle a été organisée en ton honneur.

Le char s'immobilisa au pied de la fenêtre d'apparition à laquelle, sous un concert d'acclamations, se montrèrent Akhénaton, coiffé de la couronne bleue, et Néfertiti, de sa tiare caractéristique.

De la main droite, le monarque désigna Parénéfer qui, les yeux exorbités, venait de toucher terre.

— Reçois l'or de la récompense, décréta le pharaon.

Aussitôt, deux ritualistes passèrent autour du cou du

récipiendaire plusieurs colliers, tandis qu'une cohorte de serviteurs apportait des coffres remplis de cadeaux.

Ému aux larmes, Parénéfer vivait le plus beau jour de son existence ; et le sourire de Néfertiti, vêtue d'un voile diaphane, acheva de le plonger dans une sorte d'extase.

Une autre cohorte quittait déjà les lieux, emportant de lourdes jarres de vin, d'huile, de viande séchée et de sacs de grain jusqu'à la villa du dignitaire, paré de l'or de la récompense.

*
* *

Au terme d'un long entretien avec le Père divin, Mahou avait obtenu satisfaction : davantage de policiers et formation accélérée. Il choisirait ses hommes un à un, et n'hésiterait pas à licencier les incapables ; en cas de soupçon, arrestation et interrogatoire serré, avant que le tribunal du vizir ne décide du sort du prévenu.

Mahou concentra ses investigations sur le quartier octroyé aux artisans, à l'est de la ville ; certes, il y avait quantité de maisons modestes au sein du riche quartier sud, et ses adjoints commençaient à les inspecter. Mais l'enquêteur se fiait à son flair : les voleurs de poignards – seul un commando d'au moins trois hommes avait pu réussir ce mauvais coup – résidaient ici.

Ce village de l'est avait la forme d'un quadrilatère ; à l'abri d'un mur d'enceinte, soixante-dix maisons semblables, d'une superficie de 50 m^2. Quatre pièces : entrée, salle de séjour, chambre à coucher, cuisine. Les complétaient un cabinet, une cave et une terrasse.

Mahou inaugura un poste de police, édifié à l'angle sud-est de ce village clos, et se félicita d'assurer ainsi la sécurité des résidents qui n'auraient rien à craindre des bêtes sauvages du désert ni d'un quelconque malfaisant. Son bref discours ne déclencha aucun enthousiasme, et l'inspection systématique des habitations ne renforça pas sa maigre popularité.

Ces logements de fonction n'étaient attribués qu'à des chefs d'équipe, des gaillards à la forte personnalité dont le labeur était essentiel aux yeux des autorités. Tous avaient appris leur métier à Thèbes ou à Memphis et semblaient heureux de leurs attributions.

Lorsque Mahou pénétra chez lui, Rouquin balayait sa salle de séjour.

— Déchausse-toi et lave-toi les pieds.

Irrité, le chef de la police se conforma à la coutume, et ses sbires l'imitèrent.

— Caches-tu des armes ? Si c'est le cas, avoue ; je serai indulgent.

Rouquin tendit les bras.

— Mes seules armes, les voici ! Elles portent des pierres et bâtissent cette ville.

Les deux hommes se défièrent du regard.

— Fouillez partout, ordonna Mahou à sa brigade.

Indifférent, Rouquin poursuivit son ménage. Les policiers ouvrirent les coffres de rangement, déplacèrent les meubles, soulevèrent les nattes, descendirent à la cave et montèrent sur la terrasse.

Rien à signaler.

— Bonne journée, souhaita Rouquin aux policiers qui lui tournèrent le dos.

Aucun n'avait songé à déboucher la jarre de bière où il avait enfourné les poignards.

57

Les domestiques de la princesse Kiya allumèrent les flambeaux dont les lueurs éclairèrent son jardin ; elle dînerait seule, remâchant sa déception ; pourtant, elle n'avait sollicité qu'une simple visite ! Nerveuse, elle renvoya les plats sans y toucher et se contenta d'une coupe de vin liquoreux qu'elle détesta. Elle absorberait de la drogue pour dormir et oublier son échec, elle, une fille de roi en exil, caution d'une paix qui n'avantageait que l'Égypte !

Essoufflé, son intendant accourut.

— Princesse, il…. Il est là ! Le roi est là !

Kiya fut prise de panique. Était-elle bien coiffée, suffisamment maquillée et parfumée, ses bijoux n'étaient-ils pas trop ternes ? Et sa robe… Elle aurait dû en changer !

Akhénaton apparut, le visage grave.

Maîtrisant son excitation, Kiya s'inclina.

— Quelle immense joie, Majesté ! Désirez-vous partager mon repas ?

— Une coupe de vin suffira. Tu avais raison, ce jardin est magnifique ; Aton a fait croître ces arbres et pousser ces plantes.

Le monarque s'assit dans un fauteuil à bas dossier, au bord du plan d'eau, et contempla ses reflets argentés.

— La reine est entrée au pavillon d'accouchement, révéla-t-il ; les sages-femmes et le docteur Pentiou s'occupent d'elle.

— Pas d'inquiétude, j'espère ?

— Aton protège Néfertiti ; il donne la vie, non la mort.

La princesse arracha la coupe des mains de son intendant et servit elle-même le souverain.

— Cette soirée est si douce et votre capitale si enchanteresse… Votre réussite est complète, et votre peuple vous admire.

— M'aime-t-il ?

— N'en doutez pas ! Votre apparition, chaque matin, est un bonheur incomparable.

Le roi goûta le nectar.

— Es-tu sincère, Kiya ?

— Mon cœur s'exprime, Majesté.

— Les humains sont-ils vraiment capables de percevoir la grandeur d'Aton ?

Il la regarda droit dans les yeux.

— J'ai besoin de savoir ; toi, originaire du Mitanni, penses-tu que les pays étrangers adopteront son culte ?

— Le soleil ne brille-t-il pas aux yeux de tous ? Encore faut-il déchiffrer son message, et vous seul êtes son interprète !

À son charme envoûtant, Kiya ajoutait une intelligence vive ; Akhénaton la jugea digne d'entendre les dernières lignes de l'hymne qu'il venait de composer. Jouant la comédie à merveille, la princesse parut s'extasier.

— En m'attribuant le rôle d'épouse secondaire, murmura-t-elle, le destin m'a accordé une immense faveur ; ce palais n'est pas le mien, mais le vôtre. Et moi, je suis toute à vous.

Le roi vida sa coupe. Malgré sa puissance, il n'était qu'un homme ; et qui n'aurait pas cédé à la magie séductrice de Kiya ? L'une des bretelles de sa robe avait glissé sur son épaule, découvrant un sein.

Akhénaton se releva.

— Qu'Aton continue à élargir ton cœur ; il n'est pas de plus grand bonheur que de le vénérer.

— Aurai-je le privilège de vous revoir ici ?

Sans répondre, le souverain quitta les lieux d'une démarche saccadée.

Le roi ne l'avait pas touchée, mais il était venu. Et chacun croirait qu'il l'avait fécondée.

Kiya était folle de joie ; sa stratégie était un succès ! Il ne restait qu'à le parachever.

*
* *

D'une humeur exécrable, ses gros sourcils en bataille, Maya vérifiait ses comptes ; habitué à truquer et à voler, il ne laissait cette tâche à personne et voyait avec satisfaction s'agrandir sa fortune, tant occulte qu'officielle. Avoir accès à la salle d'audience du pharaon impliquait son accord, et celui-ci n'était pas gratuit ; les bénéficiaires gardaient le silence, sous peine de déclencher les protestations indignées de Maya et de mesures de rétorsion. Le talent d'Irji pour fabriquer de faux documents et provoquer une diffamation destructrice était une arme redoutable ; et Maya s'imposait comme l'honnête serviteur par excellence.

— Message urgent de la princesse Kiya, annonça son secrétaire.

Maya décacheta et déroula un petit papyrus ne comportant que deux mots : « Viens immédiatement. »

*
* *

Le gardien entrouvrit la lourde porte de bois, l'intendant précéda Maya dans l'allée menant à la villa de Kiya.

— La princesse vous attend au premier étage.

Ses appartements privés, s'étonna le visiteur ; et cette convocation nocturne tellement étrange ! Quel drame se nouait ?

La femme de chambre introduisit Maya et s'éclipsa.

Une vaste pièce, une faible lumière, un parfum entêtant… et un silence angoissant.

— Princesse, me voici ! Êtes-vous là ?

N'obtenant pas de réponse et ne comprenant rien à cette situation, Maya recula lentement.

Des mains se posèrent sur ses épaules, et interrompirent sa fuite.

— Princesse…

— Trêve de bavardages. Ne parle à personne de ce moment ; sinon, je te tuerai.

Elle le dépouilla de ses vêtements et l'autorisa à se retourner.

Kiya était nue et abandonnée.

Incapable de résister à son désir, Maya se jeta sur

324

cette femme superbe ; loin de le repousser, elle l'excita jusqu'à l'épuisement.

Avant de le congédier, la princesse, qui n'avait éprouvé qu'un médiocre plaisir, se réjouit d'une certitude : elle mettrait au monde un enfant.

L'enfant d'Akhénaton.

58

Radieuse, Néfertiti embrassa son mari ; Aton leur avait offert une fille[1] dont la beauté égalerait celle de ses sœurs. Le docteur Pentiou lui promettait une excellente santé, et sa médication, associée aux soins réguliers et fréquents des masseuses, effacerait les séquelles de l'accouchement.

Pendant un mois, Akhénaton avait assuré seul le rituel du matin ; certains courtisans avaient supposé que Kiya, épouse secondaire et diplomatique, aurait remplacé la reine, mais le monarque avait préféré la présence de son aînée, chargée de faire vibrer les sistres et de déclencher le chant des choristes. Il affirmait ainsi que seule la famille royale était digne de célébrer son dieu.

La réapparition de Néfertiti avait été un triomphe ; on s'était bousculé pour l'apercevoir aux côtés du pharaon, tant sa grâce et son allure émerveillaient toutes les couches de la population. C'était elle, l'âme rayonnante de la cité du soleil.

---

1. *Néfer-Néférou-Râ*, « Parfaite est la perfection de Râ ».

À l'issue de la cérémonie, le roi enlaça son épouse.

— J'ai un cadeau à te présenter, et j'espère qu'il ne te décevra pas.

— Dois-je te l'avouer ? Je n'ai aucune inquiétude !

— Moi, si ! J'ai hâte de connaître ton jugement.

Encadré des forces de sécurité, le char royal se dirigea vers le quartier sud où les architectes avaient créé un nouveau domaine en l'honneur d'Aton. Autour d'un vaste plan d'eau, des chapelles ; un pont permettait d'accéder à une île artificielle[1]. Akhénaton s'y recueillit longuement.

— Voici l'origine de la Création, l'océan primordial. Aujourd'hui, il devient le miroir dans lequel se reflète le ciel. Reine d'Égypte, je te confie cet observatoire sacré. Ici, tu contempleras les étoiles et prépareras la renaissance quotidienne du soleil.

*
* *

Après l'inauguration officielle de ce nouvel ensemble théologique, le roi réunit les principaux dignitaires dans la grande salle d'audience. Peinant à se remettre de son extravagante aventure avec la princesse Kiya, Maya concluait à un coup de folie de cette étrangère aux pulsions brûlantes. Elle demeurait cependant un pion essentiel du jeu dangereux qui conduirait à la chute inévitable d'Akhénaton.

Qu'avait encore conçu ce monarque imprévisible ? Auprès de lui, Néfertiti, mère de cinq enfants, affichait une jeunesse insolente.

---

1. Cet édifice s'appelait le *Marou-Aton*.

— La mort nous guette tous, déclara Akhénaton, moi compris, et nous devons bâtir nos demeures d'éternité.

Du Père divin Ay au scribe Any, ceux qui formaient le cercle du pouvoir furent stupéfaits. Jamais, de mémoire de lettré, un pharaon n'avait évoqué sa propre fin !

— À chacun de mes serviteurs qui vénèrent Aton et accomplissent sa volonté et la mienne, j'accorde un lieu de mémoire dans la falaise, où son nom sera préservé.

Aucun des grands de la cour royale ne serait donc inhumé à Thèbes, mais à proximité de la capitale, de manière à contempler le domaine d'Aton. Ce privilège, précisa le roi, serait réservé à une élite[1].

Abandonnée, la « Vallée des nobles » de la rive occidentale thébaine.

— La décoration sera l'œuvre du maître sculpteur Bek, indiqua Néfertiti ; elle illustrera la célébration du culte d'Aton et la dévotion de la famille royale.

Le vieux scribe Any était abasourdi ; cette fois, ce règne assumait son génie, et le monde ancien disparaissait. De bouleversement en bouleversement, le pharaon plaçait Aton au centre de ses décisions ; loin de s'émousser, sa détermination et celle de Néfertiti fracassaient les obstacles.

En sa qualité de doyen, il osa formuler une question essentielle :

— Vos Majestés délaisseront-elles la Vallée des Rois ?

---

1. On ne compte que quarante-trois tombeaux, dont seulement vingt-cinq inscrits et comportant le nom du propriétaire.

— Le temps des temples et des tombes de Thèbes est révolu, trancha le monarque ; aujourd'hui même, la reine et moi parcourrons le site de notre future demeure d'éternité. Elle sera la première sépulture d'une nouvelle Vallée des Rois.

La rupture avec la tradition était totale. Sidéré, Any n'avait pas la force de se révolter ; Maya, lui, croyait en la victoire finale de Thèbes.

*
* *

La nuit s'estompait lorsque le cortège, sous la protection de Mahou et de nombreux policiers, quitta le palais et progressa vers la montagne orientale ; la première partie du trajet fut effectuée en char, la seconde en chaise à porteurs. Le sculpteur Bek précéda le couple royal et emprunta une gorge désertique qui aboutissait au fond d'un oued asséché.

Ce fut là, dans ce cul-de-sac isolé du monde des hommes[1], que se leva le soleil.

— Voici le lieu où nous vaincrons la mort, annonça Akhénaton ; chaque matin, Aton nous ressuscitera.

La reine inspecta lentement cet endroit hostile ; il s'en dégageait une étrange puissance, tellement éloignée du charme de la capitale ! Le temps s'interrompait, le quotidien n'avait pas sa place. La violence du paysage, son aridité, son caractère implacable heurtèrent Néfertiti ; mais sa grandeur la fascina.

Face à une faille entre deux rochers, Akhénaton se figea.

---

1. Environ à six kilomètres de la capitale.

— Tu creuseras ici, ordonna-t-il à Bek ; j'exclus un coude, comme dans la tombe de mes prédécesseurs. Sais-tu pourquoi ?

— J'ai hâte de l'apprendre, Majesté !

— Rien ne détournera ni ne gênera la course du soleil. Ses rayons illumineront cette demeure de vie, nourriront notre âme, l'animeront du souffle de l'origine... Et nous les restituerons à notre peuple ! Surgissant des profondeurs, triomphant des ténèbres, ils jailliront avec force, traverseront la montagne et se répandront sur notre cité.

Les paroles d'Akhénaton firent frissonner le maître sculpteur ; pour lui, il n'était pas seulement son roi, mais aussi son maître spirituel dont chaque mot élargissait sa conscience.

— Oublie l'art de Thèbes, exigea le monarque ; ne représente que la vénération de la famille royale envers Aton ; ni divinités, ni jugement d'Osiris, ni balance de Maât, ni démons des Enfers ! Et cette demeure d'éternité sera double : une partie destinée au pharaon, l'autre à la Grande Épouse royale. Unis ici-bas, nous le serons dans l'au-delà, l'unique au-delà, la lumière du disque solaire !

Akhénaton s'empara de la palette du sculpteur et, à l'aide d'un stylet, traça d'une main fiévreuse le plan qu'Aton lui dictait.

Alors qu'il l'achevait, le soleil levant l'éclaira.

Le Père divin fut ébranlé. Sceptique de nature, habitué aux roueries humaines et doutant de la sincérité de chacun, il fut convaincu de celle du roi. Ce n'était pas l'exercice du pouvoir qui intéressait Akhénaton, mais la promotion de son dieu ; et Néfertiti l'y encourageait avec une égale détermination.

— La mort, enseigna le roi, c'est la nuit ; nos défunts regarderont l'orient, car seule la lumière d'Aton dissipera l'obscurité et redonnera la vie. Et c'est en lui et par lui que nous serons délivrés du trépas.

Le scribe Any était choqué. Akhénaton piétinait les conceptions anciennes de la survie, renonçait à graver les scènes traditionnelles, refusait de comparaître devant le tribunal d'Osiris et de voir son cœur pesé sur la balance de Maât ; et pas un seul texte révélant les formules indispensables pour éviter les périls de l'autre monde ne figurerait dans les tombes ! Les âmes ne s'égareraient-elles pas, ne seraient-elles pas la proie des forces de destruction ?

Les décrets du pharaon étaient irrévocables ; il avait humilié Thèbes, terrassé les prêtres d'Amon, créé une capitale, remanié le gouvernement des Deux Terres, instauré un culte inédit et l'omniprésence d'Aton ; à présent, il modifiait la destinée posthume de ses fidèles !

Akhénaton et Néfertiti s'isolèrent, comme si le monde extérieur s'évanouissait ; le soleil renaissant les baigna de ses premiers rayons. N'étaient-ils pas les seuls capables de traduire la pensée d'Aton et de prolonger son action ?

59

Huit jours de travail, deux de repos… La cité du soleil n'était pas plus généreuse que Thèbes ! Et l'afflux de population entraînait de nouvelles constructions qu'il fallait terminer à toute allure, au détriment de la santé des tâcherons, épuisés par une débauche d'efforts.

À plusieurs reprises, Rouquin avait émis de vives protestations auprès de Parénéfer, chargé de coordonner le travail des artisans ; le rythme infernal imposé à son équipe était insoutenable ! Déjà un décès, de multiples blessures allant des foulures aux fractures, des dos brisés… Les bontés d'Aton ne concernaient pas ces sujets-là !

N'obtenant que du mépris de la part du dignitaire qui venait de recevoir des colliers d'or, Rouquin avait décidé de passer à l'action. Armés de leurs poignards, lui et ses acolytes s'attaqueraient à la salle du trésor du grand temple, et y déroberaient des plaquettes de métaux précieux ; munis d'un butin facile à négocier, ils quitteraient cette ville inhumaine et partiraient chercher fortune ailleurs.

Le trio interviendrait le lendemain, à la nuit tombée, après le départ des derniers ritualistes. Dans les autres sanctuaires d'Égypte, le soir ne marquait pas la fin des activités ; astronomes et astrologues montaient sur le toit de l'édifice afin d'observer le ciel, des scribes recopiaient des rituels à la lueur des lampes à huile, les parfumeurs élaboraient leurs essences au sein des laboratoires. À Akhet-Aton, la nuit était synonyme d'engourdissement et de mort ; en l'absence du soleil, l'inertie s'installait, jusqu'à son retour. Les voleurs rencontreraient peu d'obstacles et n'hésiteraient pas à supprimer d'éventuels gêneurs ; la fougue de Rouquin dynamiserait ses compagnons.

Pendant sa journée de repos, la dernière avant de recouvrer la liberté, Rouquin se promènerait au bord du Nil et s'accorderait une longue sieste à l'ombre d'un palmier ; peut-être aurait-il la chance de séduire une jeune pêcheuse pas trop farouche. À l'avenir, il serait son propre maître et n'obéirait à personne.

On frappa à sa porte ; intrigué, il ouvrit.

Mahou, le chef de la police, à la tête d'une vingtaine d'hommes.

— Une grande nouvelle, mon gaillard !

Rouquin serra les poings ; ses complices l'avaient-ils dénoncé ?

— Toi et ton équipe, vous êtes réquisitionnés.

— Pour quelle tâche ?

— Prioritaire et confidentielle ; tu verras sur place. Prends ton baluchon avec le strict nécessaire ; l'administration te fournira le reste.

Incapable de se débarrasser de tant d'adversaires, Rouquin agrippa un sac contenant un pagne, une natte roulée et surtout les poignards dérobés à l'arsenal. Il suivit Mahou, en compagnie de manœuvres résignés.

À l'étonnement de Rouquin, le cortège se dirigea vers les montagnes de l'Est, zone désertique peuplée de bêtes sauvages ; au fur et à mesure du parcours, les murmures s'accentuèrent.

— Notre destination ? demanda Rouquin, agressif.

— Calme-toi, mon garçon ; tâche prioritaire et confidentielle, je te le confirme. Tiens ta langue, ou tu auras des ennuis.

— Et ce travail-là, il durera longtemps ?

— Aussi longtemps que nécessaire ; mais toi et tes collègues, vous serez gâtés !

Au terme d'une heure de marche rapide, policiers et ouvriers atteignirent le fond d'un oued, au cœur d'un paysage stérile et inquiétant.

— On dresse des tentes, annonça Mahou, et on s'installe. Vous avez l'immense privilège de creuser la dernière demeure de la famille royale, selon les plans du pharaon. Lequel d'entre vous aurait imaginé pareille chance ? Vous boirez de l'eau à volonté, de la bière le soir, mangerez du poisson séché, de la viande, des légumes frais et des fruits. En échange de ce traitement de faveur, huit heures de travail par jour et pas de tire-au-flanc ! Le maître sculpteur Bek dirigera le chantier et précisera vos tâches. La base du succès, c'est la discipline ; qui la violera aura affaire à moi.

Rouquin bouillonnait. Cet endroit écrasé de soleil, ce serait l'enfer ; et il ne s'y laisserait pas rôtir.

*
* *

Trois jours de labeur intensif… Rouquin était à bout de nerfs. Prudent, il avait évité de contacter ses deux complices. Ce soir-là, ils dînaient ensemble, à l'écart des autres ouvriers.

— On ne va pas moisir ici ; Mahou a regagné la capitale, ses adjoints sont moins vigilants. À la première pause de la matinée, on élimine un garde et on sort de cette prison.

Le mutisme des deux bougres étonna Rouquin.

— Ça ne vous convient pas ?

— On n'est pas si mal traités, jugea le plus âgé ; et puis on irait où ? Et Mahou ne nous lâchera pas… Mieux vaut s'accommoder de notre sort.

Rouquin n'insista pas ; ces deux lâches ne lui seraient d'aucune utilité.

— Vous n'avez pas tort ; je vais dormir.

— Te voilà raisonnable… Aton ou Amon, qu'importe, si on est bien nourris !

Éloignant les prédateurs, des feux entouraient le campement ; Rouquin contourna sa tente et repéra les sentinelles. Une seule direction possible : l'est, autrement dit le désert et la mort assurée ; les patrouilles de Mahou ne s'y aventureraient pas. Soit le fugitif périrait de faim et de soif, soit les démons errants le dévoreraient.

Rouquin enfourna dans son sac deux gourdes d'eau, du pain et des oignons ; les poignards lui permettraient de se défendre, et un vœu le maintiendrait en vie : égorger ce tyran d'Akhénaton. Il ne savait ni quand ni comment, mais il reviendrait et se vengerait.

Rouquin ne craignait pas la nuit, les ténèbres lui donnaient de la force ; la haine était un feu inextinguible qui le conduirait à son but. Silencieux et rapide, il se faufila entre deux postes de garde, glissa le long d'une pente rocheuse et sentit le sable crisser sous ses pieds. Il marcherait vite, la résonance de ses pas écarterait les serpents.

À présent, il était libre et en guerre.

60

Néfertiti était perplexe. À la lecture des documents que lui avait remis Toutou, ministre des Affaires étrangères, elle ne réussissait pas à établir un bilan complet des relations de l'Égypte avec ses vassaux et les puissances étrangères de premier plan, tels le Mitanni et le royaume hittite. Irritée, la reine convoqua le haut dignitaire par l'intermédiaire de Maya, responsable des audiences. Conscient de l'importance de sa fonction, ce dernier filtrait les innombrables demandes et protégeait le couple royal des importuns.

Maya détestait Toutou. Pointilleux, désagréable, rigide, le nouveau patron des diplomates se prenait très au sérieux ; impossible de l'acheter et de le manipuler. Glacial, Maya conduisit le ministre au palais de nuit où la reine, après avoir confié ses filles à leurs éducatrices, ressassait ses interrogations.

Elle reçut les deux notables au bord de la pièce d'eau parsemée de lotus, et des serviteurs s'empressèrent de leur offrir de la bière fraîche. Les yeux baissés, ils n'osaient pas regarder cette femme sublime dont la seule présence les dominait.

— Es-tu satisfait de tes locaux, Toutou ? questionna-t-elle.

— Le bureau des archives est une merveille, Majesté ; les conditions de travail y sont excellentes.

— Alors, pourquoi te moques-tu de moi ?

Toutou blêmit, Maya se réjouit ; cette question signifiait la fin de la carrière de ce parvenu.

— Majesté…

— J'attends tes explications.

— L'archivage est une opération délicate, et…

— Pourquoi me cacher la vérité ?

— Je ne souhaitais pas vous importuner !

— C'est à moi d'émettre un jugement, à partir de la réalité des faits, et non d'éléments tronqués.

Décomposé, Toutou eut des difficultés à s'exprimer.

— Ce n'était nullement mon intention, Majesté ! Il y avait tant de désordre, de courriers sans réponse… Au fil des jours, je commence à y voir clair.

Le regard de la reine devint incisif.

— Que désire précisément le souverain du Mitanni ?

— De l'or, Majesté, et notre appui inconditionnel en cas d'agression.

— Et l'agresseur serait hittite…

— C'est probable, mais non certain, et notre alliance avec le Mitanni, confortée par la présence à Thèbes de la princesse Kiya, découragera les va-t-en-guerre.

— Que préconises-tu ?

— La générosité. L'or et les objets précieux, issus de nos verreries et de nos autres ateliers, seront des présents fort appréciés.

— N'oublierais-tu pas Babylone et l'Assyrie ?

— D'après les rapports diplomatiques, ce sont encore des puissances modestes, et…

— Il faut multiplier les alliances, décréta Néfertiti ; désormais, c'est moi qui dicterai les lettres aux souverains étrangers, et tu m'apporteras leurs réponses. Le ministère des Affaires étrangères cessera d'évoluer en vase clos.

Toutou s'inclina.

— Je veux également consulter les rapports des administrateurs qui gèrent nos protectorats et ceux de nos espions qui observent le comportement des Hittites, des Mitanniens, des Babyloniens et des Assyriens.

— Dès que j'aurai terminé le classement, Majesté, je…

— Je t'accorde une semaine. Et sois ponctuel.

Toutou courut à son bureau.

— Tu n'estimes guère ton collègue, avança Néfertiti en s'adressant à un Maya contracté.

— Eh bien…

— Parle vrai !

— C'est un excellent fonctionnaire, zélé et discipliné, mais la fonction est peut-être trop grande pour sa taille.

— Nous expédierons beaucoup de cadeaux diplomatiques, préconisa la reine, et cet aspect-là entrera dans le champ de tes compétences. Nomme un scribe contrôleur qui sera en contact avec le ministère des Affaires étrangères et surveillera ses agissements. Et tu me feras régulièrement un rapport oral.

Maya était ravi de cette mission confidentielle ; le scribe Irji, son âme damnée, serait l'espion idéal et lui permettrait d'infiltrer ce secteur de l'administration, tout en bénéficiant d'informations essentielles et de première main.

— L'armée memphite nous est-elle acquise ? s'inquiéta la reine.

— Le Père divin s'est assuré de sa fidélité absolue, Majesté ; un général remarquable, le scribe royal Horemheb, commande nos troupes, prêtes à repousser n'importe quel adversaire. Et l'arsenal de Memphis continue à fabriquer les armes nécessaires.

Cette information rassura la reine. Police et armée étaient les bases indispensables du royaume d'Aton ; la population, à juste titre, réclamait sécurité intérieure et extérieure.

Néfertiti se rendit à l'école du palais où brillait sa fille aînée ; de la musique à la géométrie, aucune discipline ne la rebutait, et son tempérament, alliant grâce et fermeté, la désignait comme une future souveraine.

Après avoir embrassé ses enfants, tous en parfaite santé grâce à la vigilance du docteur Pentiou, Néfertiti se promena, solitaire, dans le luxuriant jardin du palais de jour.

Songeant à la reine Tiyi, elle se souvint de ses enseignements et de l'importance qu'elle attribuait à la politique étrangère ; affirmer la paix en accroissant le rayonnement de l'Égypte était un impératif majeur. En admirant l'élégante courbe des branches d'un palmier, Néfertiti conçut un projet susceptible d'atteindre ces objectifs de manière éclatante. Les difficultés ne manqueraient pas, mais elle les surmonterait.

61

Eu égard à ses tâches écrasantes, Panéhésy disposait de deux domiciles, l'un au centre de la ville, au sud-est du grand temple, et l'autre éloigné, en vue des périodes de repos qu'il prenait rarement. Sa demeure de fonction célébrait le culte d'Aton : à l'extrémité de la salle centrale, une chapelle était ornée de la représentation du couple royal faisant offrande au soleil divin et baigné de ses rayons.

Le quinquagénaire à la large carrure n'y dormait que quelques heures, tant il avait de problèmes quotidiens à régler ; c'était à lui qu'incombait l'approvisionnement de la capitale, du palais au quartier des artisans. Conformément aux instructions du pharaon, aucun habitant ne se plaignait de la faim.

Tout débutait au port : des bateaux livraient céréales, vins, huiles, conserves et troupeaux ; une armée de scribes procédait aux vérifications d'usage avant la répartition des produits, et les animaux étaient conduits à leurs enclos. Au sud de la ville, des fermes à cochons ; salée et préservée dans des jarres désinfectées au gypse blanc, la viande de porc était l'une des plus consommées. Le stockage des denrées exigeait un maximum de rigueur, et Panéhésy ne tolérait pas le laxisme ; de la bonne tenue des greniers dépendait l'avenir de la capitale.

Quand il avait reçu « l'or de la récompense », le rugueux dignitaire n'avait pas changé d'attitude ; et la splendeur de sa demeure d'éternité, formée de deux salles à quatre colonnes, et décorée de scènes montrant Akhénaton et Néfertiti sur leur char et vénérant Aton, ne le détournait pas de ses obligations. Strict à propos des mesures d'hygiène, il maintenait une cité propre et en ordre.

Maya haïssait ce serviteur infatigable et incorruptible, à la parole rare ; il se méfiait de ses jugements qu'écoutait Néfertiti et se gardait de le mécontenter. L'homme qui nourrissait des milliers de gens avait une influence considérable, dont lui-même n'était pas conscient.

Au terme du rituel du matin, un événement inhabituel se produisit ; d'ordinaire, soit le couple royal retournait au palais de jour, soit il s'isolait dans le petit temple d'Aton afin d'y méditer en présence de son dieu. Dérogeant à la coutume, il emmena avec lui le Père divin.

Maya, Panéhésy et les autres dignitaires s'interrogèrent ; Ay avait-il commis une faute impardonnable ?

*
* *

D'un tempérament placide et habitué à déjouer mille et une manœuvres, le Père divin n'en menait pas large en se présentant devant Akhénaton et Néfertiti qui n'avaient pas quitté leurs habits d'apparat, revêtus lors

344

du rituel du matin ; il avait beau chercher, il ne décelait pas d'impair majeur lui valant de sévères reproches, voire une révocation.

— Considères-tu, Ay, que j'ai respecté la règle de Maât ? questionna le roi.

— Personne n'en doute, Majesté ! Sinon votre règne ne serait pas celui de la lumière.

— Les forces obscures ne gouvernent plus notre monde, car chacun de mes sujets se doit d'avoir une conduite rigoureuse. Râ, notre père, créateur de la lumière divine, est apparu en tant qu'Aton, et c'est lui qui habite nos cœurs. Grâce à toi, Ay, il imprègne notre quotidien. C'est pourquoi tu mérites les colliers d'or.

Le Père divin fut soulagé ; mais il n'était pas au bout de ses surprises.

— Allons sur la terrasse, décida le monarque.

Lui et Néfertiti ôtèrent leurs couronnes ; main dans la main, ils précédèrent Ay et contemplèrent leur capitale, inondée de soleil.

— Tu es mon premier serviteur, précisa Akhénaton, et c'est ta demeure d'éternité qui accueillera le grand hymne à Aton que mon dieu m'a révélé, mot après mot ; écris-le, Père divin, et qu'il soit reproduit fidèlement.

Le roi donna sa propre palette au chef occulte de son gouvernement, capable de coordonner l'action du vizir et des ministres en gommant les susceptibilités et les défauts de chacun.

Il revint à Néfertiti de psalmodier les versets qu'Aton avait révélés au pharaon, son fils et son unique interprète, le seul à connaître sa véritable puissance.

— Aton, tu es le disque créateur de vie et tu emplis chaque pays de ta perfection. Quand tu disparais, les ténèbres ressemblent à la mort ; les lions sortent de leur tanière, les reptiles mordent. Lorsque tu resplendis, le Double Pays est en fête, les hommes se purifient, s'habillent et t'adorent ; l'univers entier se met à l'œuvre, arbres et herbes verdissent, les oiseaux s'envolent, les poissons bondissent, les animaux sautillent. Tu fais que l'embryon[1] naisse chez les femmes, la semence chez les hommes, tu répands le souffle en permettant à l'oisillon de briser sa coquille. À chaque être, tu octroies sa fonction ; tu as différencié les langues, les couleurs de peau, mais tu es le maître de toutes les contrées. Le Nil céleste forme les fleuves qui irriguent le monde, et toi, tu demeures unique, alors que des milliers de formes émanent de ton œil ; l'univers vient à l'existence sur ta main. Tu te lèves, il vit ; tu te couches, il meurt.

— Que la Grande Épouse qu'aime Aton, la dame du Double Pays, Néfertiti, rajeunisse éternellement, ajouta le roi. Il est notre père et notre mère, la nature danse devant lui, ses rayons illuminent tous les visages[2].

Les yeux d'Akhénaton brillaient d'une flamme qui bouleversa le Père divin ; le monarque lui transmettait l'énergie de sa foi, et son intensité l'effrayait.

Comment résister à un tel flux ? La voix de Néfertiti, l'ardeur d'Akhénaton, la magie de l'hymne emportaient les barrages de la raison. Lui, le paisible notable

---

1. D'après l'étude des papyrus médicaux, on peut conclure que les spécialistes de l'Égypte pharaonique avaient connaissance de l'embryon ; B. H. Stricker a même décelé, à travers certains textes symboliques, un traité d'embryologie.

2. Textes extraits du grand hymne à Aton, inscrit dans la tombe d'Ay, et du petit hymne, présent dans cinq autres tombeaux.

provincial, habile manœuvrier, se mêlait à une aventure dont il n'imaginait pas l'ampleur.

Une aventure dont il était à présent un protagoniste majeur, résolu à en garantir le succès. Le couple royal ne trouverait pas de partisan plus attaché à son triomphe, et quiconque s'attaquerait à lui se heurterait au Père divin.

62

La remise des colliers d'or au Père divin Ay avait été l'occasion de multiples festivités à travers la capitale où s'étaient organisés des banquets en plein air ; outre les bonnes odeurs de cuisine, flottait dans l'air celle de l'encens, importé en grande quantité. À l'image du temple, la cité entière bénéficiait d'agréables senteurs.

Et la cérémonie avait vu une scène remarquable se dérouler : à la fenêtre d'apparition du palais, Akhénaton et Néfertiti n'étaient pas les seuls à offrir les parures de la récompense suprême. Leur fille aînée et sa cadette accomplissaient ce geste, elles aussi, tandis que l'une de leurs sœurs, toute nue et debout, caressait le menton de sa mère qui lui enserrait tendrement la tête.

Un seul dignitaire ne s'associa pas à la liesse générale ; la contrariété du maître sculpteur Bek fut si évidente que Néfertiti, au terme de cette journée de congé exceptionnelle, l'appela auprès d'elle.

— La construction de notre demeure d'éternité subirait-elle des retards ?

— Non, Majesté, au contraire ; le travail avance vite et nous ne rencontrons pas de difficulté majeure.

— Pourquoi te tourmentes-tu ?

Bek hésita.

— Je ne sais comment dire la vérité sans blesser un être cher que je tiens en grande estime, et je n'ose solliciter d'avance votre bienveillance...

— Une reine ne juge pas en aveugle.

Bek se tordait les doigts.

— Je voudrais me taire et je n'en ai pas le droit !

— Qui t'oblige à parler ?

— Le roi et vous, Majesté ! N'avez-vous pas choisi l'art de votre règne et des représentations de vos personnes très originales, en rupture avec la tradition ?

— Telle est notre volonté, en effet ; serais-tu en désaccord ?

— Moi, non !

— Qui accuses-tu ?

Le front de Bek se plissa.

— Assez d'atermoiements ! Exprime-toi.

— Mon meilleur sculpteur, Thoutmès... Je ne le comprends plus. Si vous aviez l'occasion de voir son travail, Majesté, vous seriez sans doute dépitée.

— Eh bien, amène-moi à son atelier.

Bek se crispa.

— Ce n'est pas votre place, vous...

— Dans ma capitale, ma place est partout.

— Ne soyez pas trop sévère, je vous en supplie ! Quoique Thoutmès se soit égaré, il reprendra le bon chemin.

*
* *

Plusieurs policiers accompagnèrent la reine et Bek. Depuis la fuite de Rouquin, Mahou veillait au strict respect des règles de sécurité ; ce bandit était probablement mort dans le désert, mais la population d'Akhet-Aton comprenait forcément des malfrats en puissance qu'il fallait empêcher de nuire. Et la position du chef de la police avait été magnifiée par deux cadeaux inespérés : le don des colliers d'or, réservés à un petit nombre de fidèles, et l'inscription, sur les murs de sa tombe, du petit hymne à Aton ! Conscient de l'ampleur de ces privilèges, Mahou remplissait sa tâche avec un maximum de conviction et de sérieux ; la cité du soleil jouissait d'un calme parfait, et le Père divin augmenterait les effectifs si nécessaire.

Directeur des travaux du roi et supérieur d'une équipe de sculpteurs, de dessinateurs et de peintres, Thoutmès habitait une vaste demeure au sud de la capitale. Son domaine abritait des artisans et leurs familles, dont les modestes logements étaient regroupés autour d'une grande cour. Ils avaient accès à un puits et à des silos à grains que protégeaient des murs ; étable et basse-cour complétaient cet ensemble où les travailleurs ne manquaient de rien.

La venue de la reine les tétanisa. Admirer de si près la reine d'Égypte…

Mais pourquoi cette visite ?

Les gamins piaillèrent, les mères les calmèrent, les outils s'immobilisèrent, le silence s'installa.

Comme chaque jour, Thoutmès œuvrait à l'atelier de plâtrerie, situé à l'ouest de sa maison ; esquisses, moules, dessins préparatoires, bustes en pierre, visages en plâtre composaient le quotidien de cet artisan d'élite, chargé d'élaborer les portraits des membres de la famille royale et des dignitaires.

Les cheveux noirs, le visage allongé et sévère, l'œil perçant, Thoutmès était un solitaire. Maniaque, il nettoyait lui-même son atelier et avait horreur d'être dérangé pendant son travail. Sur des étagères, des portraits achevés, d'autres en cours d'élaboration.

L'apparition de Bek le contraria. Thoutmès n'aimait guère ce confrère, trop courtisan à son goût.

— Reviens plus tard, je suis occupé.

— Éconduiras-tu la reine d'Égypte ?

Thoutmès crut à une plaisanterie ; mais c'était bien Néfertiti, vêtue d'une longue robe rouge et coiffée d'une perruque légère mettant en valeur la finesse de ses traits.

Et ce regard… En quelques instants, il cerna l'ensemble des œuvres du sculpteur !

Akhénaton avait exigé un style qui le différenciait de ses prédécesseurs, notamment en raison de l'invraisemblable allongement des crânes et de la distorsion des visages ; et cet art officiel aurait dû s'imposer à l'ensemble des artisans.

Mais Thoutmès ne tenait pas compte de cet impératif et façonnait des portraits à l'ancienne, conformes à la physionomie réelle des souverains. En dépit des recommandations, puis des remontrances de Bek, il persistait.

Néfertiti avait le sort de Thoutmès entre ses mains ; si elle désapprouvait ses déviances, elle le chasserait de sa confortable maison. Ses sculptures seraient détruites, et le rebelle réduit à une misérable condition.

Soudain, l'artisan fut confronté à une réalité qu'il excluait ; Bek l'avait dénoncé afin de se débarrasser de lui et de régner en maître absolu sur la corporation !

Au fond, quoi de plus banal ? Plaire au monarque

et à son épouse, c'était assurer son avenir. Héritier de la tradition thébaine, Bek y avait renoncé et se pliait aux impératifs du nouveau régime. Tout en exécutant les commandes du palais, Thoutmès jugeait indispensable de prolonger l'enseignement de ses pères en respectant les règles d'harmonie.

L'artisan posa son ciseau et s'écarta du buste d'Akhénaton qu'il destinait à la chapelle privée d'un dignitaire. La reine s'y attarda, et sa main épousa les formes de la tête.

— Ce portrait est admirable, déclara Néfertiti, à l'étonnement de Bek qui prévoyait une condamnation sans appel ; poursuis ton travail. Il est bon que le style ancien se perpétue et nourrisse celui du règne.

63

L'hiver de la neuvième année de règne d'Akhénaton connaissait des jours froids et venteux ; grâce à la bonne gestion de l'infatigable Panéhésy, la capitale ne manquait pas de bois de chauffage, soit issu d'arbres et d'arbrisseaux coupés au sein des ouadi voisins, soit transporté par bateau en provenance de toutes les provinces.

La santé déclinante du vieux scribe Any n'avait pas résisté à cette mauvaise période ; lui, le Thébain tellement attaché à sa ville d'origine, était le premier dignitaire décédé dans la cité du soleil. Décoré des colliers d'or, il avait cautionné la politique du pharaon et apaisé d'éventuelles tensions. Aussi sa momie avait-elle reçu les offrandes traditionnelles, et un ritualiste avait-il ouvert sa bouche, ses yeux et ses oreilles afin qu'il vive éternellement. Chacun se souviendrait de sa parade en char, conduit par un aurige, après qu'Akhénaton et Néfertiti l'eurent récompensé pour ses bons et loyaux services.

Inhumé avec les honneurs dus à son rang, le vieux scribe occupait une belle tombe[1], œuvre de Bek et de

---

1. Amarna, Tombe 23 (sud).

Thoutmès ; les deux sculpteurs ne s'adressaient pas la parole, mais accomplissaient un travail impeccable que n'avaient critiqué ni le roi ni la reine.

De nouveau enceinte, Néfertiti avait eu la surprise de voir s'arrondir le ventre de la princesse Kiya qui arborait une mine ravie. Étant donné sa position à la cour, la Mitannienne bénéficiait des soins du docteur Pentiou, et sa grossesse, comme celle de la reine, se déroulait à merveille.

Officiellement épouse secondaire du roi, Kiya se gardait de lui attribuer la paternité réelle de l'enfant, sous peine de déclencher les foudres de Néfertiti ; mais aucun homme n'habitait son palais, et l'on s'interrogeait sur l'identité du géniteur.

Maya voulait oublier le coup de folie de l'étrangère et continuait de l'informer de la situation à Thèbes. D'une absolue froideur, Kiya rencontra son visiteur près de sa volière, où ils pouvaient converser en parfaite discrétion.

La princesse constatait que le général aux gros sourcils, tissant sa toile au fil des jours, était devenu l'un des hommes les plus puissants de la capitale ; et Maya, lors de la chute d'Akhénaton, aurait besoin de l'étrangère pour effectuer une transition en douceur. Liés par la soif du pouvoir, ils étaient condamnés à s'entendre.

— La mort du scribe Any a profondément frappé les esprits, révéla Maya ; aux yeux des Thébains, il était un gage de cohérence et de continuité. Sa présence ici n'empêchait-elle pas le roi de commettre des actes injustifiés ? Aujourd'hui, il a le champ libre, et nulle voix ne s'élèvera contre ses projets. Il n'est entouré que d'adorateurs fascinés par sa doctrine.

— Et Néfertiti est la pire des reines ! s'emporta Kiya ; à Thèbes, l'opposition s'organise-t-elle ?

— « Opposition » et « organisation » sont des termes excessifs... Évoquons seulement une prise de conscience et un sentiment de révolte. Akhénaton laisse Thèbes à l'abandon, les sanctuaires d'Amon ne sont pas restaurés, et ses prêtres se débrouillent avec les moyens du bord. Le changement de capitale et le transfert des organes vitaux de l'État furent de francs succès, et le pharaon, contrairement aux espoirs de ses détracteurs, contrôle l'économie des Deux Terres.

— Mais pas les convulsions des pays qui rêvent de conquérir l'Égypte...

Maya sursauta.

D'où la princesse tenait-elle cette information ? Ainsi, la Mitannienne avait acheté un haut fonctionnaire du ministère des Affaires étrangères, peut-être Toutou en personne ! Loin de rester inactive en profitant du confort de son palais, Kiya, elle aussi, tissait sa toile. Déjà méfiant, Maya ne devrait pas la sous-estimer.

— Mon pays natal joue un rôle déterminant dans la préservation de la paix, rappela la princesse. S'il tournait le dos à l'Égypte, une angoissante période de conflits s'annoncerait ; qui, mieux que moi, les éviterait ?

— Néfertiti a la haute main sur les relations internationales et...

— Néfertiti, encore Néfertiti ! Elle ne sera pas toujours la première, crois-moi ! Et qu'a-t-elle entrepris ?

— Elle écrit aux souverains étrangers, leur envoie des cadeaux, lit les rapports de nos diplomates et de nos espions. Le Mitanni retient toute son attention.

357

— Pas d'initiative inhabituelle ?

— Pas à ma connaissance.

— Ne mens pas, Maya !

La violence du ton impressionna le général.

— Je n'en ai pas l'intention… Ne sommes-nous pas alliés ?

— Nous le serons, aussi longtemps que tu ne me trahiras pas.

*

* *

La princesse Kiya mit au monde une fille[1], de même que Néfertiti[2] ; ce sixième enfant enchanta Akhénaton qui, au cœur de son petit temple, remercia Aton de lui accorder cette grande famille, illustration de la générosité du soleil divin.

Désormais, décida le roi, une stèle représentant le couple royal et sa progéniture enveloppés des rayons porteurs de vie figurerait dans les demeures et les tombes des dignitaires. Quand il n'enseignait pas les préceptes de son dieu à ses proches, tels Ay ou le sculpteur Bek, Akhénaton était un père attentif et tendre ; et l'amour que vouait Néfertiti à ses filles lui valait câlins, rires et confidences.

Ce bonheur-là avait une signification d'ordre spirituel ; seule la famille royale était capable d'accueillir la puissance bénéfique d'Aton, de la filtrer et de la distribuer à son peuple. Néfertiti était l'amour, à la fois céleste et terrestre, la souveraine de la fécondité ; en

---

1. *Baket-Aton*, « la servante d'Aton ».
2. *Sétepenrê*, « l'élue de Râ ».

l'embrassant, sous les regards des habitants de la capitale, le roi s'unissait à Maât. Ainsi se présentaient-ils comme le père et la mère de l'humanité entière.

À Bek, Akhénaton ordonna de sculpter le lit des engendrements ; matelas, chevet et escabeau permettant d'y accéder étaient inondés de rayons vivifiants et symbolisaient le milieu matriciel, source de prospérité.

De la salle du trône à la chambre à coucher, du palais à l'intimité de tous les couples, Aton régnait.

64

Les policiers de Mahou vérifiaient les produits importés, mais aussi les objets que fabriquaient les artisans de la capitale ; l'un des chefs de brigade s'occupait de la céramique, des jarres, des vases, des bols, des plats, des coupelles à vin et de diverses poteries qui, en fonction de leur qualité et de leur décoration, étaient réparties entre les palais, les villas des dignitaires et les maisons ordinaires.

La première tempête de sable du printemps gênait les déplacements ; heureusement, elle s'était calmée pendant la parade en char du couple royal et de ses enfants qu'avaient illuminés, comme chaque matin, les rayons d'Aton ; en ce début d'après-midi, il convenait de fermer les portes et les volets afin de préserver au maximum l'intérieur des logis.

Mahou gardait un œil vigilant sur le quartier des artisans où avait vécu Rouquin, disparu depuis longtemps. Redoutant la présence d'autres dissidents et se promettant d'étouffer le mal dans l'œuf, il lançait de fréquentes inspections, à l'improviste et à n'importe quelle heure ; la présence d'un poste de police au sein du village clos de murs lui facilitait la tâche et décourageait les mauvais instincts.

Le chef de brigade comptabilisa les jarres fournies par un potier ; elles serviraient à conserver de la viande séchée et seraient livrées à un scribe du quartier sud.

Il en manquait une. Le policier relut le bordereau et recompta : anomalie confirmée. Pestant contre ce maudit vent qui irritait les yeux, il se rendit au domicile du potier, à un angle du village.

Le bonhomme étant absent, il força sa porte. Un intérieur modeste, propre et correctement tenu. Dans l'antichambre, pas de petite stèle en l'honneur du couple royal vénérant Aton ; en revanche, près du coffre de rangement de la salle de réception, un vase orné du visage de la déesse Hathor. Néfertiti en étant l'incarnation, le roi admettait quelques discrètes représentations, hors du culte officiel.

Au pied du lit, une amulette à l'effigie du dieu Bès, nain barbu et rigolard, protecteur du sommeil. Et la chambre à coucher recelait aussi deux statuettes grossières de l'ibis de Thot et de l'hippopotame de Thouéris, déesse des naissances. Cette fois, on dépassait les limites de la tolérance ; difficile de fermer les yeux.

Le chef de brigade entreprit une fouille complète de la maison et repéra la jarre, enveloppée de tissus. Il ôta un bouchon de paille et, surpris, extirpa de petits rouleaux de papyrus.

Il n'en déchiffra qu'un seul. Consterné, il se hâta de porter l'ensemble à son supérieur.

*
* *

362

La reine se remettait lentement de son accouchement, et sa fille était plus chétive que les précédentes ; choyée, admirablement soignée, Néfertiti demeurait d'une fascinante beauté, nourrie de l'amour de son mari et de ses enfants. Surmontant une fatigue passagère, elle assumait ses lourdes tâches rituelles et matérielles, évitant au monarque les soucis du quotidien.

La gestion des palais de jour et de nuit exigeait une attention constante ; l'excellence des intendants et d'un personnel dévoué ne dispensait pas la souveraine d'un contrôle régulier et d'une lutte constante contre les négligences. Et c'était à elle de célébrer le coucher du soleil et d'écarter magiquement les dangers de la nuit, en préparant la résurrection de l'aube. À tout moment, le visage de la Grande Épouse royale devait refléter la sérénité qui prouvait sa capacité à répandre autour d'elle les faveurs d'Aton.

Dévorée par sa fonction, Néfertiti ne s'en plaignait pas. Tombée amoureuse d'un jeune prince héritier au regard étrange et aux pensées insolites, elle avait foi en son destin.

Satisfaite de la nourrice qui allaitait la petite dernière, la reine regagnait ses appartements afin d'y goûter une brève sieste lorsque surgit le roi, en proie à une évidente contrariété. Elle l'avait rarement vu dans un tel état, sinon lors de l'affrontement majeur avec la hiérarchie thébaine.

— Néfertiti…

— Qu'arrive-t-il ?

— Mahou… Mahou a déjoué un complot, un abominable complot ici même, au cœur de la cité du soleil !

Saisissant son bras, elle l'entraîna vers la vaste terrasse d'où il aimait contempler sa capitale.

Akhénaton brandit un papyrus.

— Regarde… Regarde cette horreur !

Néfertiti découvrit une prière à Amon, qualifié de dieu suprême ; pauvre, humilié et dédaigné, son fidèle le suppliait de l'aider et de restaurer l'ordre ancien.

— Plus d'une dizaine de textes semblables étaient dissimulés dans une jarre, précisa le monarque ; les artisans de *ma* ville persistent à pratiquer les anciennes croyances et insultent la splendeur d'Aton ! Des hypocrites, des imbéciles, des traîtres… Ils n'ont rien compris, rien perçu, rien ressenti… Et combien sont-ils à nous acclamer sur la voie royale qui, en réalité, adorent Amon et restent reliés à Thèbes, ce creuset d'obscurantisme et de superstition ?

La colère d'Akhénaton était à la mesure de sa déception ; son rêve d'une cité idéale et d'un peuple entier converti à la religion nouvelle se disloquait. N'allait-il pas trop vite et trop loin, des milliers d'esprits faibles n'étaient-ils pas incapables de le suivre ?

— Ne renonce pas, conseilla Néfertiti.

— Ne sommes-nous pas seuls, si seuls ?

— Certainement pas. Ta capitale existe bel et bien, les dignitaires savent ce qu'ils te doivent, tes proches t'admirent et t'obéissent. Que les rayons d'Aton brûlent les mauvaises herbes.

La fermeté de Néfertiti dissipa les incertitudes du roi. Des opposants à la vraie foi, n'y en aurait-il pas toujours ? En reculant, il leur laisserait le champ libre et se renierait lui-même.

Cette défaite-là, Akhénaton ne l'accepterait jamais.

65

Plus de deux années s'étaient écoulées, et Rouquin se demandait encore comment il avait survécu au désert. Sans ses couteaux, qui lui avaient permis de tuer du petit gibier, il serait mort de faim ; son outre vide, il avait eu la chance d'atteindre un puits que signalait un cercle de pierres sèches.

Impossible de s'enraciner ; requinqué, le fugitif avait repris son chemin vers l'inconnu.

Trois jours de marche, un deuxième puits, et une scène d'une rare violence : deux Bédouins agressaient un vieillard à coups de bâton. Cédant à un sentiment d'injustice, Rouquin avait poignardé les nomades et sauvé leur victime, un chef de tribu qui leur contestait la propriété de l'endroit.

Ce dernier ne s'était pas montré ingrat. Adoptant Rouquin, qu'il considérait comme son fils, il lui avait légué son clan et ses biens ; à la tête d'une petite troupe de combattants, Rouquin s'était d'abord contenté de respecter la coutume en pillant des caravanes mal escortées. Mais il n'avait qu'une idée en tête : se venger d'Akhénaton et de Néfertiti.

Ces deux-là ruinaient l'Égypte et réduisaient en

esclavage des milliers de travailleurs à cause de leur folle doctrine qui rompait l'équilibre obtenu depuis tant de dynasties !

Les dieux avaient confié une mission à Rouquin : éliminer ce couple destructeur, mettre fin à son aventure insensée et revenir aux valeurs traditionnelles. Lui, le simple manœuvre, ramènerait son pays sur le bon chemin.

La rudesse du désert l'ayant aguerri, il ne sous-estimait pas la difficulté de sa tâche ; grâce à la compétence de Mahou, la sécurité du couple royal était assurée, et déceler une faille ne serait pas facile. La haine animant Rouquin était si ardente qu'il réussirait.

Ses épreuves lui avaient également enseigné la patience et la prudence. Puisque la capitale attirait nombre d'étrangers venus du nord et du sud, des espions de sa tribu passeraient inaperçus et s'intégreraient aisément à la masse des travailleurs afin de lui procurer les renseignements indispensables. Mahou le croyait mort, hors d'état de nuire ; cet avantage serait décisif.

Et le retour de l'un de ses émissaires l'excitait au plus haut point : enfin, des informations fiables !

Vif et rusé, le gaillard détestait les Égyptiens ; engagé parmi les dockers, il avait recueilli quantité de doléances. Rouquin lui offrit du lait de chèvre et une galette chaude.

— On travaille dur, là-bas, trop dur ; l'armée et la police sont partout, les fouilles incessantes. Akhénaton ne tolère plus les vieilles croyances et interdit la possession d'amulettes évoquant les anciennes divinités. On fracasse même les scarabées et les pots à fard décorés qui injurient la grandeur d'Aton et portent atteinte à sa toute-puissance. Il est le seul dieu, le roi est son unique interprète qui révèle son message aux humains. Les fidèles d'Aton ne peuvent vénérer que la famille royale, bénie par les rayons du soleil.

— Le peuple ne se révolte pas ?

— Mahou impose un ordre strict, les gens sont bien nourris ; alors, ils courbent la tête.

— Le roi et la reine sont-ils protégés en permanence ?

— J'ai monté un réseau dont les membres tenteront de repérer les points faibles du dispositif de sécurité. Ça prendra du temps, et l'entreprise sera risquée.

— J'agirai en personne, promit Rouquin, exalté.

— Tu es notre chef de clan, rappela l'espion, et...

— Quand j'aurai supprimé le tyran et sa reine, notre clan connaîtra la gloire et la fortune ! Retourne à Akhet-Aton et fais le nécessaire ; avertis-moi lorsque ton réseau sera prêt.

*
* *

Les prêtres du dieu Amon étaient abasourdis.

Sous la conduite du général Maya, pourtant leur allié occulte, mais contraint d'exécuter les ordres, des soldats d'Akhénaton avaient déferlé sur Thèbes, encadrant des sculpteurs nantis de consignes précises : marteler les noms d'Amon et de son épouse Mout, effacer le signe du pluriel qualifiant le mot « dieux », et renvoyer ainsi au néant les fausses croyances. Effrayés et craignant pour leur vie, plusieurs ritualistes collaborèrent en désignant les passages des textes à détruire et les monuments incriminés.

Mal à l'aise, certains artisans s'acquittèrent de leur tâche avec un minimum d'efficacité, omettant de nombreuses mentions d'Amon ; d'autres, en revanche, grimpèrent jusqu'au sommet des obélisques afin d'anéantir le maître de Thèbes. Et l'on s'acharna sur les scènes de la naissance divine de la reine-pharaon Hatchepsout gravées dans son temple, « la Merveille des merveilles[1] » ; n'avait-elle pas osé se proclamer fille d'une mère terrestre et du dieu Amon, revêtu d'un corps humain pour engendrer son héritière ?

Écarter à jamais cette lignée et sa mythologie était l'impératif majeur. Consciencieux, Maya ordonna même à des scribes de supprimer les noms propres de comptables et d'intendants se référant à Amon, naguère protecteur de l'immense ville sainte et de ses habitants.

L'embryon d'opposition aux réformes d'Akhénaton était piétiné. Face à la brutalité de cette répression, qui troublait l'essence du divin, les Thébains furent privés de force. Akhénaton n'était ni faible ni indécis ; au contraire, il imprimait sa marque de façon violente et briserait quiconque se placerait en travers de son chemin.

Le désespoir s'empara de Thèbes ; sa splendeur s'évanouissait, un monde nouveau apparaissait. Lors de furtifs contacts avec des dignitaires possédant de grands domaines, le général Maya essaya d'atténuer ce pessimisme.

D'abord, le règne d'Akhénaton et de Néfertiti ne serait pas éternel ; ensuite, la cité du soleil n'était pas

---

1. Deir el-Bahari, sur la rive occidentale de Thèbes.

un paradis, et de sérieuses contestations surgiraient probablement de l'intérieur. L'heure, certes, n'était pas à une révolte massive ; provoquer la colère du roi serait une erreur stratégique. C'était en sapant les fondations de son pouvoir que ses constructions illusoires s'effondreraient.

Hélas ! la vieille reine Tiyi se murait dans le silence ; et celui-ci valait approbation des extravagances de son fils.

66

Néfertiti était épuisée. Après le rituel du matin, sous une chaleur accablante, elle avait annulé un déjeuner officiel pour s'accorder quelques heures de repos à l'ombre d'un sycomore, avec l'ordre formel de ne pas la déranger.

Et cet ordre, le docteur Pentiou avait décidé de l'enfreindre.

Ses pas réveillèrent la reine.

— Mon devoir de thérapeute exige la sincérité, Majesté.

— Je souhaite dormir et…

— Vous n'avez pas coutume de fuir la réalité.

La sévérité du ton intrigua la souveraine.

— Quelle réalité ?

— Ne tergiversons pas, Majesté ; votre sixième accouchement fut délicat et votre sixième fille aura une santé fragile. La conclusion est inévitable.

— À savoir ?

— Une nouvelle grossesse serait fatale. Ou vous utiliserez des produits contraceptifs, ou je renonce à vous soigner.

— Est-ce vraiment… indispensable ?

— Indispensable. Je vous redonnerai votre vigueur, mais vous ne survivrez pas à un nouvel enfantement.

La reine, mourir en donnant naissance, et nier ainsi la protection d'Aton… Ce serait affaiblir le pharaon.

— Tu restes mon médecin et je suivrai tes directives.

*
* *

Émue, Néfertiti contempla le bébé, le dernier enfant qu'elle aurait d'Akhénaton, ce mari fougueux et tant aimé ; à la famille royale se joignaient la fille de Kiya et le petit prince qu'avait mis au monde la sœur de la reine[1].

Au palais de jour comme à celui de nuit, les fillettes jouissaient d'un cadre idéal : vastes chambres, salle de jeux, salon de musique, jardin, piscine… Chats et chiens étaient leurs compagnons préférés. Vaillant Guerrier, lui, veillait sur la sécurité de sa maîtresse et la rassurait dans les moments difficiles.

Néfertiti attendrait que le roi quittât son oratoire où il vénérait le globe solaire, l'œil du monde, pour lui révéler le diagnostic du docteur Pentiou. Depuis qu'il avait exigé la disparition du nom d'Amon et vanté la toute-puissance d'Aton, dieu unique anéantissant les anciennes formes divines, le monarque s'était éloigné de son peuple.

---

1. Tout-ânkh-Aton, le futur Tout-ânkh-Amon. Il n'existe aucune preuve démontrant qu'il soit le fils d'Akhénaton et de Néfertiti ; hélas, cette hypothèse, infondée à notre sens, se répand « scientifiquement ». Concernant les parents de Tout-ânkh-Amon, nous sommes réduits à des conjectures.

Certes, Akhénaton parcourait toujours en char l'allée royale et goûtait les acclamations de sa capitale ; mais l'essentiel, dorénavant, était de préserver la pureté absolue. Aussi le monarque ne touchait-il plus le sol des mortels et ne se déplaçait-il que dans des espaces situés hors du monde profane, qu'il s'agisse du temple, des palais ou du pont dominant le centre de la ville. Avant le passage du souverain, on lavait, on balayait, on nettoyait, on parfumait[1] ; messager de l'astre divin, il ne supportait ni saleté ni poussière. Identifié au soleil, Akhénaton vivait de la pureté céleste, au-delà des turpitudes humaines.

Et faire respecter l'hygiène à l'intérieur de la cité n'était pas une mince affaire, notamment à cause de l'afflux d'Égyptiens et d'étrangers désireux de s'y installer ! Or, le décret royal ne serait pas modifié : impossible de dépasser les bornes implantées par le souverain et d'étendre la surface d'Akhet-Aton. Seule concession autorisée : l'extension du faubourg nord, formé de quelques belles demeures et d'îlots de maisons modestes, auxquelles s'ajoutaient des ateliers, des hangars de stockage et, à proximité, des petites tombes pourvues d'une chapelle où l'on adorait Aton. Du travail supplémentaire pour le chef de la police, Mahou, qui avait obtenu une augmentation de ses effectifs.

Alors que la reine sortait de la nurserie, Toutou, le ministre des Affaires étrangères, se précipita à sa rencontre.

— Majesté, un incident... Un horrible incident !

— Je t'écoute.

---

1. Des peintures murales représentent ces scènes de nettoyage.

Le quadragénaire aux cheveux noirs était la proie d'une vive contrariété.

— Une révolte… Une incroyable révolte !

— À Thèbes ?

— Non, en Nubie ! Il faut réagir vite, très vite !

— Que s'est-il produit ?

— Une horreur, Majesté, une abominable horreur ! Ces barbares de Nubiens ont attaqué les ouvriers de l'une de nos mines d'or et se sont emparés d'un stock de lingots. Ensuite, ils ont pillé des silos à grains ! Accepter de tels méfaits, ce serait favoriser une sédition de la région et perdre notre principale source de métal précieux.

— Nous ne les accepterons pas, promit Néfertiti ; un décret royal sera promulgué dès aujourd'hui.

Apaisé, Toutou regagna son ministère.

Néfertiti emprunta le pont suspendu et pénétra dans le petit temple d'Aton où le roi aimait tant s'isoler afin de recueillir les préceptes de son dieu. Ces périodes de méditation s'allongeaient, le monarque laissant à son épouse le soin de traiter la plupart des affaires de l'État.

Assis en scribe, paumes de main ouvertes en signe de vénération, Akhénaton fixait la grande stèle représentant le disque solaire qui sanctifiait de ses rayons la famille royale.

Même son épouse s'interdisait d'interrompre ce moment de communion, le socle du règne fondé sur la foi d'un pharaon entendant la voix de la lumière.

Ressentant sa présence, le monarque se releva et se retourna.

— Six filles, murmura-t-il, n'est-ce pas une magnifique famille ? Elles seront fidèles au message d'Aton et prolongeront notre œuvre.

— À condition que le temple ne soit pas privé de l'or provenant de Nubie.

— Encore un coup de force d'une tribu ! Qu'elle soit exterminée et ses chefs empalés. Mes vassaux comprendront qu'aucune révolte ne sera tolérée. Demain, toi et moi, en compagnie de nos enfants, nous nous présenterons à la fenêtre d'apparition du palais et confirmerons la souveraineté d'Aton.

67

La princesse Kiya était au comble de l'exaltation. Enfin, la nouvelle qu'elle espérait ! Certes, elle impliquait un considérable danger, mais la jeune femme se sentait assez forte pour l'affronter en savourant sa future fonction.

Grassement payé, le ministre Toutou avait joué le jeu en lui communiquant cette information confidentielle, ultime élément d'une stratégie qui placerait une Mitannienne au sommet de la hiérarchie.

Comme à son habitude, Kiya rudoya coiffeuse et maquilleuse afin d'être aussi séduisante et élégante que Néfertiti.

Néfertiti, à laquelle elle porterait un coup fatal à l'occasion de la cérémonie organisée au palais.

*
* *

Au grand complet, la cour avait acclamé la famille royale, illuminée par Aton à « la fenêtre d'apparition » ; pas de remise de colliers d'or, seulement un bref discours du pharaon, rappelant les principes qui

avaient présidé à la naissance de la capitale et annonçant qu'une tribu nubienne, coupable de crime et de
vol, avait été massacrée.

En dépit de la mauvaise nouvelle qu'elle venait
d'apprendre de la bouche de Toutou et qu'elle n'avait
pas encore transmise au roi, Néfertiti affichait sa sérénité habituelle ; et sa beauté intacte continuait à
enchanter les dignitaires en effaçant les difficultés du
quotidien.

Avant le banquet, des rafraîchissements furent
offerts aux convives dans les jardins du palais ; sourire
aux lèvres, Kiya aborda la reine.

— Puis-je vous parler en particulier, Majesté ?

L'allure triomphante de l'étrangère inquiéta la reine.

— Est-ce urgent ?

— Ça l'est.

À pas lents, les deux femmes longèrent la pièce
d'eau.

— Vous savez, Majesté, que l'Égypte court un grave
péril.

Néfertiti resta imperturbable.

— Qu'imagines-tu ?

— Mon pays, le Mitanni, menace de rompre son
alliance et de se joindre à une coalition désireuse
d'envahir les Deux Terres. Autrement dit, une guerre
à l'issue incertaine.

— Nos vassaux nous resteront fidèles.

— Je suis persuadée du contraire, et vous aussi !

— Notre armée écrasera l'ennemi.

— Il sera supérieur en nombre… et en férocité !
Rien ne garantit notre succès, et moi seule suis capable
de maintenir l'équilibre actuel.

La rage au cœur, Néfertiti ne pouvait balayer d'un revers de main les arguments de la princesse que cette situation inquiétante mettait en position de force.

— Qu'exiges-tu en échange ?

Un instant, ivre de bonheur, Kiya ferma les yeux. Terrassée, Néfertiti cédait !

— Le titre qui prouvera l'importance de ma position à la cour : « L'épouse très aimée du roi de Haute et de Basse-Égypte, vivant de Maât, Akhénaton, le fils parfait du disque solaire, Aton ». Ainsi, mon père comprendra que je suis devenue une personnalité de premier plan, et il ne compromettra pas l'existence de sa fille... et de sa petite-fille, héritière légitime du pharaon.

— Héritière légitime...

— L'ignoriez-vous, Majesté ? Mon rôle officiel d'épouse secondaire ne fut pas une convention diplomatique ! J'ai eu le bonheur de recevoir le roi dans ma couche, et mon enfant est né de sa semence. C'est pourquoi il sera désormais sur un pied d'égalité avec vos filles.

Un poignard perça le cœur de Néfertiti. Certes, le monarque était autorisé à engrosser cette étrangère ; mais comment s'était-il abaissé à trahir un amour que la reine croyait éternel ?

Pour la première fois, elle vacillait.

— Accédez-vous à mes requêtes, Majesté ?

La voix acidulée de Kiya accentuait la blessure.

— Je les soumettrai au roi. C'est lui qui décidera.

*
* *

— Excellente idée, jugea Akhénaton ; ce titre protocolaire d'« épouse très aimée » flattera le roi du Mitanni et l'empêchera de s'unir à nos adversaires potentiels. Sauvegarder cette alliance assurera la sécurité de l'Égypte.

— La présence permanente de la fille de Kiya au palais ne te dérange-t-elle pas ? interrogea Néfertiti.

— Au contraire ! C'est un hommage supplémentaire au roi du Mitanni ; nos bonnes relations en seront renforcées. Et je ne désespère pas de lui insuffler le message d'Aton ; bientôt, il dépassera nos frontières !

— Songeons d'abord à les faire respecter.

Le roi fut étonné.

— Te voilà bien sombre...

— Puisse la présence de ton épouse secondaire favoriser la paix.

— En douterais-tu ?

— L'Égypte est une proie attirante pour les prédateurs.

— Aucun ne vaincra notre armée !

— Je préconise une initiative d'envergure.

— Éclaire-moi !

— Convoquons ta mère, Tiyi, et nos vassaux ; elle les connaît, les rassurera sur nos intentions, et nous leur montrerons qu'Aton n'est pas un dieu guerrier. En nous offrant leurs tributs, ils manifesteront leur fidélité.

La réflexion du monarque fut brève.

— Grâce à toi, la douzième année de notre règne sera éclatante !

Il voulut la serrer dans ses bras, elle le repoussa d'un geste doux.

— L'activité incessante des palais m'épuise ; j'ai besoin de repos et de solitude. Je résiderai à l'écart de la ville, au sud, où j'accomplirai les rites en toute sérénité.

1. Ben-OUKAÏD, « Ombre de Soleil. Serment de ... jours » dédiée
(RA) « ... ». L'idée que cette ... bienfaisante finira ... ce
solaire.

68

« L'Ombre du Soleil[1] » : tel était le nom du nouveau domaine de Néfertiti, situé à plus de trois kilomètres du centre de la capitale, dans la partie méridionale de la plaine dédiée à Aton. Il se composait d'un petit temple et d'un merveilleux jardin dont le cœur était une pièce d'eau, entourée de colonnades. Les peintures du palais représentaient des champs épanouis, des étangs, des myriades d'oiseaux ; ce paradis s'opposait à l'aridité et à la violence du désert.

Ici, la reine avait repris des forces, à l'abri des chaleurs épuisantes ; satisfait de cette décision, le docteur Pentiou avait pu soigner son illustre patiente et lui redonner son énergie, sans dissiper une certaine tristesse qu'elle masquait à la perfection.

Vaillant Guerrier appréciait cet endroit paisible et frais ; quand sa maîtresse s'assoupissait, il se couchait à ses pieds, prêt à intervenir si un intrus osait troubler sa quiétude.

---

1. *Shout Râ*, « Ombre (éventail, écran) de la lumière divine (Râ) », avec l'idée que cette ombre bienfaisante filtre la puissance solaire.

Néfertiti tentait d'oublier le triomphe momentané de Kiya et le comportement d'Akhénaton ; les honneurs accordés à la Mitannienne avaient ravi son père dont le pays confirmait son indéfectible alliance avec l'Égypte, confortant ainsi la cohérence de la zone tampon entre les Deux Terres et d'éventuels prédateurs, tels les Hittites.

Malgré l'humiliation, la paix était préservée, mais pour combien de temps ? Par bonheur, Tiyi acceptait de séjourner à Akhet-Aton ! Néfertiti avait ordonné la construction d'un palais qui lui serait réservé ; dès son achèvement, la vieille souveraine embarquerait à destination de la capitale. Si elle obtenait son appui, la reine réaliserait son grand projet, et l'influence de Kiya serait minimisée.

— Votre visiteur, Majesté, annonça le Vieux, chargé de l'intendance de l'Ombre du Soleil.

À la tête de son troupeau d'ânes, Vent du Nord transportait quotidiennement denrées et objets indispensables au confort de Néfertiti. Bien nourri, disposant d'une confortable étable, il ne se plaignait pas de ce déménagement. En priorité, le Vieux avait aménagé une cave digne de celle du palais de jour ; et il sélectionnait les meilleurs crus pour sa protégée, estimant qu'une coupe de rouge frais et charpenté était une excellente médecine.

Toutou, le chef de la diplomatie, franchit d'un pas nerveux le seuil de la salle d'audience de la reine.

— Voici les derniers rapports de nos ambassadeurs et de nos espions, Majesté.

— Je les lirai. Ton avis ?

— Pas de menace imminente.

Attitude compassée, voix tremblante, gouttes de

sueur… Néfertiti constata que Toutou savait qu'elle avait décelé sa trahison au profit de Kiya et qu'il redoutait un châtiment sévère.

— J'ai une mission importante à te confier.

Le ministre se figea.

— Nous sommes trop statiques, affirma la reine, et trop dépendants d'échos lointains ; c'est pourquoi il est nécessaire d'évaluer la réalité sur le terrain. Tu te rendras en Syro-Palestine et en Mitanni afin d'y rencontrer nos alliés et d'y recueillir leurs témoignages et leurs doléances. Pendant ton absence, le général Maya dirigera le ministère des Affaires étrangères.

Heureux d'échapper au pire, Toutou s'inclina.

*
* *

Maya exultait. Un peu ivre, au terme d'une nuit de bombance agrémentée des câlineries d'une jeune délurée, il prenait la mesure de son succès. Devenu l'un des dignitaires majeurs du régime, riche et adulé, il remplacerait bientôt le Père divin Ay, qui commençait à subir les aléas de l'âge. Et sa complice, la princesse Kiya, promue au rang d'« épouse bien-aimée », voyait son étoile scintiller ! Une future reine d'Égypte, et lui, le conciliateur qui ramènerait la cour à Thèbes et se présenterait en sauveur après avoir piétiné ses bienfaiteurs… Un avenir exaltant !

Peut-être même un avenir de chef d'État si la princesse Kiya s'éprenait à nouveau de lui… À l'évidence, Maya serait l'homme de la situation, liquidateur d'une expérience malheureuse et rénovateur du Double Pays.

Chef de la salle d'audience du pharaon, il contrôlait

à présent le ministère des Affaires étrangères où s'était implanté Irji, son complice de toujours ; ensemble, ils détournaient un maximum de biens en toute impunité et, dorénavant, seraient informés aussi vite que le roi et son épouse.

À la tête de l'armée, Maya ne craindrait aucun adversaire, à condition d'éliminer cet enragé de Mahou qui s'entêterait à servir Akhénaton. Ce barrage détruit, le général aux gros sourcils étancherait sa soif de pouvoir.

Égaré dans ses rêves, il sentit une main lui toucher l'épaule.

— Préparez-vous, seigneur, recommanda son intendant ; le char royal ne tardera pas à parcourir la grande allée.

La tête embrumée, Maya se hâta ; son intendant lui choisit une robe de cérémonie et son coiffeur, après l'avoir rasé et parfumé, une perruque de première qualité.

La matinée était radieuse, les habitants de la capitale se pressaient le long de la voie royale pour admirer le char, tiré par deux superbes chevaux couronnés d'un panache de plumes bariolées.

La surprise fut totale.

Akhénaton s'avança, tenant les rênes, mais il était seul ! Devant lui, des soldats.

Apparut le char de Néfertiti, coiffée de sa tiare bleue caractéristique ; le conduisant elle-même, s'adaptant à la faible allure du monarque, la reine était à la fois grave et rayonnante. N'écartait-elle pas la nuit et la mort afin de faire réapparaître Aton ?

Des cris de joie éclatèrent, et la liesse habituelle s'empara de la foule.

69

De l'avis général, les fêtes étaient bien trop rares à Amarna ; certes, on continuait à célébrer le nouvel an, mais ensuite, on se contentait de maigres journées consacrées à la naissance d'Aton et à son rayonnement. À Thèbes, en revanche, les occasions de se réjouir et de profiter de jours chômés étaient nombreuses ! Beaucoup regrettaient les bienfaits des divinités, à présent occultées au bénéfice de ce soleil unique et implacable.

À l'annonce de la visite de la reine mère Tiyi, donc d'une fête en son honneur, les élégantes de la capitale recherchèrent les plus belles parures, des colliers de perles de faïence aux boucles d'oreilles multicolores, sans omettre des bracelets et de fines sandales. Quant aux robes de lin plissé, elles seraient ajustées à la perfection.

La vieille souveraine n'avait perdu ni son charme ni son autorité naturelle. Son visage allongé et ses lèvres fines exprimaient parfois une profonde fatigue qu'elle parvenait encore à surmonter ; la splendeur de ses cheveux et son allure de reine compensaient les handicaps de l'âge et, en l'observant, les dignitaires comprirent pourquoi Thèbes et les prêtres d'Amon étaient incapables de se révolter. La Grande Épouse du défunt Amenhotep III gouvernait la cité déchue d'une poigne ferme, comme si rien n'avait changé.

Accompagnée de son intendant[1], qui lui épargnait les efforts et satisfaisait le moindre de ses désirs, la vieille dame fut accueillie au débarcadère par le couple royal.

— Mère, s'exclama Akhénaton, quel bonheur de vous recevoir ici !

— Néfertiti a su me séduire, mais je ne m'éloignerai pas longtemps de Thèbes ; vous n'y avez pas que des amis. Néanmoins, chacun doit se soumettre au pharaon et appliquer ses directives. Sinon, ce pays périra.

La fermeté du ton réconforta Néfertiti ; la reine mère, l'exemple à suivre, lui donnait une leçon de courage et de dignité. Qu'importaient les humiliations, les atteintes à la vanité, les blessures de sa petite individualité, face à la grandeur d'un royaume !

— Ce voyage m'a épuisée, confia Tiyi ; j'aimerais me reposer.

— Un palais[2] a été construit à votre intention, révéla Néfertiti.

— Prends mon bras, mère, recommanda Akhénaton ; je t'y conduis en personne.

*
* *

_____

1. Houya, qui reçut les colliers d'or et fit représenter les temps forts de ce séjour sur les murs de sa tombe d'Amarna (n° 1).
2. Son emplacement n'a pas été identifié de manière formelle.

Un pylône, une cour à ciel ouvert au centre de laquelle trônait un autel couvert d'offrandes à Aton, des statues du couple royal, une salle de réception à colonnes, de vastes appartements décorés de peintures aux teintes chaudes évoquant la nature épanouie grâce aux rayons du soleil, un jardin ombragé... La reine mère goûta le cadre qui lui était réservé.

Une cohorte de serviteurs zélés fut mise à la disposition de son intendant ; le docteur Pentiou s'empressa d'examiner cette auguste patiente et de lui prescrire des cachets afin de faciliter la circulation de l'énergie en drainant son organisme. Quoique faible, la voix du cœur était encore audible.

— Six filles, murmura Tiyi ; la santé de Néfertiti a-t-elle résisté aux accouchements ?

— Soyez tranquille, Majesté ; cependant...

— Elle n'aura pas de fils ?

— En effet.

— Quelle importance ? J'ai entendu dire beaucoup de bien de son aînée, farouche, déterminée, intelligente comme sa mère. Pourquoi ne régnerait-elle pas ?

La vieille dame absorba une potion revigorante.

— Et mon fils ?

— Il se porte à merveille.

— Veille sur lui et sa famille, Pentiou ; leur tâche est parfois inhumaine.

*
* *

À un interminable banquet officiel que le Père divin Ay présiderait, Tiyi avait préféré un dîner en compagnie d'Akhénaton, de Néfertiti et de ses petits-enfants,

389

au nombre desquels figurait la fille de Kiya, conformément aux exigences de l'épouse secondaire.

Le menu était copieux, et la reine mangea d'un bel appétit, se régalant de succulentes brochettes de canard rôti, arrosées d'un rouge admirable datant de l'an neuf d'Amenhotep III, pieusement préservé par le Vieux.

Quand les enfants furent rassasiés et commencèrent à s'énerver, les préceptrices les emmenèrent dans leurs chambres ; à la mine sombre de l'aînée, Tiyi sentit que l'adolescente aurait préféré entendre les propos sérieux qui concluraient le repas. Pour elle, l'heure des secrets d'État viendrait assez tôt.

Couché aux pieds de Néfertiti, après avoir dégusté une tendre côte de bœuf, Vaillant Guerrier ne les divulguerait pas.

— Ma présence serait-elle liée à des difficultés de politique étrangère ? avança Tiyi.

— C'est exact, reconnut Néfertiti.

— Serions-nous en danger ?

— Certains alliés vacillent.

— Le Mitanni, je suppose… Et ces maudits Hittites ne rêvent que de conquête ! Quelles mesures envisagez-vous ?

— Réunir nos vassaux à Akhet-Aton. Ils nous présenteront leurs tributs, nous leur garantirons notre appui en cas de troubles, et notre démonstration de force les rassurera. Seules la fidélité et la cohérence de nos protectorats empêcheront une tentative d'invasion.

Akhénaton acquiesça.

— Excellent projet, approuva Tiyi, mais plus difficile à concrétiser qu'il n'y paraît ; et vous souhaiteriez que je le cautionne en écrivant aux roitelets, prétentieux et susceptibles, de se déplacer afin de vous rendre hommage.

— Tous vous respectent et vous admirent, précisa Néfertiti ; le poids de votre parole les convaincra.

— Espérons-le… Quoi qu'il en soit, il est indispensable d'essayer ! Ressers-moi une coupe de ce vin merveilleux, qu'il nous transmette sa vigueur.

70

Rouquin poussa un cri de joie, ramassa un silex et le lança au loin. Enfin, les renseignements patiemment récoltés, si difficiles à obtenir ! Grâce aux membres de sa tribu infiltrés au sein de la capitale, il savait comment étancher sa soif de vengeance. Akhénaton et Néfertiti précipitaient l'Égypte dans l'abîme ; en les supprimant, il mettrait fin à une tyrannie.

L'entreprise était risquée, Rouquin ne survivrait peut-être pas à son exploit ; cette éventualité ne le décourageait pas, au contraire. S'il fallait se sacrifier afin d'écraser des nuisibles, ce serait une belle fin.

Les proches de Rouquin tentèrent de le dissuader, sans grand espoir ; l'ampleur de sa haine était telle qu'elle l'aveuglait. Repoussant les conseils de prudence, il se gava de lait de chèvre, de galettes chaudes et de baies ; puis, accompagné de deux guerriers habitués à traverser le désert, il se dirigea vers la cité du soleil.

*
* *

Tiyi et Néfertiti avaient rédigé ensemble les lettres officielles destinées aux vassaux du pharaon, incluant des souverains comme le Babylonien ou l'Assyrien qui s'estimaient pourtant ses égaux ; rompue aux subtilités diplomatiques, la reine mère avait utilisé des termes adéquats, certaine qu'ils enverraient un ambassadeur qu'éblouirait la richesse de la capitale. À cette découverte s'ajouteraient l'autorité d'Akhénaton et la fermeté souriante de Néfertiti, des armes de dissuasion aussi efficaces qu'une armée !

Consultant des cartes détaillées, étudiant des rapports confidentiels, recoupant de multiples données, les deux femmes déterminèrent les zones d'influence de l'Égypte et cernèrent le principal péril : la volonté de puissance des Hittites et leurs capacités militaires. Les persuader de renoncer à une aventure désastreuse était *la* priorité ; si la cérémonie des tributs était un succès, leur isolement les enfermerait à l'intérieur de leurs frontières.

Néfertiti posa la question qui lui brûlait les lèvres :

— Majesté, acceptez-vous de demeurer parmi nous ?

— Ce serait une grave erreur ; ma place est à Thèbes. La cité d'Amon n'est abattue qu'en apparence, le moindre relâchement libérerait des forces redoutables.

Pour Néfertiti, le départ de la reine mère fut une rude épreuve, tant les heures passées auprès d'elle avaient été exaltantes et riches d'enseignement ; mais la vieille dame avait raison, sa présence à Thèbes était indispensable.

*
* *

Le dispositif de sécurité mis en place par Mahou, le chef de la police, ne souffrait que d'une seule faille. La découvrir avait nécessité beaucoup de temps et de petites complicités, acquises pas à pas, sans provoquer l'attention.

Et le grand jour arrivait.

Rouquin et ses acolytes sortirent du désert en évitant deux postes de garde, dont ils connaissaient l'emplacement, et pénétrèrent dans le faubourg nord où venaient d'être bâties de petites maisons d'ouvriers, encore peu surveillées. Un fabricant de briques les accueillit. Âgé d'une cinquantaine d'années, le menton en galoche, il servait d'agent de liaison et se réjouissait à l'idée de gagner une petite fortune lorsque le complot aurait réussi.

Quand Rouquin lui donna un sachet contenant des pierres semi-précieuses recueillies au cœur du désert, le gaillard en bava.

— Simple acompte. Tu nous guides ?

— Non, c'est un garçon d'écurie qui vous conduira au bon endroit.

Ils rencontrèrent le bonhomme à l'entrée du faubourg ; silencieux, il marcha à bonne allure en direction du palais de nuit.

La faille, la seule faille… Avant d'apparaître sur leurs chars, le roi et la reine s'isolaient quelques instants dans un petit oratoire où ils vénéraient une stèle représentant le disque solaire aux rayons pourvoyeurs de vie. Il suffisait d'éliminer Ranef, le préposé au char d'Akhénaton, et un garde en faction devant la porte de l'oratoire. Les acolytes de Rouquin s'en chargeraient et disparaîtraient ; lui poignarderait le tyran et son épouse.

Le briquetier au menton en galoche n'avait pas résisté à la tentation : boire une bière à la taverne des artisans, et même plusieurs.

— Tu me paies avec quoi ? demanda le patron.

— Avec ça… et ne le dis à personne ! Et ça me promet une jarre entière, non ?

La petite pierre rouge sang la valait bien, en effet ; comment le bonhomme se l'était-il procurée ? Pendant qu'il se soûlait, le patron, indicateur de la police, ordonna à un employé de prévenir Mahou.

En tournée d'inspection à proximité, ce dernier ne fut pas long à intervenir et s'assit en face du briquetier.

Saisi d'effroi, le suspect laissa tomber son précieux sachet.

— Qu'est-ce que je vois là ?

— Ce n'est pas à moi !

— Tu vas t'expliquer, mon bonhomme, et tout de suite !

*
* *

L'opération se déroulait sans anicroche. Ranef et le garde assommés, Rouquin avait le champ libre.

Franchissant le seuil de l'oratoire, il respira profondément et serra le manche du poignard qu'il avait dérobé avant de fuir la capitale et de subir l'épreuve du désert.

Assassiner un pharaon, c'était se condamner aux ténèbres éternelles ; mais cette crainte ne bloquerait pas son bras, tant la haine l'enfiévrait. Agir le délivrerait du feu qui le détruisait et les Deux Terres reviendraient à la normale.

Rouquin les aperçut.

En vénération, Akhénaton et Néfertiti lui tournaient le dos et se croyaient en sécurité.

Il planterait la lame dans le dos du roi, l'arracherait, égorgerait la reine, puis son mari. Le sang de ce couple maudit effacerait des années de despotisme ! Sa longue patience était récompensée, et le criminel goûta cet instant privilégié.

Désarmés, à sa portée, inconscients du danger, les deux êtres les plus puissants du royaume qui dominait le monde… Non, Rouquin ne rêvait pas, il allait modifier le destin de l'humanité en ouvrant une ère nouvelle !

Sa mâchoire se crispa, il se mordit les lèvres ; la magie de Pharaon ne l'envoûtait-elle pas, au point de le tétaniser et de l'enfermer dans ses pensées ? Soudain, son arme devenait lourde, son bras faible ; surmontant ce début de torpeur, Rouquin s'élança.

Surgissant de sa gauche, au prix d'un bond fabuleux, Vaillant Guerrier lui sauta à la gorge et le renversa. Les crocs du chien déchirèrent la chair de l'assassin, mais il lui resta assez de force pour transpercer le ventre de l'animal.

*
* *

Le briquetier avait parlé d'abondance, et Mahou, suivi d'une cohorte de policiers, s'était précipité au palais.

Rouquin agonisait, Néfertiti tentait de réconforter son protecteur, grièvement blessé ; le roi semblait pétrifié.

— Le vétérinaire, vite ! exigea la reine.

— Tous les conjurés sont identifiés et arrêtés, affirma Mahou ; j'aurais dû démanteler ce complot. Majesté, j'implore votre pardon !

Akhénaton parut reprendre conscience.

— Amène les criminels au vizir[1], qu'ils soient jugés selon la loi de Maât dont je suis le serviteur. À l'avenir, sois encore plus vigilant.

Enfin, on porta secours à Vaillant Guerrier, rivé au regard de sa maîtresse rongée par l'inquiétude ; le sauveur survivrait-il ?

— Aton nous a protégés, déclara le roi ; rendons-nous à son temple pour célébrer sa toute-puissance.

---

1. L'une des scènes de la tombe de Mahou (n° 9) montre des prisonniers menottés conduits devant le haut magistrat.

71

Ce huitième jour du deuxième mois de la deuxième saison de l'an douze[1] du règne d'Akhénaton serait à jamais gravé dans les annales. La correspondance diplomatique ayant abouti à un franc succès, les vassaux de l'Égypte se préparaient à se présenter devant le couple royal, au cours d'une grandiose cérémonie.

La ville entière était en fête, bière et vin couleraient à flots ; déjà, des chants joyeux résonnaient, et chacun se réjouissait de cet acte d'allégeance des pays étrangers qui signifiait une paix durable.

Avant de revêtir ses habits d'apparat, le roi prit tendrement les mains de son épouse.

— Ce triomphe, les Deux Terres te le doivent.

— L'intervention de ta mère a été déterminante.

— Elle t'a transmis sa lucidité et son expérience, et notre peuple te vénère, à juste titre. Aujourd'hui, le monde entier reconnaîtra ta grandeur ; grâce à toi, le spectre de la guerre s'écarte.

Le baiser du monarque était toujours aussi fougueux

---

1. Début janvier.

et son étreinte passionnée ; mais le protocole n'accordait pas de latitude aux amants.

Remis sur pattes à la suite de soins attentifs, Vaillant Guerrier tira le bas de la robe de sa maîtresse afin de la rappeler à ses devoirs. Le cou orné d'un superbe collier de cuir, le chien, lui, était prêt à remplir sa fonction.

*
* *

La princesse Kiya enrageait. En dépit des honneurs et de son titre pompeux, elle était reléguée au second rang ! Certes, sa fillette bénéficiait d'une excellente éducation, aux côtés des enfants du couple royal, mais où la mènerait-elle ? À une existence luxueuse et ennuyeuse, semblable à celle de sa mère !

Néfertiti avait réussi un coup remarquable. Une multitude de pays se prosternerait à ses pieds, le Mitanni compris, rendant dérisoire le rôle de Kiya ; à l'exemple de la vieille Tiyi, si influente, la reine maniait les rênes de la politique étrangère et maintenait l'Égypte au sommet.

Au lieu de s'effondrer et de s'éloigner définitivement de son mari, Néfertiti, tout en habitant l'Ombre du Soleil, ne laissait filtrer aucune dissension.

Se débarrasser de cette sorcière… L'unique solution ! Comment y parvenir sans susciter la moindre suspicion ? Néfertiti éliminée, le pharaon élèverait au rang suprême son épouse secondaire, et ce moment-là effacerait humiliations et rancœurs.

*
* *

Des exclamations saluèrent l'apparition du couple royal, installé sur une chaise à porteurs encadrée d'un nombre impressionnant de soldats. Soucieux, Mahou avait déployé des centaines de policiers, en appui des militaires, afin d'assurer la sécurité du roi et de la reine. Tout comportement suspect serait immédiatement sanctionné, quitte à interpeller des innocents et des ivrognes qui seraient relâchés à l'issue de cette journée à hauts risques.

La chaise à porteurs se dirigea vers l'est de la capitale ; au centre d'une aire avait été édifié un kiosque à colonnettes auquel on accédait par deux rampes. Quand les souverains s'assirent sur leurs trônes, les dignitaires et les délégués des pays étrangers les acclamèrent.

Les six filles se disposèrent derrière leurs parents, et l'aînée tenta d'instaurer une relative discipline, car ses sœurs avaient envie de bavarder et s'amusaient à la vue des habits bariolés et insolites des diplomates en provenance du sud, du nord, de l'ouest et de l'est.

Le Père divin Ay imposa le silence.

— Le pharaon Akhénaton et la Grande Épouse royale Néfertiti apparaissent en gloire sur le siège de leur père, Aton ; sollicitez la paix auprès d'eux et recevez le souffle de vie.

Les ambassadeurs asiatiques offrirent des chars en pièces détachées, des armes, des vases, un lion et un cheval ; les Libyens, des œufs et des plumes d'autruche ; les Égéens, de la vaisselle précieuse ; les Nubiens, des lingots d'or, de l'ivoire, des léopards, des panthères et des antilopes, déclenchant l'enthousiasme de la foule, ravie d'un tel spectacle, qui s'acheva au coucher du soleil. Partout on commençait à danser, à chanter et à boire ; pas un accroc ne s'était produit, et l'on se félicitait de voir ainsi proclamée la prééminence de Pharaon et de l'Égypte.

*

* *

À la fin du plantureux banquet, l'ambassadeur d'Assyrie suait à grosses gouttes ; le soleil, la fatigue, un excès de nourriture et de boisson étaient les causes d'un malaise qui l'empêchait de converser avec ses voisins. Il tint néanmoins son rang jusqu'au départ d'Akhénaton et de Néfertiti, les triomphateurs de cette journée exceptionnelle au cours de laquelle l'armée égyptienne, sous le commandement d'Ay et de Maya, n'avait pas manqué de parader. Et sa démonstration de force avait dissuadé les éventuels fauteurs de troubles d'entreprendre des aventures vouées à l'échec.

La migraine lui battant les tempes, l'Assyrien accepta une dernière coupe de blanc liquoreux, mais ses doigts mollirent, et il s'évanouit.

Le docteur Pentiou ordonna à deux serviteurs de le transporter dans l'une des chambres d'hôte du palais et d'alerter ses assistants qui apporteraient les remèdes nécessaires.

Pendant les festivités de cette ampleur, ce genre d'incident n'était pas rare, et des potions adouciraient l'estomac en désengorgeant le foie. Pourtant, lorsqu'il prit le pouls afin d'écouter la voix du cœur et de percevoir la circulation de l'énergie à travers les canaux du corps, Pentiou fut désagréablement surpris.

Ce malade-là ne souffrait pas de simples abus alimentaires, et sa forte fièvre traduisait une autre pathologie. Aussi le médecin procéda-t-il à une série d'examens, avec l'espoir d'identifier la cause de cet état inquiétant.

Ses recherches ne furent pas couronnées de succès et, malgré la relecture des papyrus médicaux du temps des pyramides, rédigés par ses illustres prédécesseurs, il ne décela aucune piste sérieuse.

Un terrifiant diagnostic lui traversa l'esprit : « Une maladie que je ne connais pas et que je ne saurai pas guérir. »

72

Cette fois, le triomphe d'Akhénaton et de Néfertiti était éclatant ; leur renom ne tarderait pas à dépasser celui du précédent couple royal, et les rayons d'Aton illumineraient le monde. Le roi ne venait-il pas de prouver que son dieu le protégeait et terrassait les ténèbres ?

La cité du soleil était belle, riche et heureuse ; tous se réjouissaient d'y vivre.

Tous, sauf la princesse Kiya.

Au cœur de son jardin, à l'abri des oreilles indiscrètes, elle laissa jaillir sa colère face à Maya.

— Cette situation ne peut plus durer ! Moi, l'épouse d'Akhénaton, je n'ai pas le droit de célébrer le culte et suis exclue du Conseil des ministres ! Néfertiti m'empêche d'assumer mes fonctions officielles et d'occuper le rang qui me revient. Cette femme est pire qu'un démon du désert ! Et les pays étrangers se prosternent à ses pieds en vantant ses qualités... C'en est trop !

Kiya vida une coupe de vin fort ; Maya la jugea proche de l'hystérie. La haine déformait les traits de la

Mitannienne, son débit était saccadé ; quand elle le fixa, le dignitaire aux gros sourcils eut presque peur.

— Il faut la supprimer, décréta-t-elle, et tu seras mon bras armé.

— La reine ne sera pas facile à atteindre et…

— C'est un ordre, Maya, et tu l'exécuteras ! Toi, l'un des personnages majeurs du royaume, trouveras la solution. Ensuite, c'est moi qui gouvernerai réellement les Deux Terres, et je ne serai pas ingrate.

— Nous devrons échapper aux soupçons de Mahou.

Kiya se calma, un sourire sarcastique aux lèvres.

— Je ne doute pas de tes compétences ; et ce petit policier ne nous gênera pas longtemps ! Au travail, Maya.

*
* *

Akhénaton jeta au loin la lettre du roi de Babylone.

— Quelle impudence ! s'exclama-t-il ; ce misérable ose nous réclamer davantage d'or en me rappelant les quantités que lui envoyait mon père ! Ce médiocre vassal aurait-il perdu la tête ?

— Je lui répondrai, assura Néfertiti, et je l'apaiserai.

— Apaiseras-tu aussi le roi d'Assyrie qui nous reproche d'avoir condamné son ambassadeur à mourir d'insolation ? Il accuse Aton d'avoir tué son émissaire !

— Ses mots ne sont pas si sévères, objecta la reine.

— Si, ils le sont ! C'est une insulte à notre foi et à la générosité de notre dieu ! Cet Assyrien avait le bonheur d'être inondé de notre soleil, et son cœur était trop sombre pour le supporter ; voilà la seule vérité.

— Ne nous brouillons pas avec ce pays-là, recommanda Néfertiti ; il redoute les Hittites et veut demeurer notre allié.

Akhénaton s'affala dans un fauteuil.

— Comme le pouvoir est usant et tortueux ! J'aimerais me promener le long du fleuve en t'enlaçant, tels deux amoureux ne se souciant que d'eux-mêmes…

— Et ta fonction te l'interdit.

Le roi leva les yeux au ciel.

— Aton… Il est l'être suprême, au-delà de nos médiocres existences ! Lui seul voit la réalité, lui seul la recrée chaque matin. Sans lui, cette terre ne serait qu'obscurité et malheur ; il a provoqué notre rencontre, bâti notre capitale, nous a donné six enfants et façonné un royaume nouveau que nous léguerons à nos filles ! Confortons sa splendeur.

*
* *

La mère était en larmes.

— Deux mois… Mon bébé n'avait que deux mois ! Pourquoi ne l'as-tu pas sauvé ?

Le médecin du quartier des artisans était effondré ; malgré sa science, il n'avait pas vaincu cette fièvre mortelle dont l'origine restait inconnue. La malheureuse lui frappa la poitrine de ses pauvres poings, il ne la repoussa pas, ne songeant qu'à soulager une infime partie de sa douleur. Praticien chevronné, apprécié de ses patients, il se sentait désarmé.

407

— Ton garçon sera enterré dignement, promit-il.

— Aton ne le ressuscitera pas !

— Tiens ta langue ; sinon, tu auras des ennuis.

— Je m'en moque !

Le médecin battit en retraite ; il avait hâte de présenter son rapport à son supérieur, le docteur Pentiou. Ses consultations au palais terminées, ce dernier avait regagné sa somptueuse villa, toute proche, et s'accordait un moment de détente auprès d'un bassin aux lotus. Le soleil déclinait, le vent du nord rafraîchissait l'atmosphère, les maîtresses de maison préparaient le dîner, les travailleurs s'apprêtaient à goûter un repos mérité.

Pentiou n'avait pas encore bu une première gorgée de bière lorsque son confrère, visiblement ému, l'interpella.

— M'autorisez-vous à vous importuner ?

— C'est déjà fait. Une urgence ?

— Le décès d'un bébé souffrant d'une fièvre pernicieuse que je n'ai pas enrayée… Le cinquième ce mois-ci, dans le quartier des artisans ! Et d'autres enfants se plaignent de difficultés respiratoires.

— Je sais, avoua Pentiou ; la capitale entière est touchée.

— S'agirait-il… d'une épidémie ?

— J'en ai peur. Cette maladie inconnue nous a été transmise par un diplomate assyrien que j'ai maintenu en vie grâce au magnétisme, sans parvenir à le guérir. L'infection se répand surtout parmi les plus jeunes ; à nous d'accroître les mesures d'hygiène avant de découvrir un remède. L'Assyrien est mort, et la version officielle – une insolation – était un pieux mensonge ; les petites victimes ont été inhumées dans le désert, leur nombre commence à inquiéter la population, et nous ne pourrons pas occulter bien longtemps la vérité. Un impératif : affirmer que nous détenons les médicaments nécessaires.

— Mais… nous ne les avons pas !

— Aton nous éclaire, mon cher collègue, et son rayonnement ne nous infligera pas un effroyable malheur. Et nous, les thérapeutes, rassurerons les habitants de la cité du soleil.

73

Quand son bateau accosta le quai d'Akhet-Aton, Toutou cracha l'oignon qu'il mastiquait. De tempérament casanier, il avait détesté son interminable voyage à travers les protectorats égyptiens, jusqu'aux limites de l'empire du pharaon. Et ce qu'il avait appris n'avait rien de réjouissant.

— Bienvenue, lui dit de sa voix sombre le scribe Irji, colosse au crâne rasé. Je t'emmène chez ton patron.

— Je souhaitais me rendre d'abord au palais.

Le regard d'Irji se durcit.

— J'insiste : ton patron t'attend. Ne le déçois pas.

*
* *

Maya expérimentait un nouveau système importé de Syro-Palestine pour apprécier un vin : une paille coudée, plongée dans la jarre, facilitait l'absorption du liquide. Au fil de petites aspirations, la saveur du nectar se dégageait.

Sa méditation était morose ; les injonctions de la princesse Kiya lui déplaisaient et dépassaient le raisonnable. Assassiner Néfertiti… Le projet d'une femme jalouse, au bord de la folie !

L'arrivée d'Irji et de Toutou interrompit le cours de ses pensées ; Maya invita le diplomate à s'asseoir.

— Périple instructif, mon ami ?

— Oui, oui…

— Tu ne sembles guère heureux de rentrer au bercail.

— Oh si ! général, oh si ! Les pays étrangers n'ont pas le charme des Deux Terres.

— Trêve de niaiseries, Toutou : qu'as-tu constaté ?

— Des faits d'une extrême gravité qui relèvent du secret d'État, et…

— Je les communiquerai à Sa Majesté.

— Ne devrait-elle pas être informée en premier ?

Maya adopta une voix douce.

— Mon ami, mon très cher ami, oublies-tu qu'elle m'a confié la fonction de ministre des Affaires étrangères pendant ton absence ? Maintenant, nous allons travailler ensemble, séparer l'essentiel du secondaire et rédiger un rapport concis qui permettra au roi et à la reine d'avoir rapidement une vue globale de la situation.

Satisfait, Toutou hocha la tête.

— La situation est grave ; nous n'avons pas pris la mesure du danger hittite, et la cérémonie des tributs, malgré son retentissement, ne fut qu'un mirage. Peu à peu, principauté par principauté, territoire par territoire, les Hittites s'infiltrent. À mon avis, ils songent à une invasion, et le conflit paraît inévitable.

— Ce n'est que ton avis, jugea Maya, et tu es d'un naturel pessimiste ; notre grand allié, le Mitanni, ne sera-t-il pas un rempart infranchissable ?

— Il ne tardera pas à s'écrouler ! En cas d'agression, son roi ne croit pas à l'intervention d'Akhénaton, trop occupé à vénérer son dieu.

— Pourtant, sa fille est l'épouse secondaire du pharaon !

— Ce titre honorifique ne procurera pas une armée à son père, estima Toutou.

Ainsi, pensa Maya, *l'influence de cette étrangère se réduira bientôt à néant, et se débarrasser d'elle présenterait des avantages.*

Sentant que son interlocuteur percevait ses intentions, le général aux épais sourcils le mit en garde :

— Nos entretiens resteront secrets, exigea-t-il, et notre rapport, sans dissimuler certaines inquiétudes, sera pondéré. Nous dicterons la version définitive à Irji, un scribe dévoué qui ne supporte pas les bavards ; nous sommes bien d'accord, mon ami ?

La gorge serrée, Toutou acquiesça.

*
* *

Néfertiti lut le texte signé de Toutou et de Maya ; Akhénaton écouta avec une extrême attention.

— Sous le langage diplomatique se cache une inquiétante réalité, conclut la reine : le Mitanni est prêt à nous trahir.

— Possible… et même probable !

— Renversons cette tendance et assurons-le de

notre indéfectible soutien en envoyant des troupes qui montreront notre fermeté face aux Hittites.

— J'ai une meilleure idée, avança le roi : que ces hypocrites se déchirent entre eux ! Une guerre opposant les Hittites aux Mitanniens ? Parfait ! Les uns et les autres seront exsangues, et notre puissance demeurera intacte.

— Stratégie risquée, jugea Néfertiti ; si le Mitanni est anéanti, les Hittites auront la voie libre, et nos protectorats de Syro-Palestine ne leur résisteront pas.

— Aton nous protège et empêchera un tel cataclysme ; cette politique-là est la seule viable.

Des pleurs et des cris intriguèrent les souverains ; le roi autorisa sa garde à laisser entrer dans son bureau une nourrice en larmes.

— Elle est malade... La petite a la fièvre ! Et le docteur Pentiou est introuvable !

Plantureuse et joviale, la nourrice éduquait la deuxième fille[1] du couple royal et n'avait pas l'habitude de s'affoler. Dédaignant les dédales des rapports internationaux, Néfertiti courut à la chambre de son enfant et ordonna à son intendant de prévenir le thérapeute.

Trempée de sueur, la fillette grelottait ; une servante l'avait changée plusieurs fois, et tentait en vain de l'hydrater avec du lait additionné de miel. La reine essaya de rassurer la malade, qui éprouvait des difficultés à s'exprimer et peinait à reconnaître sa mère. La peau se teintait d'étranges marbrures, les lèvres se craquelaient.

---

1. Makétaton.

Enfin, le docteur Pentiou apparut, la mine sombre.

— Mais où étais-tu donc ? interrogea la souveraine, folle d'inquiétude. Ma fille va mal, très mal ! Guéris-la au plus vite !

— J'en suis incapable, Majesté ; et l'épidémie qui nous assaille touche beaucoup d'enfants.

74

Silencieux, les porteurs du mobilier funéraire abordèrent la gorge désertique menant au tombeau prévu pour la famille royale. C'était dans l'une de ses salles que reposerait la deuxième fille d'Akhénaton et de Néfertiti, écrasés de chagrin.

Auprès de la fillette seraient déposées des statuettes à l'effigie du roi et de la reine, ornées de brèves prières à Aton, seule divinité admise à l'intérieur du sépulcre.

Comme le redoutait le docteur Pentiou, l'épidémie de fièvre infectieuse, importée d'Assyrie, avait traversé les portes du palais. Des gens modestes au sommet de l'État, personne ne serait épargné, et les mesures d'hygiène ne suffisaient plus à enrayer la progression de la maladie.

Effondré, le fidèle Parénéfer avait organisé les funérailles, une cérémonie réduite et simplifiée au regard des traditions ; ils avaient cependant convoqué des pleureuses, un collège de prêtresses qui, par leurs chants funèbres, faciliteraient le voyage de l'âme vers le soleil.

Main dans la main, Akhénaton et Néfertiti franchirent le seuil de la demeure d'éternité, refusant encore de subir l'inéluctable. Et lorsqu'ils contemplèrent la statue de leur enfant, œuvre du sculpteur Bek, ils éclatèrent en sanglots[1]. Ce corps de pierre… Voilà tout ce qui subsistait d'une fillette pleine de vie dont les rires cristallins égayaient le palais.

*
* *

— Non, protesta la reine, non… Ce n'est pas vrai !

— Comme beaucoup de bébés et de jeunes de cette ville, déclara le docteur Pentiou, deux de vos filles sont atteintes ; et un premier adulte vient de s'éteindre. Il faut interdire l'accès de la capitale jusqu'à l'extinction de l'épidémie.

— Mes enfants… Les sauveras-tu ?

— Je n'ai pas le droit de vous mentir.

Néfertiti ferma les yeux.

— Notre dieu nous abandonne-t-il ?

— Je retourne auprès des malades.

Le roi s'enfermait dans son oratoire ; en priant Aton, une question l'obsédait : pourquoi lui infligeait-il une telle épreuve ? Lui, le dispensateur de la vie, le soleil qui provoquait toute naissance, pourquoi frappait-il aussi durement son premier cercle d'adorateurs, la famille royale ?

Et la réponse s'imposa : faire davantage d'offrandes, augmenter le nombre des autels au sein du grand temple et à proximité, les couvrir de quartiers de viande, de

---

1. Pour la première fois dans l'iconographie égyptienne, on voit un couple royal manifester ses émotions lors d'un deuil.

légumes, de fruits, de jarres de vin, de bière et d'eau, de parfums.

La capitale étant en deuil, les chars royaux restaient à l'écurie, et la parade du matin avait été interrompue *sine die*. Quantité de familles déploraient la perte d'un bambin ou d'un adolescent, enterrés à la hâte dans une zone désertique[1] ; la joie avait quitté la cité du soleil, et le Père divin Ay, assisté des ministres, assurait les tâches quotidiennes. Les livraisons de denrées et de produits indispensables se poursuivaient, mais les bateaux repartaient immédiatement, et la ville n'accueillait pas de nouvel habitant.

*
* *

Le général Maya se réjouissait de la situation. La destruction de la famille royale survenait de façon inattendue, indiquant clairement l'avenir : la suprématie de Thèbes et du culte d'Amon, qui effacerait l'époque désastreuse d'Akhénaton. Le roi ne gouvernait plus, la reine était profondément affectée, leur autorité s'affaiblissait de jour en jour.

Maya rédigea un long texte à l'intention de la hiérarchie thébaine, afin de lui signifier son inaltérable fidélité et de préciser tout le mal qu'il pensait du pharaon et de son épouse ; contraint de les servir pendant d'interminables années, il avait atténué leur nocivité en se préoccupant du bien-être du peuple. Les Thébains pouvaient compter sur lui pour rétablir l'ordre ancien.

---

1. Sur le site d'Amarna, on a exhumé un nombre anormal de squelettes d'enfants en bas âge, trace d'une épidémie.

Et c'était le moment de se débarrasser de Kiya, devenue incontrôlable et inutile, puisque le Mitanni allait soit se détacher de l'Égypte, soit être piétiné par les Hittites. Maya révélerait à Néfertiti que l'étrangère avait pratiqué la magie noire, avec l'intention de ruiner la santé de ses enfants ; et ce crime-là était passible de la peine de mort.

*
* *

Toutou arpentait sa terrasse de long en large ; des pensées confuses agitaient son esprit, et plusieurs coupes de bière fraîche tardaient à l'éclaircir. Il ne s'attendait pas à une intervention aussi radicale de la part de Maya, un personnage influent et implacable, dont l'envergure était supérieure à la sienne ; et le scribe Irji lui apparaissait comme un redoutable exécuteur des basses œuvres, qui n'hésiterait pas à supprimer un adversaire trop résolu.

Toutou aurait dû plier l'échine, se taire et ne pas gêner les ambitions de Maya ; cependant, il jouait un double jeu, et la princesse Kiya le rémunérait de façon substantielle. Mais ces largesses s'accompagnaient d'exigences… et la Mitannienne, en cas de mécontentement, ne se montrerait pas moins cruelle que le général !

Comment se mettre à l'abri et quel camp choisir ? L'un des deux prédateurs finirait par éliminer l'autre, et mieux valait se situer du bon côté en passant inaperçu.

Toutou recourut à l'alcool de datte, une boisson pour homme aux effets dévastateurs ; sa réserve personnelle fut fidèle à cette réputation, obligeant le diplomate à s'allonger sur une natte en admirant le ciel étoilé.

Le diplomate avait toujours eu peur des femmes ; il les comprenait mal et craignait leurs réactions. Et parmi les panthères, la princesse Kiya occupait le premier rang ! Épouse secondaire du roi, ne réussirait-elle pas à remplacer Néfertiti ?

75

D'une santé insolente et d'un appétit insatiable, Maya se gavait d'un copieux petit déjeuner, composé de céréales, de pigeon grillé et de fruits frais, lorsque son intendant lui annonça la présence de Mahou, à la tête d'une escouade de policiers. Ils envahirent la villa, et leur chef pénétra dans la salle à manger.

Irrité, le général aux gros sourcils lui lança un regard noir.

— Te croirais-tu tout permis ? Cette intrusion est inadmissible !

— Je t'arrête, Maya. Ordre de Sa Majesté.

— Stupide plaisanterie !

— Présente-moi tes poignets ; si tu refuses, j'utilise la force.

— Ce n'est pas sérieux !

— Je te le répète : ordre de Sa Majesté. Dépêchons-nous.

Abasourdi, le haut dignitaire accepta de lourdes menottes en bois ; et Mahou hâta le pas en direction du palais, tandis que ses hommes fouillaient la somptueuse villa.

*
* *

L'attente fut interminable. Les mains libres, mais confiné dans une remise sous la garde de deux policiers, Maya voulait se persuader que cet effroyable incident n'était qu'un malentendu, facile à dissiper.

Enfin, Mahou le sortit de cette geôle et l'amena à la salle d'audience du palais de jour où trônaient Akhénaton et Néfertiti ; étaient présents le divin Père Ay, l'échanson Parénéfer et Panéhésy, responsable des greniers et des troupeaux, et… la princesse Kiya.

— Réitères-tu tes accusations ? lui demanda Néfertiti.

— Ce monstre est le pire des traîtres ! Il n'a cessé de soutenir Thèbes en secret et de préparer votre ruine en informant ses alliés, les Hittites !

— Cette étrangère est folle ! rugit Maya.

Ay exhiba le papyrus qu'un policier avait trouvé chez le général.

— Écrit de ta main, ce texte confirme les propos de la princesse.

Blême, le parvenu balbutia :

— C'est de la paperasse diplomatique… Je suis le plus dévoué des serviteurs ! La princesse, elle… elle a envoûté les filles du couple royal, c'est une sorcière !

Kiya s'approcha du général et lui cracha au visage.

— Toi, le père de mon enfant, tu oses me salir !

— Elle est coupable, Majesté, et je suis innocent !

— Saisis-toi de Maya, ordonna le souverain au chef de la police.

Ce dernier menotta de nouveau le général.

— Le complice des Thébains, affirma le prisonnier,

424

c'est le scribe Irji ; cette brute m'a menacé. C'est un assassin et un voleur ; moi, j'étais sa victime !

— Il ment, objecta Kiya ; ce misérable était à la tête d'un complot visant à renverser le trône.

— Qu'Irji soit interpellé, décréta le monarque ; lui et Maya[1] seront envoyés dans l'oasis de Khargeh.

Les gros sourcils du général se hérissèrent ; cet exil-là, synonyme de travaux forcés, serait définitif.

En le regardant s'éloigner, brisé, condamné à une mort sordide, Kiya se félicitait d'avoir reçu les confidences de Toutou. Le roi donna congé aux dignitaires, et la Mitannienne resta seule face au couple royal.

À l'issue de cette victoire, Kiya se sentait en mesure d'en remporter une autre : conquérir le cœur d'Akhénaton et supplanter Néfertiti, terrassée par les épreuves infligées à sa famille.

Les regards des deux femmes se croisèrent.

Celui de Kiya était dominateur et méprisant ; la reine paraissait à la fois lointaine et sereine, comme si son esprit voguait ailleurs. Ne se réfugierait-elle pas dans l'Ombre du Soleil, ce lieu de méditation qu'elle aimait tant, cédant la place à une nouvelle reine ?

Enfin, la princesse, trop longtemps assignée à une position subalterne, accédait au sommet de l'État ! Chassant une Néfertiti usée et vieillissante, elle restituerait au roi l'énergie nécessaire pour repartir de l'avant et imposer le culte d'Aton à l'Égypte entière.

— Nous avons écouté notre ministre des Affaires étrangères, indiqua le monarque ; Toutou a décrit la

---

1. L'étude de la documentation tend à prouver que Maya a été disgracié ; il fut le seul haut dignitaire d'Amarna à être ainsi sanctionné.

situation de nos vassaux, et recueilli les témoignages de nos ambassadeurs et de nos espions. Aussi avons-nous acquis une certitude : le Mitanni nous trahit.

Kiya eut l'impression d'être giflée.

— C'est insensé ! Ma présence ici…

— Justement, elle n'est plus nécessaire.

— Je… Je ne comprends pas !

— Nous te renvoyons chez toi, princesse Kiya, en compagnie de ta fille[1]. Regagner son pays natal, n'est-ce pas un grand bonheur ?

— Bientôt, vous le savez, ce pays n'existera plus !

— En ce cas, profite de ses derniers moments.

— Vous… Vous n'abandonnerez pas votre fille !

— Tu l'as avoué toi-même : le père est le traître Maya.

Kiya se jeta aux pieds du pharaon.

— Je ne mérite pas ce sort-là, Majesté ! Gardez-moi à la cour, je désire résider en Égypte et vous servir !

— Comme Maya…

— Je vous en supplie !

Prenant la main de Néfertiti, impassible, Akhénaton se leva.

— La parole a été tranchée[2], déclara-t-il, glacial.

---

1. Avant l'an seize du règne, la princesse Kiya disparaît de la documentation, et la tombe, probablement prévue pour elle, demeura inoccupée.
2. *Oudj medou*, formule spécifiant un décret royal.

76

Une brume épaisse assombrissait la cité du soleil.
Voilà bien longtemps que le roi ne rejoignait plus la
reine au palais de nuit et qu'ils ne parcouraient plus la
grande allée sous les acclamations de leur peuple ;
néanmoins, Ranef entretenait les chars et soignait les
chevaux, comme si le bonheur passé pouvait renaître.

Après la disparition de quatre de ses six filles,
Néfertiti avait demandé à l'aînée, indemne, de la remplacer auprès d'Akhénaton lors du rituel du matin ; le
roi exigeait un maximum d'offrandes, afin de satisfaire
son dieu et de mettre fin à l'effroyable épidémie qui
avait accablé sa capitale.

Davantage de bêtes sacrifiées, davantage de jarres de
vin, davantage de légumes et de fruits… Le Père divin
Ay et ses collaborateurs étaient contraints d'orienter
l'essentiel des livraisons vers le grand temple et de
veiller à la redistribution des denrées pour ne pas
mécontenter la population.

Et le chef de la police découvrit des figurines carica-
turant le couple royal, réduit à deux petits singes conduisant un char ! Il ne les montrerait pas au souverain, mais

la violence de cette critique lui prouva que la magie d'Aton s'était éteinte.

Le monarque s'enfermait dans sa croyance, persuadé qu'elle vaincrait le malheur et assurerait le bonheur de l'Égypte ; et Néfertiti, négligeant son amère victoire sur Kiya, quittait rarement l'Ombre du Soleil où, en vain, elle tentait de maîtriser son chagrin.

Gérer les affaires courantes, ce n'était pas gouverner ; en préservant les apparences, Ay prolongeait l'existence d'un régime dont la survie semblait compromise. C'est alors que survint un événement que personne n'avait eu le courage d'envisager.

Malgré l'état de santé de la reine, le Père divin estima indispensable de la prévenir sans délai et se rendit en char à l'Ombre du Soleil.

*
* *

Par moments, la fièvre s'atténuait, laissant un peu d'espoir au docteur Pentiou, luttant à l'aveuglette contre une épidémie qui commençait enfin à reculer et n'avait pas dépassé les frontières d'Akhet-Aton, grâce à l'établissement d'un cordon sanitaire.

Le thérapeute croisa le Père divin.

— Ne fatiguez pas Sa Majesté, lui recommanda-t-il ; elle a besoin de repos.

— Désolé, je ne puis lui dissimuler une affreuse vérité.

Dépité, le médecin courut au chevet d'autres malades.

Goûtant la fraîcheur de son jardin intérieur, bordé de colonnades, la reine était allongée sur une natte épaisse, Vaillant Guerrier à ses pieds ; conscient de la faiblesse de sa maîtresse, le chien la protégeait en permanence.

Il émit un grognement sourd à l'approche d'Ay, Néfertiti se réveilla.

D'ordinaire, le vieil homme s'exprimait de manière apaisante, évitant l'agressivité et le ton mordant ; cette fois, il alla droit au but.

— La reine mère Tiyi est morte.

Néfertiti voulut se relever, son père l'aida, et ils s'assirent dans des fauteuils à bas dossier, face à face.

— Une rumeur… Une simple rumeur !

— Un courrier officiel du maire de Thèbes où Tiyi a été inhumée.

— Elle devait l'être ici, auprès de nous !

Néfertiti rejeta la tête en arrière.

— Sans Tiyi, impossible de contrôler Thèbes.

Ay ne contredit pas sa fille.

*
* *

Le pharaon ne croyait pas à la révolte des partisans d'Amon ; bien qu'ils fussent informés du malheur touchant la cité du soleil, ils reconnaissaient l'autorité du monarque soumis, comme eux, à la loi de Maât ; une période cruelle s'estompait, le couple royal maintenait le cap du navire de l'État, et le culte d'Aton, lumière révélée, demeurait l'axe du pouvoir.

Akhénaton n'avait pas réclamé le transfert du corps de sa mère ; en reposant à Thèbes, selon l'ancienne coutume, elle continuerait peut-être à juguler la ville. Il s'était contenté d'un bref hommage à l'intérieur du tombeau royal, et cette modération avait rassuré Ay.

À l'approche de l'an seize du règne, la situation s'était stabilisée ; la capitale recouvrait la santé, même si le roi et la reine, sauvés par les soins du docteur Pentiou, ne ressemblaient plus au jeune couple conquérant, certain d'imposer à tous le rayonnement d'Aton.

Tantôt Néfertiti participait au culte matinal, tantôt sa fille aînée. Au cours de longs entretiens, dans l'atmosphère sereine de l'Ombre du Soleil, elle la préparait à régner.

Accompagné du divin Père, Toutou, le chef de la diplomatie, sollicita une entrevue urgente. La reine autorisa sa fille à entendre les déclarations du ministre.

— Une catastrophe, Majesté, une effroyable catastrophe ! Les Hittites ont écrasé le Mitanni, puis ont marché vers Byblos[1] et menacent d'envahir l'Égypte. Il faut réagir très vite !

— Pourquoi nos services de renseignement ne nous ont-ils pas alertés ?

Toutou baissa les yeux.

— Leurs mises en garde paraissaient excessives ; nous les avons ignorées.

— Des nouvelles de la princesse Kiya ?

— Aucune.

Surmontant sa lassitude, Néfertiti se couvrit les épaules d'un long châle et ordonna à son conducteur de char de l'emmener au palais de jour où Akhénaton relisait le grand hymne à Aton, chantant la gloire de l'unique dispensateur de vie.

Le visage décomposé de son épouse l'affola, il la prit dans ses bras.

---

1. Ancienne capitale du Liban actuel.

— Les Hittites déferlent, annonça-t-elle ; notre armée doit interrompre leur progression.

— La guerre…

— C'est la seule solution ; nos soldats attendent tes ordres.

— Je n'ai pas souhaité cette tragédie !

— Si nous n'agissons pas, l'Égypte sera détruite.

— Alors, agissons.

77

Depuis l'envoi d'un corps expéditionnaire en Syrie, le Père divin Ay dormait mal, guettant avec impatience un rapport. Akhénaton croyait que sa réaction vigoureuse stopperait l'avancée hittite ; les Égyptiens et les principautés alliées fourniraient les forces suffisantes pour affronter les envahisseurs et les repousser.

Et le rapport arriva, rédigé par un officier supérieur. Lors d'une violente confrontation, la plupart des soldats égyptiens avaient été tués ; exploitant leur écrasante victoire, les Hittites contrôlaient à présent la Syrie, le Liban et la Palestine. Ainsi, ils disposaient de la base nécessaire à la préparation de l'invasion du nord-est de l'Égypte que défendraient, sans grand espoir de succès, les troupes de Memphis.

Comme le roi méditait dans son oratoire, Ay se rendit à l'Ombre du Soleil. Malgré les soins du docteur Pentiou, Néfertiti déclinait ; et ce nouveau coup du destin ne contribuerait pas à son rétablissement. Mais comment effacer la réalité ?

Au visage creusé de son père, la reine perçut aussitôt la gravité du moment.

— La défaite…

— Une véritable déroute. Les Hittites masseront une armée dans le couloir syro-palestinien et ne tarderont pas à attaquer le Delta. Et ce n'est pas tout…

— Surtout, ne me cache rien !

— Cette fois, Thèbes redresse vraiment la tête. Des textes circulent, réclamant le rétablissement du culte d'Amon, le dieu des victoires. Lui seul sauvera l'Égypte de ses ennemis ; n'est-il pas le maître de l'arbre de vie, celui qui réjouit les cœurs, vient au secours des pauvres et des faibles ? Il était présent avant la naissance de notre monde, et le sera toujours à son extinction. Amon éloignera la peur et rétablira la joie ; seigneur de l'éternité, père pour l'orphelin, époux pour la veuve, il dissipe les ténèbres, et tous espèrent son retour.

Néfertiti ressentait chaque mot comme un coup de poignard, et ses ultimes forces s'évanouissaient.

— Le rayonnement d'Aton serait-il oublié ?

— Majesté…

— Pas d'illusions, Père divin ! Nous sommes incapables de poursuivre notre aventure, le vent a tourné et la tempête s'approche… Lorsque notre voix se sera éteinte, assure une transition pacifique ; que la cour regagne Thèbes et que nos fidèles rentrent dans le rang, sans être persécutés. Ma fille aînée me succédera, et tu l'aideras à prendre les bonnes décisions ; surtout, évite une guerre civile et repousse les envahisseurs. L'armée a confiance en toi et t'obéira.

— Ma fille…

— Voilà si longtemps que nous ne sommes plus un père et une fille ordinaires ! Notre fonction nous a absorbés, et je te lègue un lourd héritage. Ne te préoccupe que d'un seul devoir : préserver le pays du chaos.

La noblesse de Néfertiti bouleversa le vieil homme ; lui attribuer cette tâche signifiait qu'elle renonçait à combattre ; privé d'elle, Akhénaton ne serait qu'un fétu de paille.

*
* *

Le roi contempla le sarcophage qui accueillerait sa dépouille, la transformerait en être de lumière et l'élèverait vers Aton, le disque solaire, où il vivrait à jamais. Quand il avait fondé la nouvelle capitale, l'idée de sa propre mort le hantait déjà, au point d'exiger que les bornes du territoire sacré ne fussent point franchies et que sa momie reposât au sein du tombeau familial, abritant quatre de ses filles. « Si je meurs dans un million d'années, à n'importe quel endroit, avait-il déclaré, que mon corps soit inhumé dans la cité du soleil. »

Cette ville était son œuvre, et son âme Néfertiti. Naguère, aux quatre angles du sarcophage étaient sculptées les déesses[1] veillant à la résurrection d'Osiris ; à leur place, quatre représentations de la reine, dûment nommée, les suppléaient.

Elle n'était pas seulement une souveraine, une femme, une amante et une mère, mais l'incarnation de la beauté lumineuse d'Aton.

La lourde défaite de l'armée égyptienne, la revanche de Thèbes, le retour au passé et aux traditions,

---

1. Isis, « le Trône », donnant naissance au roi ; Nephtys, « la maîtresse du temple » ; Neit, la souveraine du verbe ; Serket, « le passage étroit », permettant au souffle vital de vaincre la mort.

l'abandon de ce nouvel horizon... N'était-ce pas inévitable ? Trop haut, trop loin, trop vite... Le destin sanctionnait Akhénaton.

À l'entrée du temple, Panéhésy vérifiait la qualité et la quantité des offrandes ; il s'inclina devant le monarque, accompagné de sa fille aînée.

— Une livraison a été retardée, Majesté ; néanmoins, aucun autel ne sera vide, et la cérémonie peut débuter.

Comme les autres dignitaires, le responsable des greniers et des troupeaux feignait d'ignorer la gravité des récents événements ; haut fonctionnaire rigoureux, il remplirait sa mission jusqu'au bout.

Les chanteuses entonnèrent un hymne à Aton, rythmant la lente progression du monarque et de sa fille vers l'orient. Un généreux soleil inondait les cours à ciel ouvert, des parfums embaumaient l'édifice entier.

Pourquoi les humains refusaient-ils les bienfaits de la lumière, pourquoi adoraient-ils les ténèbres, pourquoi préféraient-ils les chemins tortueux à la vie droite ? En omettant de répondre à ces questions, Akhénaton avait laissé croître des dragons qui, aujourd'hui, le dévoraient.

Le monarque traversa la cérémonie comme un fantôme, indifférent à la chaleur du soleil ; manquant d'appétit, il ne déjeuna pas et s'isola dans son oratoire où il pria son dieu, à l'écart d'un peuple incapable d'en percevoir la grandeur. L'un des rayons terminés par des mains porteuses de vie et de puissance ne le saisirait-il pas afin de l'arracher à sa condition terrestre ?

— Majesté... Pardonnez-moi de vous importuner.

À peine audible, la petite voix du fidèle Parénéfer tremblait.

— Qu'as-tu à m'apprendre ? interrogea le monarque, immobile.

— La reine vous demande ; d'après son vieux serviteur, elle serait à l'agonie.

ÉPILOGUE

ÉPILOGUE

Le crépuscule envahissait l'Ombre du Soleil ; dans un ultime rayon, Néfertiti aperçut le roi. Et, cette fois, Vaillant Guerrier ne grogna pas.

— Tu es venu... Je partirai en paix.

Akhénaton serra les mains de son épouse allongée sur son lit.

— Non, ne m'abandonne pas ! Sans toi, je n'aurai pas le courage de continuer.

— Pardonne-moi, je n'ai plus la force de te seconder. Regarde... La nuit tombe. Tout est fini, à présent... Thèbes redeviendra la capitale, saura lutter contre les Hittites, Amon armera le bras du futur pharaon, la cité du soleil sera rasée. Mais Aton, lui, ne disparaîtra pas ! Et nous avons vécu une vie exaltante, au service de notre idéal... Peu importent les reproches. Ce que nous avons conçu a été accompli.

— Demain, à l'aube, comme chaque matin, promit le roi, je vénérerai la grande stèle où tu es représentée adorant Aton ; je respirerai le doux souffle qui sort de ta bouche, j'admirerai ta beauté, j'entendrai ta voix, ton esprit donnera la vie et ton nom sera prononcé pour l'éternité.

Elle lui sourit, puis son regard se figea.

Et le hurlement à la mort du chien de Néfertiti emplit l'Ombre du Soleil.

ET ENSUITE ?

La mort de Néfertiti, probablement en l'an 16 du règne, brise définitivement l'élan d'Akhénaton, qui ne lui survivra pas longtemps. Sa dix-septième année de pharaon sera la dernière.

Malade, déprimé, Akhénaton ne gouverne plus ; c'est l'une de ses filles survivantes, Méryt-Aton, « l'Aimée d'Aton », qui tente de s'imposer, sous le regard vigilant d'Ay qui contrôle les services de l'État.

Méryt-Aton prend une initiative inouïe, pensant sauver l'Égypte d'une invasion destructrice : elle propose au redoutable roi des Hittites d'envoyer l'un de ses fils à Amarna afin qu'elle l'épouse. Ce mariage diplomatique, scellant la soumission au pays des pharaons, n'est pas acceptable aux yeux d'Ay et de son meilleur allié, le général Horemheb. Le roi hittite accède aux vœux de Méryt-Aton, mais son fils sera assassiné avant d'atteindre la cité du soleil ou peu de temps après son arrivée dans la capitale[1].

---

1. Selon l'hypothèse de Marc Gabolde, ce prince hittite, Zannanza, aurait pris le nom de Smenkh-ka-Rê, monarque éphémère qui aurait succédé un temps très bref à Akhénaton.

Méryt-Aton fut-elle éliminée, mourut-elle prématurément, adopta-t-elle un autre nom[1] afin d'entamer les premières réformes, notamment le retour aux cultes anciens ? Ni tombe, ni momie, ni documents officiels ne permettent de répondre à ces questions et d'éclairer l'obscure transition qui suivit la mort d'Akhénaton.

Méryt-Aton disparue, c'est un jeune prince, appelé à une gloire universelle, qui fut choisi par les dignitaires pour gouverner l'Égypte.

Éduqué à Amarna, il se nommait Tout-ânkh-*Aton*, « Symbole vivant du dieu Aton », et il était probablement le fils de la sœur de Néfertiti, et non celui du couple royal disparu.

Pour affirmer le profond changement qu'il devait opérer, il transforma son nom en Tout-ânkh-*Amon*. Amon, le maître de Thèbes qui redevient la capitale.

Tout-ânkh-Amon, dont le règne dura au moins neuf ans, fut le monarque d'une transition paisible, sans guerre civile ni affrontements. Lui succéda, pendant une brève période, l'inusable Ay, lequel célébra les funérailles de Tout-ânkh-Amon dans la Vallée des Rois, avant de bénéficier lui-même d'une tombe dans la branche occidentale de cette Vallée, à proximité de la dernière demeure d'Amenhotep III, le père d'Akhénaton.

Vers 1320 av. J.-C., Horemheb, général et scribe royal, monte sur le trône. Les principaux protagonistes de « l'aventure amarnienne » se sont éteints, une nouvelle ère commence. Horemheb apparaît comme le fondateur d'une dynastie, celle des Ramessides, dont Ramsès II sera le plus illustre représentant.

---

1. Néfer-néferou-Aton, une reine qui a succédé à Akhénaton.

Que sont devenues les momies d'Akhénaton et de Néfertiti ? Elles furent inhumées dans la tombe royale d'Amarna mais, lors du retour de la cour à Thèbes et de l'abandon de la cité du Soleil, ces momies furent déplacées et déposées dans une sépulture thébaine[1].

Mais à quel endroit ? En ce qui concerne Néfertiti, aucune piste sérieuse ; pour Akhénaton, en revanche, un faisceau d'indices conduit à la tombe 55 de la Vallée des Rois, malheureusement très mal fouillée, où l'on découvrit le sarcophage d'un pharaon, aujourd'hui exposé au musée du Caire, et qui présente une particularité notable : son nom a été effacé. S'agit-il d'Akhénaton ?

Que reste-t-il de la capitale d'Akhénaton et de Néfertiti, Akhet-Aton, « la Contrée de lumière d'Aton » ?

Cette cité inédite, sise en un lieu que n'avaient jamais occupé ni dieu ni déesse, fut bâtie en un temps record, environ deux ans, grâce aux « nouvelles technologies » que nous avons décrites. Habitable à l'issue de cette intense période de construction, elle ne cessa de se développer tout au long du règne.

Après la mort d'Akhénaton, l'extinction du culte d'Aton et l'installation du pouvoir à Thèbes, que se passa-t-il ? Dans un premier temps, sanctuaires, palais, villas et maisons furent abandonnées, et la brillante cité se mua en ville fantôme.

Puis une décision radicale fut adoptée : la raser jusqu'aux fondations. Mais par qui et à quel moment ? L'opération fut-elle exécutée sous le règne d'un seul pharaon ou s'étala-t-elle sur de longues années ? Seule

---

1. L'hypothèse de leur destruction paraît peu probable.

certitude : Séthi Ier, le père de Ramsès II, et son célèbre fils, n'aimaient pas Akhénaton, qualifié de « scélérat » et de « rebelle ». Aussi fut-il banni des listes royales, de même que ses successeurs immédiats. Légaliste, Horemheb fut considéré comme le premier pharaon renouant vraiment avec la tradition ; déclencha-t-il le démantèlement de la capitale « hérétique » afin de refermer une parenthèse disharmonieuse ?

Pour le visiteur contemporain, Amarna n'est qu'une vaste plaine désolée, souvent battue par les vents ; il n'existait rien avant Akhénaton, il n'exista rien après. Redécouvert au XVIIIe siècle, le site a cependant fourni aux archéologues une mine d'informations, et les campagnes de fouilles se poursuivent, à la recherche du moindre indice.

On a retrouvé la tombe royale, les tombes des dignitaires dont certaines sont décorées et comportent des hymnes à Aton composés par Akhénaton et, grâce à l'étude des vestiges, on connaît l'ensemble de la cité, son plan, ses temples, ses palais, ses quartiers. Si la cité d'Aton a disparu, elle peut néanmoins être reconstituée.

Autres monuments en partie préservés : les stèles frontières marquant à jamais les limites de la capitale anéantie. Et ce n'est pas l'aspect le moins troublant de « l'expérience amarnienne » : le roi mystique avait conscience de l'originalité de sa démarche et fixait des limites à ne pas dépasser. Car, insistons sur ce point, le culte d'Aton, imprégné de l'inévitable intolérance de tout monothéisme refusant la multiplicité, n'a engendré ni tueries ni guerre civile. Mais ce soleil-là avait ses ombres, dont la plus sublime fut Néfertiti ; et son visage a traversé les siècles.

Composé par PCA
à Rezé

Achevé d'imprimer en septembre 2014
par Black Print CPI Iberica

POCKET – 12, avenue d'Italie – 75627 Paris Cedex 13
Dépôt légal : octobre 2014
S25017/01